SPORT ET NUTRITION
PENDANT ET APRÈS
LA GROSSESSE

Design graphique : Ann-Sophie Caouette
Infographie : Johanne Lemay
Révision : Brigitte Lépine
Correction : Anne-Marie Theorêt
Traitement des images : Mélanie Sabourin
Illustrations : Carol-Ann Pedneault
Photos des exercices : Tango
Photos : Jean-François Brière, à l'exception des pages suivantes :
28, 33 (Shutterstock), 51 (Shutterstock), 60, 73 (Shutterstock),
83, 89, 90, 92, 109 (Shutterstock), 110, 115, 116, 122, 124, 135
(Shutterstock), 158, 165, 182, 183, 195, 197

Catalogage avant publication de Bibliothèque et Archives nationales du Québec et Bibliothèque et Archives Canada

Hofer, Élise

   Sport et nutrition pendant et après la grossesse

   Comprend des réf. bibliogr.

   ISBN 978-2-7619-2901-1

   1. Condition physique des femmes enceintes. 2. Grossesse -
Aspect nutritionnel. 3. Gymnastique prénatale et postnatale.
I. Olivier, Mélanie. II. Titre.

RG558.7.H63 2012   618.2'44   C2012-940346-6

05-12

© 2012, Les Éditions de l'Homme,
division du Groupe Sogides inc.,
filiale de Quebecor Media inc.
(Montréal, Québec)

Tous droits réservés

Dépôt légal : 2012
Bibliothèque et Archives nationales du Québec

ISBN 978-2-7619-2901-1

DISTRIBUTEURS EXCLUSIFS :

Pour le Canada et les États-Unis :
MESSAGERIES ADP*
2315, rue de la Province
Longueuil, Québec J4G 1G4
Téléphone : 450-640-1237
Télécopieur : 450-674-6237
Internet : www.messageries-adp.com
* filiale du Groupe Sogides inc.,
  filiale de Quebecor Media inc.

Pour la France et les autres pays :
INTERFORUM editis
Immeuble Paryseine, 3, allée de la Seine
94854 Ivry CEDEX
Téléphone : 33 (0) 1 49 59 11 56/91
Télécopieur : 33 (0) 1 49 59 11 33
Service commandes France Métropolitaine
Téléphone : 33 (0) 2 38 32 71 00
Télécopieur : 33 (0) 2 38 32 71 28
Internet : www.interforum.fr
Service commandes Export – DOM-TOM
Télécopieur : 33 (0) 2 38 32 78 86
Internet : www.interforum.fr
Courriel : cdes-export@interforum.fr

Pour la Suisse :
INTERFORUM editis SUISSE
Case postale 69 – CH 1701 Fribourg – Suisse
Téléphone : 41 (0) 26 460 80 60
Télécopieur : 41 (0) 26 460 80 68
Internet : www.interforumsuisse.ch
Courriel : office@interforumsuisse.ch
Distributeur : OLF S.A.
ZI. 3, Corminboeuf
Case postale 1061 – CH 1701 Fribourg – Suisse
Commandes :
Téléphone : 41 (0) 26 467 53 33
Télécopieur : 41 (0) 26 467 54 66
Internet : www.olf.ch
Courriel : information@olf.ch

Pour la Belgique et le Luxembourg :
INTERFORUM BENELUX S.A.
Fond Jean-Pâques, 6
B-1348 Louvain-La-Neuve
Téléphone : 32 (0) 10 42 03 20
Télécopieur : 32 (0) 10 41 20 24
Internet : www.interforum.be
Courriel : info@interforum.be

Gouvernement du Québec – Programme de crédit d'impôt pour
l'édition de livres – Gestion SODEC –
www.sodec.gouv.qc.ca

L'Éditeur bénéficie du soutien de la Société de développement
des entreprises culturelles du Québec pour son programme
d'édition.

 Conseil des Arts Canada Council
du Canada for the Arts

Nous remercions le Conseil des Arts du Canada de l'aide accordée
à notre programme de publication.

Nous reconnaissons l'aide financière du gouvernement du
Canada par l'entremise du Fonds du livre du Canada pour nos
activités d'édition.

ÉLISE HOFER ET MÉLANIE OLIVIER

Préface du Dr Vyta Senikas, membre de la SOGC

SPORT ET NUTRITION
PENDANT ET APRÈS
LA GROSSESSE

LES ÉDITIONS DE
L'HOMME

Une compagnie de Quebecor Media

Préface

Pendant de nombreuses années, l'activité physique chez la femme enceinte était mal vue, et on recommandait à cette dernière de réduire ses activités. On sait maintenant qu'il faut éviter l'inactivité et la sédentarité pendant la grossesse ! Les femmes enceintes ne présentant aucune contre-indication médicale sont incitées à bouger ; à marcher, à nager, à courir et à faire du vélo, de l'aérobie, du yoga, du ski de fond, etc. Bref, à continuer leur programme d'activité physique ou même à en commencer un, pour améliorer leur bien-être et celui de leur futur bébé.

Les bienfaits de l'activité physique sont réels : pratiquée régulièrement, elle réduit les risques d'être atteint de nombreuses maladies comme l'hypertension, le diabète, la dépression, l'arthrite et certaines formes de cancer. Les femmes enceintes qui sont actives ont moins de douleurs pendant la grossesse et ont généralement de meilleures dispositions (puisque l'activité physique agit sur le niveau de stress quotidien, la qualité du sommeil, la sensation de bien-être et l'estime de soi), sans compter que leur accouchement nécessite en général moins d'interventions médicales. Dans les jours, les semaines et les mois qui suivent l'accouchement, l'activité physique pratiquée régulièrement peut aussi aider la nouvelle maman à garder le moral et à traverser plus facilement des périodes où le stress, l'anxiété ou les états dépressifs peuvent survenir.

L'activité physique devrait faire partie de la routine quotidienne de chaque individu, y compris des femmes enceintes. Les suivis en obstétrique permettent aujourd'hui un bon encadrement de l'état de santé général de la femme enceinte et la possibilité d'intégrer un programme d'activité physique supervisé par un professionnel de la santé.

Les connaissances évoluent, et les mentalités doivent suivre. La grossesse est une célébration de la vie ! Elle n'a pas à être une période d'immobilité et d'interdits catégoriques. Elle devrait plutôt être une expérience saine et vivante balisée par des choix éclairés et la prise des précautions nécessaires, toujours dans le respect de ses limites personnelles et des recommandations en cours. Dans cette optique, cet ouvrage sera certainement une source de motivation et d'information précieuse pour toutes les mamans, leurs proches, et même les professionnels de la santé !

Dʳ Vyta Senikas BSc, MDCM, FRSC, FSOGC, CSPQ, MBA
Vice-présidente administrative associée de la Société des obstétriciens
et gynécologues du Canada (SOGC)

Avant-propos

Lorsque l'on pratique un sport depuis des années, l'arrivée d'une grossesse suscite de nombreuses questions. Si l'on fait peu d'activité physique et que l'on souhaite commencer ou augmenter sa pratique, le lot de questions ne fait qu'augmenter.

Quelle activité puis-je faire ? Puis-je continuer mon entraînement ? Jusqu'à quand ? À quelle intensité ? Y a-t-il des sports qui sont proscrits ? Dois-je manger différemment lorsque je m'entraîne ? Suis-je à risque de carences ? Quels sont les aliments à privilégier ? Quoi penser des suppléments ?

Le temps où l'on recommandait aux femmes enceintes de s'en tenir à la marche ou au repos complet est révolu. Il est tout à fait souhaitable de faire de l'activité physique pendant la grossesse, moyennant quelques ajustements et précautions.

Il existe plusieurs ouvrages de référence sur la grossesse et la période postnatale, mais aucun ne traite spécifiquement de l'activité physique et de l'alimentation pour la femme active ou celle qui désire le devenir.

Ce guide contient les plus récentes recommandations en matière de nutrition et d'activité physique pendant la grossesse, des programmes d'entraînement pour les femmes de tous les niveaux, des menus, des idées de recettes ainsi que des trucs pratiques afin de faire de cette période un moment qui orientera vos choix en matière d'activité physique et de nutrition pour le reste de votre vie. Il rassemble les lignes directrices de diverses organisations reconnues dans le domaine de la santé, complétées par les apports inestimables de nombreux professionnels de la santé : médecins, gynécologues, physiothérapeutes (kinésithérapeuthes), kinésiologues, nutritionnistes et docteurs en physiologie de l'exercice, sans oublier la Société des obstétriciens et gynécologues du Canada.

La maternité, l'activité physique et la nutrition forment un trio gagnant. Il n'y a pas de meilleur cadeau à vous offrir, à offrir à votre famille et à votre prochain né que celui de votre santé. Alors sachez profiter pleinement de ces moments uniques et préparez-vous pour un nouveau départ !

Un bébé sain dans un corps sain

À l'annonce d'une grossesse, beaucoup de questions surgissent. Les réponses à ces questions varient d'une personne à l'autre, puisqu'il y a plusieurs variables dans une grossesse. Certaines sont contrôlables, d'autres non. Chaque femme est unique, chaque grossesse est différente et les circonstances qui l'entourent aussi. Il est important de bien vous connaître et la grossesse vous donnera une occasion en or d'être à l'écoute de votre corps. Dans ce chapitre, vous trouverez l'essentiel de ce qu'il y a à retenir en matière d'alimentation et d'activité physique. Il s'agit d'une petite liste de vérification des habitudes de vie, des modifications à apporter à votre alimentation, à votre niveau d'activité physique et à vos habitudes de sommeil. Si vous n'en êtes pas à votre première grossesse, ce sera une mise à jour ou un rappel des éléments de base à respecter pour une grossesse en santé.

UNE QUESTION DE SAINES HABITUDES

Vivre une grossesse agréable et, surtout, avoir un bébé en bonne santé sont souvent les souhaits les plus chers des futures mamans. Vos habitudes de vie sont déterminantes pour la santé du bébé, qui dépend totalement de vous, et ce, particulièrement au début de la grossesse. Contrairement à l'adulte qui doit maintenir son équilibre corporel, le fœtus, lui, est en constant développement, en constante « création ». Ses cellules se multiplient à grande vitesse afin de créer chaque organe et chaque système qui composeront son corps au bout de neuf mois. En éliminant certaines habitudes ou aliments (voir les pages suivantes) et en révisant certaines règles d'hygiène dans la cuisine, vous le protégez de conditions ou maladies graves pouvant lui être transmises et lui offrez tous les éléments nécessaires à sa croissance. Revenez à ce chapitre quand le doute s'installe, lorsque vous faites votre épicerie, que vous êtes au resto ou en voyage, par exemple.

Si la vie vous a surprise et que la petite introspection que plusieurs femmes font quand le projet de bébé est dans l'air n'a pas eu lieu, inutile de vous culpabiliser. Agir au moment où la grossesse est connue est aussi important. Il n'y a pas de petites améliorations : elles sont toutes bénéfiques pour vous et votre bébé.

AU RANCART, ET VITE !

LA CIGARETTE ET LES DROGUES

Si vous fumez des cigarettes ou que vous prenez de la drogue, même de façon occasionnelle, c'est une habitude à perdre dès maintenant. Il est clairement démontré que les femmes enceintes qui fument ou qui sont en contact avec de la fumée donnent naissance à des bébés plus petits qui sont plus à risque de complications, dont un retard de croissance. Le bébé d'une femme enceinte qui fume reçoit moins d'oxygène et de nutriments essentiels à son développement. La fumée de cigarette, ou toute autre drogue, traverse la barrière placentaire et rejoint la circulation sanguine du fœtus au même titre que celle de la mère. Cette fumée contient plus de 4000 produits chimiques auxquels le bébé est exposé. La mère court également plus de risques, dont celui de faire une fausse couche ou d'avoir des complications au moment de l'accouchement. Un environnement sans fumée est ce qu'il y a de plus sain pour la femme enceinte. Impliquez votre entourage, recherchez les endroits sans fumée, et ce, même si vous ne souhaitez pas annoncer la nouvelle tout de suite.

L'ALCOOL

Vous aimez prendre un petit apéro ? Difficile de ne pas terminer la bouteille de vin avec votre amoureux ? Pourtant, la science est formelle : si vous êtes enceinte, il vous faut dire un gros NON à l'alcool. L'alcool passe très bien la barrière placentaire et le fœtus absorbe la même quantité d'alcool que la mère. Il n'a par contre pas la même capacité de l'éliminer.

Peu importe sa source et sa concentration, l'alcool atteindra d'abord le système nerveux central du fœtus, pouvant provoquer des malformations, un retard de croissance ou un accouchement prématuré. À l'heure actuelle, la dose à laquelle commencent les effets secondaires et l'augmentation des risques de souffrir d'un trouble causé par l'alcoolisation fœtale pour le bébé sont inconnues. C'est pourquoi les corps médicaux internationaux s'entendent pour recommander une diminution de la consommation d'alcool en prévision d'une grossesse et une abstinence totale lors de la grossesse. En trouvant d'autres manières de célébrer, vous découvrirez de nouvelles facettes à vos sorties, à vos rencontres et à votre couple !

TRUCS ET CONSEILS

Prenez plaisir à déguster des boissons sans alcool et de petits cocktails à base de jus et d'eau pétillante. Vous avez de quoi célébrer cette sobriété, après tout ! Voici quelques suggestions qui vous feront sentir que vous faites partie de la fête :

- le jus de pomme avec de l'eau pétillante passe aisément pour du champagne ou du mousseux ;

- un virgin Mary passe inaperçu et offre une bonne source de vitamine C ;

- un jus de canneberge et gingembre dilué dans de l'eau pétillante avec une touche de citron donne un punch désaltérant et très festif ;

- le moût de pomme ou de poire sans alcool est un délicieux apéro fruité ;

- le vin et la bière sans alcool vous permettent d'accompagner votre repas d'une boisson similaire à celle de vos invités.

À CONSOMMER AVEC MODÉRATION !

LA CAFÉINE

La caféine se trouve dans de nombreux produits dont le café, le thé, le chocolat et plusieurs boissons énergisantes. Son effet stimulant est cumulatif lors de la consommation de différents produits. On doit donc additionner la quantité contenue dans tous les aliments consommés dans une journée, sans dépasser 300 mg par jour. Son effet est aussi très variable d'une personne à l'autre et dépend de la source de caféine, et de ce qui est consommé en même temps. Par exemple, son effet sera ressenti plus rapidement lorsque consommée à jeun. La caféine stimule le système nerveux central et augmente les battements cardiaques de la mère lors d'une consommation de plus de quatre à cinq tasses de café par jour, ce qui peut interférer avec la prise de poids du fœtus. Autres points négatifs : la caféine diminue le taux d'absorption du fer, un élément essentiel pour le transport de l'oxygène dans le sang, et du calcium nécessaire à la santé osseuse et aux contractions musculaires. Vous trouverez à la page suivante un tableau résumant les principales sources de caféine et leur teneur en caféine.

Infobulle

LE SYNDROME D'ALCOOLISME FŒTAL

La conséquence la plus grave observée dans les cas de consommation régulière d'alcool, ou épisodique mais en quantité importante, est le syndrome d'alcoolisme fœtal (SAF). Les enfants ayant ce syndrome peuvent présenter un retard de croissance à la naissance, un faciès caractéristique, des malformations possibles à différents organes et un retard mental et neurologique. Ce n'est que dans moins de 10 % des cas que le bébé présentera tous les symptômes, mais d'autres symptômes isolés seront présents dans ce que l'on appelle l'ensemble des troubles causés par l'alcoolisation fœtale (ETCAF).

LE CAFÉ

La teneur en caféine du café varie en fonction du type de café et de sa torréfaction. Pour le café filtre, il est recommandé de diminuer la consommation à un maximum de deux ou trois tasses par jour, ou de boire du café décaféiné à l'eau lorsque l'on souhaite devenir enceinte et au cours de la grossesse.

Remarque : Le café décaféiné ne doit pas contenir plus de 0,01 % de caféine, mais les taux varient. Le procédé pour décaféiner le café est également soumis à une réglementation, mais certains préfèrent choisir le café décaféiné à l'eau ou au CO_2 plutôt qu'aux solvants.

LE THÉ

L'ingrédient actif du thé, que l'on a longtemps appelé « théine », est en fait de la caféine. On doit donc en tenir compte dans la quantité totale de caféine consommée dans une journée. Les variétés de thé sont très nombreuses et ne contiennent pas toutes de la caféine. L'effet de la caféine du thé se fait sentir moins rapidement que celle du café, car son absorption est ralentie par les tanins du thé. Les thés noirs sont réputés être plus stimulants que les thés verts et blancs, mais informez-vous, car certains thés verts japonais ont le même effet qu'un café filtre. D'autres thés, tels les

LA TENEUR EN CAFÉINE DE DIFFÉRENTS PRODUITS DE CONSOMMATION COURANTE

PRODUITS	PORTION	CAFÉINE (mg)
Café filtre	250 ml (1 tasse)	100 à 145
Café espresso (double)	60 ml (¼ tasse)	89 à 129
Café instantané, sucré, à saveur de cappuccino (poudre et eau)	250 ml (1 tasse)	106
Café décaféiné	250 ml (1 tasse)	5 à 7
Boisson glacée au café	250 ml (1 tasse)	60
Thé infusé vert, noir ou blanc	250 ml (1 tasse)	14 à 60
Thé instantané, sucré, à saveur de citron (poudre et eau)	250 ml (1 tasse)	30
Boissons gazeuses	1 cannette (250 ml)	28 à 64
Boissons énergétiques	1 cannette (250 ml)	80 à 140
Boissons gazeuses avec aspartame	1 cannette (250 ml)	50
Bonbons avec fève de café enrobée de chocolat noir	5 g (¼ oz)	42
Tablette de chocolat au lait	60 g (2 oz)	3 à 20
Tablette de chocolat noir	60 g (2 oz)	40 à 50
Mousse au chocolat maison	125 ml (½ tasse)	15
Gâteau au chocolat maison sans glaçage	¹⁄₁₂ gâteau (2 étages, 23 cm de diamètre)	13
Mélange à saveur de chocolat en poudre (poudre, eau ou lait)	250 ml (1 tasse)	8

Source : Fichier canadien sur les éléments nutritifs (FCEN) 2007.

thés aux fruits et le thé rouge, peuvent être considérés comme des tisanes, puisqu'ils contiennent peu ou pas de caféine. Le temps d'infusion fait également varier la quantité d'éléments actifs dans le thé. Un thé infusé plus longtemps en contiendra davantage.

LES TISANES

Pour les tisanes, il a été démontré, entre autres, que la camomille peut provoquer des contractions utérines ; il est donc préférable de l'éviter. Faites attention aux tisanes qui sont dites stimulantes ou diurétiques, puisque certaines contiennent du guarana ou du yerba maté, des stimulants au même titre que la caféine ; elles sont donc à éviter. Au Canada, les seules tisanes autorisées pendant la grossesse sont celles de gingembre, de pelure d'agrumes et d'orange, de mélisse officinale et d'églantier. Il est préférable de ne pas les acheter en vrac afin de bien connaître leur contenu et d'éviter toute contamination avec d'autres substances non désirables. On recommande également aux femmes enceintes de limiter leur consommation de tisane à 500 à 750 ml par jour, soit deux à trois tasses, puisque les données scientifiques ne sont pas encore assez précises pour prouver que les tisanes sont sans danger pour la femme enceinte.

LAVER, LAVER : APPLIQUER LES RÈGLES D'HYGIÈNE EN CUISINE

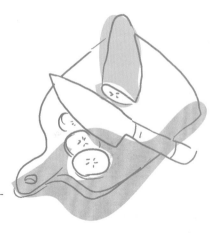

Le placenta est l'organe qui permet le transfert des nutriments et agit à titre de barrière. Il faut donc tenter d'éliminer les risques que certains microorganismes néfastes, tels des bactéries et des virus, le traversent et atteignent le fœtus. C'est pourquoi plusieurs restrictions s'appliquent dans le cas de l'alimentation.

Ces règles d'hygiène permettent d'éviter les maladies comme la salmonellose, la listériose, l'infection au *E. coli* et la toxoplasmose, qui peuvent être contractées à la suite de la consommation d'aliments contaminés.

Sans devenir paranoïaque, faites ressortir la ménagère en vous et avisez la maisonnée de la nouvelle rigueur nécessaire dans la cuisine. Le temps de préparation des aliments risque d'être plus long, mais votre santé et celle de votre bébé en dépendent. Lavez les planches à découper, les couteaux, les ustensiles et le comptoir en les désinfectant à l'aide d'une solution écologique comme de l'eau chaude et du savon, ou avec une solution de 5 ml (1 c. à thé) d'eau de Javel dans 750 ml (3 tasses) d'eau que vous laissez agir et rincez ensuite abondamment. N'oubliez pas de nettoyer régulièrement le frigo et vos sacs d'épicerie réutilisables si des aliments ont souillé les sacs.

TRUCS ET CONSEILS

- Ne manipulez pas les aliments crus et les aliments cuits avec les mêmes ustensiles et sur les mêmes surfaces. Utilisez une planche à découper à part pour les aliments crus. Choisissez des couleurs différentes de planches pour les viandes ou les poissons, puisqu'il est plus facile de se rappeler de cette consigne avec des couleurs.

- Faites le ménage de votre congélateur et jetez tout ce qui date de plus de six mois. La congélation ne tue pas les bactéries, elle ralentit seulement leur prolifération. Vérifiez les dates sur les produits achetés et prenez l'habitude de noter la date de congélation sur le contenant ou l'emballage. Décongelez toujours les aliments au réfrigérateur.

- Les fruits et légumes devraient être lavés à grande eau et bien essorés afin d'éliminer toute trace de terre, qui pourrait être contaminée s'il y a un chat dans les parages…

- Les aliments chauds doivent être conservés à plus de 60 °C (140 °F) et les aliments froids à moins de 4 °C (39 °F).

LA CUISSON DES ALIMENTS

Dernièrement, les États-Unis ont émis de nouvelles recommandations simplifiées pour la cuisson des aliments. Pour qu'elles soient sans danger pour la santé, la température des volailles doit atteindre 74 °C (165 °F), la viande hachée doit être très bien cuite, perdre toute coloration rouge à l'intérieur et atteindre 71 °C (160 °F) et les coupes entières 63 °C (145 °F), avec trois minutes de repos avant le service. Utilisez un thermomètre à cuisson pour vérifier la cuisson des viandes. Réchauffez les mets à 74 °C (165 °F), au minimum, et assurez-vous qu'ils sont réchauffés de façon uniforme.

Infobulle

LES BACTÉRIES NE SE TROUVENT PAS QUE DANS LES ALIMENTS

Attention, litière contaminée !

Les excréments de chat peuvent transmettre la toxoplasmose, une infection rare portée par un parasite appelé *toxoplasma goondii*. Les symptômes ressemblent à ceux d'un rhume ou sont absents. Les cas d'infection du fœtus lorsque la mère est infectée sont évalués à 50 %. Elle peut causer un retard mental, une perte d'ouïe et d'autres problèmes de santé.

Demandez à votre douce moitié de s'occuper de la litière du chat ou portez des gants et lavez-vous bien les mains après avoir travaillé dans le jardin ou après avoir joué dans le carré de sable avec votre petit dernier. Lavez aussi les fruits et légumes frais ou les produits du jardin pour retirer la terre qui pourrait avoir été contaminée.

L'équipement sportif

Les mesures d'hygiène doivent être renforcées partout. N'oubliez pas de bien nettoyer les équipements de gymnase AVANT de vous en servir, de même que les équipements de sport que vous empruntez ou louez.

LES TEMPÉRATURES INTERNES DE CUISSON SÉCURITAIRES

	TEMPÉRATURE
BŒUF, VEAU ET AGNEAU	
Coupes entières et morceaux mi-saignants	63 °C (145 °F)
Coupes entières et morceaux à point	71 °C (160 °F)
Coupes entières et morceaux bien cuits	77 °C (170 °F)
Hachés et mélanges de viandes (hamburgers, saucisses, plats en casserole, etc.)	71 °C (160 °F)
PORC	
Coupes entières et morceaux	71 °C (160 °F)
VOLAILLE (POULET, DINDE, CANARD, ETC.)	
Morceaux	74 °C (165 °F)
Volaille entière	85 °C (185 °F)
Hachée	74 °C (165 °F)
ŒUFS	
Mets à base d'œufs	74 °C (165 °F)
AUTRES	
Hot-dogs, farce, restes, fruits de mer, etc.	74 °C (165 °F)

Source : Santé Canada, *Salubrité des aliments. Températures sécuritaires de cuisson interne.*

LES ALIMENTS À SURVEILLER

LES POISSONS À ÉVITER

Vous avez une folle envie d'un thon poêlé et votre poissonnier refuse de vous en servir en voyant votre bedon rond ? Tous les marchands ne sont pas aussi informés du fait que certains poissons doivent être consommés en moindre quantité lors de la grossesse. Pourquoi limiter la consommation de ces poissons ? À cause du mercure, un élément naturellement présent dans l'environnement. Les poissons de fond et les gros poissons en accumulent sous forme de méthylmercure en quantité suffisante pour créer une certaine toxicité. Il a été démontré qu'en grande quantité le mercure augmente les risques que le bébé soit atteint de paralysie cérébrale et autres troubles neurologiques. Les poissons comme le thon, le requin (notamment le siki), l'espadon et le marlin doivent être consommés au maximum une fois par mois, mais il est préférable de les éviter. Même chose pour les poissons fumés crus. Par contre, pas question de limiter la consommation des autres poissons ! Au contraire, de récentes études ont démontré que les femmes enceintes qui consommaient du poisson à raison de deux ou trois fois par semaine donnaient naissance à des bébés ayant de meilleures aptitudes cognitives.

LES POISSONS À METTRE AU MENU

Le saumon, la truite, le hareng, l'aiglefin, le thon pâle en conserve, la goberge, la sole, le flet, l'anchois, l'omble, le cabillaud (ou morue), le lieu, la sardine, la raie, la roussette, le merlu, le suceur ballot, l'éperlan, le maquereau de l'Atlantique et les poissons blancs de rivière et de lac sont à consommer durant la grossesse. Vérifiez auprès des autorités de votre région pour bien connaître les poissons de lac permis et la quantité recommandée. Différents sites Internet (celui de l'aquarium de Monterey Bay ou de la World Wildlife Foundation, par exemple) permettent de vérifier si le poisson choisi contient du mercure ou d'autres contaminants. Ces sites vous informeront aussi sur les poissons en danger d'extinction.

LES ÉDULCORANTS, LES SUBSTITUTS DE SUCRE ET AUTRES NOUVEAUX VENUS

Les édulcorants sont soit de source naturelle, soit fabriqués par l'industrie (de synthèse). Ils ont un pouvoir sucrant plus élevé que le sucre, ce qui réduit la quantité nécessaire pour obtenir un goût sucré. Ainsi, ils ne fournissent que très peu, ou pas, de calories. Or, en tant que femme enceinte active, vous avez besoin que vos aliments contiennent des glucides et des nutriments. Pour l'instant, seuls la saccharine et le cyclamate sont interdits pour la femme enceinte et devraient être consommés seulement sous supervision médicale, puisqu'ils sont liés à l'augmentation du risque de cancer. Les autres produits souvent intégrés à des aliments ou offerts comme substituts de sucre, tels l'aspartame, l'acésulfame potassium ou le sucralose (Splenda[MD]), sont identifiés comme étant sécuritaires pour la femme enceinte et la femme qui allaite. Par contre, ils ne sont habituellement pas nécessaires, car le bébé a besoin que la mère consomme des aliments nutritifs qui donnent de l'énergie. Récemment, certaines études ont émis des réserves concernant la sécurité de l'aspartame pour la femme enceinte, sans toutefois mentionner de contre-indication claire. Vérifiez dans le tableau des aliments à éviter (voir la page ci-contre) pour bien reconnaître les noms commerciaux des produits. Dans le doute, l'abstinence est toujours préférable.

Les sucres-alcools (maltitol, sorbitol, mannitol, xylitol, isomalt, etc.) présents dans plusieurs produits peuvent causer des gaz et de la diarrhée. Il convient donc de ne pas abuser des produits sans sucre qui en contiendraient. L'extrait de stevia (édulcorant naturel) et le sirop d'agave sont deux nouveaux venus sur le marché canadien ; leur innocuité n'est pas encore totalement prouvée et on recommande aux femmes enceintes de limiter leur consommation de ces produits.

LES SUSHIS

Certains sushis sont faits de poissons crus et les viandes et poissons crus sont à éviter à cause des risques de toxi-infections alimentaires par manque de fraîcheur ou à cause des manipulations. Même si certains sushis sont faits avec des poissons cuits ou fumés, mieux vaut les éviter et choisir des sushis végétariens.

LE SOYA ET LES PRODUITS À BASE DE SOYA

En France, une mise en garde basée sur les résultats d'études chez les animaux est faite aux femmes enceintes et allaitantes en ce qui concerne la consommation de soya. Cette recommandation n'a pas été émise ailleurs dans le monde. Les produits de soya contiennent des phytoestrogènes, dont certains traversent la barrière placentaire. Ces substances pourraient interférer avec le développement sexuel et hormonal normal du petit. Il n'y a pas de données à cet effet chez les humains, mais on recommande surtout d'éviter de consommer des suppléments, boissons et substituts de repas à base de soya, et de ne pas boire ou manger plus d'un produit à base de soya par jour.

LES STÉROLS

Nous trouvons maintenant sur le marché des produits enrichis de stérols végétaux destinés aux personnes qui souhaitent abaisser leur taux de cholestérol sanguin. Comme nous ne connaissons pas les risques reliés à la consommation de ces produits chez les femmes enceintes ou qui allaitent, ils sont déconseillés. Soyez attentive car on les trouve dans les margarines, les yogourts, les boissons et les jus.

LES ALIMENTS À ÉVITER

D'autres aliments sont à éviter. Vous pouvez vous référer au tableau suivant pour bien les reconnaître.

CATÉGORIE	ALIMENTS	RISQUES
Produits laitiers	Fromages et produits laitiers non pasteurisés au lait cru* (ex.: bleu, brie, feta, camembert) Fromages à pâte molle à croûte fleurie (ex.: brie, camembert) ou à croûte lavée (de type munster)	Listériose Salmonellose Toxoplasmose Infection au *E. coli*
Viandes, volailles et œufs	Toutes les viandes et volailles crues (ex.: tartares, pâtés, foie gras) Charcuteries non séchées (ex.: mortadelle, rosbif, poitrine de dinde) Œufs crus et préparations à base d'œufs crus (ex.: sauces, vinaigrettes)	Listériose Salmonellose Toxoplasmose Infection au *E. coli*
Poissons et fruits de mer	Tous les poissons et fruits de mer crus (ex.: sushis, huîtres, moules) Poissons et fruits de mer fumés réfrigérés	Listériose Salmonellose Toxoplasmose Infection au *E. coli*
Fruits et légumes	Jus de fruits et cidres non pasteurisés Légumes et fruits crus mal lavés Germes (en particulier les germes de luzerne), germinations	Salmonellose Toxoplasmose Infection au *E. coli*
Édulcorants de synthèse	Saccharin (Hermesetas^{MD}) Cyclamate (Sugar Twin^{MD})	Peuvent être nocifs pour le bébé**, à prendre sous supervision médicale seulement.
Tisanes	Camomille Queues de cerise	Peuvent entraîner des contractions utérines et contenir des diurétiques ou des stimulants nocifs.
Stimulants	Guarana Ginseng Yerba maté	Peuvent interférer dans la prise de poids du bébé.

* Vérifiez l'étiquette afin de savoir si le fromage est pasteurisé, sinon vous pouvez toujours l'utiliser cuit et fondu dans une recette.
** Ces édulcorants ont été liés à une augmentation des risques de souffrir de certains cancers.

LES INDISPENSABLES

UNE ALIMENTATION SAINE ET ÉQUILIBRÉE

Sans vouloir rechercher la perfection et en respectant vos goûts et vos habitudes, il convient, une fois enceinte, de porter une attention particulière à certains éléments nutritifs, autant pour vous que pour le bébé.

LES BIENFAITS D'UNE ALIMENTATION ÉQUILIBRÉE

ELLE AMÉLIORE...	ELLE FAVORISE...	ELLE DIMINUE...
• la performance au travail et dans les activités sportives • le niveau d'énergie • la qualité du sommeil • la digestion et le transit intestinal • l'efficacité du système immunitaire	• le maintien ou l'obtention d'un poids santé avant, pendant et après la grossesse • le transfert de nutriments de qualité vers le bébé • la sensation de bien-être • la prévention de certaines maladies chez le bébé	• les risques de maladies associées à la grossesse (diabète, anémie, hypoglycémie) • les risques d'infection et de maladies chez la mère et le bébé • les risques de blessures (dues aux baisses d'énergie) • les risques de malformations

Recommandations

UNE ALIMENTATION ÉQUILIBRÉE DURANT LA GROSSESSE

L'alimentation de base équilibrée pour la femme :

• 7 ou 8 portions de légumes et fruits
• 6 ou 7 portions de produits céréaliers
• 2 portions de lait et substituts
• 2 portions de viandes et substituts
• 30 à 45 ml (2 à 3 c. à soupe) d'huile ou d'autre matière grasse insaturée
• 2 à 3 litres de liquide, pour une hydratation adéquate

+

Les ajouts pour combler les besoins de la grossesse en nutriments spécifiques

• 0,4 mg d'acide folique
• 2 portions de lait et substituts
• 150 g (5 oz) de poisson gras par semaine, pour les acides gras essentiels
• Un bon apport en fer

L'alimentation des femmes enceintes ne présentant aucun problème de santé ou de conditions particulières doit d'abord correspondre aux bases d'une alimentation équilibrée, à laquelle il faut ajouter les éléments essentiels à la grossesse tout en s'assurant de combler les besoins en énergie. En France, on ne donne pas de recommandations sur les portions, mais on suggère d'ajouter des collations nutritives et de s'assurer de combler son appétit. À noter que les besoins énergétiques accrus durant la grossesse demanderont un ajustement des aliments consommés, selon la pratique d'une activité physique et du trimestre.

En choisissant des légumes et fruits colorés et frais, vous vous assurez un apport varié en vitamines et minéraux. Les aliments riches en fibres alimentaires comme les légumineuses, les légumes et les produits à base de grains entiers vous aideront si vous souffrez de constipation et vous permettront de conserver le sentiment de satiété plus longtemps. Les aliments riches en fer, en vitamine B12, en calcium et vitamine D seront aussi à privilégier pour favoriser le développement du bébé. Il est important de choisir des aliments les moins transformés possible afin de limiter la consommation non nécessaire de gras et de sucres ajoutés. L'hydratation est aussi cruciale, particulièrement lors d'une grossesse estivale ou très active.

La prise de poids durant la grossesse vous préoccupe ? Continuez votre lecture, ce thème sera abordé en détail au chapitre suivant. Pour savoir quels aliments contiennent les nutriments essentiels à la grossesse, rendez-vous au chapitre 4.

LES SUPPLÉMENTS ALIMENTAIRES

LES VITAMINES ET LES MINÉRAUX

Doit-on en prendre ou pas ? C'est la question que se posent d'emblée nombre de futures mamans. Nous savons que certains nutriments, comme l'acide folique, sont importants dès la conception. Le choix de prendre un supplément autre que l'acide folique dépend de plusieurs facteurs, dont votre état nutritionnel prégrossesse, votre niveau d'activité physique, la qualité de votre alimentation durant la grossesse, l'intensité des nausées et vomissements ainsi que leur impact sur votre alimentation, votre âge, votre budget consacré à l'alimentation et votre taux d'exposition au soleil.

Il n'y a pas de recommandations préétablies pour chaque vitamine applicables à toutes les femmes enceintes. Mais il a été démontré que la prise de multivitamines peut aider à diminuer certaines malformations et l'incidence de certains cancers chez l'enfant. Plus précisément, il a été démontré que l'alimentation seule n'arrive pas à combler les besoins en acide folique lors de la grossesse, un élément nécessaire au bon développement du système nerveux. Vous ne vous tromperez pas en choisissant un supplément multivitaminique spécialement conçu pour les femmes enceintes qui contient 0,4 à 1 mg d'acide folique et de la vitamine B12.

Le supplément ne devrait pas contenir plus de 10 000 UI de vitamine A sous forme de rétinol (ou rétinyl). Comme la vitamine A s'accumule dans le corps, de trop grandes quantités peuvent nuire à la croissance du bébé et causer des malformations. Vérifiez auprès de votre professionnel de la santé si le supplément vous convient.

LES SUPPLÉMENTS POUR SPORTIFS

Plusieurs suppléments ou compléments alimentaires peuvent être nocifs pour la santé du fœtus. Par exemple, la gamme des suppléments servant à diminuer le taux de gras corporel contiennent souvent de l'éphédrine ou de la caféine à forte dose, et ce, parfois sans que ce soit indiqué sur l'emballage. Bien qu'en voie de réglementation, le contenu des produits naturels et suppléments est souvent aléatoire et risqué. Si vous croyez avoir besoin d'un supplément, consultez un diététiste spécialisé en sport. En cas de doute, mieux vaut s'abstenir !

LES PRODUITS NATURELS

La réglementation sur les produits de santé naturels est floue, d'où la crainte qu'ils puissent contenir des contaminants, tels les métaux lourds. Comme ces produits demeurent peu étudiés, on recommande aux femmes enceintes et allaitant de les éviter pour limiter les risques potentiels pour le bébé. Les produits homéopathiques sont généralement considérés comme étant sûrs pendant la grossesse, pourvu que les dilutions et les dosages soient respectés.

Recommandations

LES SUPPLÉMENTS D'ACIDE FOLIQUE

On recommande à toutes les femmes enceintes ou qui souhaitent le devenir de prendre un supplément contenant 0,4 mg d'acide folique quotidiennement. Idéalement, prenez un supplément multivitaminé destiné aux femmes enceintes qui contient aussi du fer et de la vitamine B12, tous deux importants pour la mère et le bébé. Une carence en acide folique est associée à un risque accru que le bébé souffre d'une atteinte du tube neural (voir la page 71 pour plus de détails).

UN PROFESSIONNEL POUR VOUS ÉPAULER

Si vous vous reconnaissez dans la liste ci-dessous, il est recommandé de rencontrer un diététiste ou nutritionniste afin de faire évaluer votre alimentation.

- Vous êtes diabétique.
- Vous êtes hypoglycémique ou pensez l'être.
- Vous êtes une athlète ou très active.
- Vous avez été ou êtes anorexique ou boulimique, ou souffrez d'un trouble de comportement alimentaire.
- Vous avez commencé un programme d'entraînement dans les trois derniers mois.
- Vous avez moins de 18 ans.
- Vous êtes végétarienne ou végétalienne.
- Vous avez déjà fait de l'anémie.
- Vous avez des troubles digestifs (brûlures d'estomac, diarrhées fréquentes, constipation, etc.).
- Vous avez commencé un régime ou une diète dernièrement.
- Vous avez des intolérances ou des allergies alimentaires ou vous éliminez des groupes d'aliments.
- Vous attendez des jumeaux, ou plus.
- Votre grossesse suit la précédente de près.
- Votre budget est limité.
- Vous avez des questions et souhaitez valider vos connaissances et habitudes.

Source : adapté de COUTU, B. et H. LAURENDEAU. *L'alimentation durant la grossesse*, Montréal, Les Éditions de l'Homme, 1999.

Recommandations

L'INTENSITÉ DE L'ACTIVITÉ PHYSIQUE PENDANT LA GROSSESSE

Au Canada, la Société des obstétriciens et des gynécologues du Canada (SOGC) et la Société canadienne de physiologie de l'exercice (SCPE) encouragent toutes les femmes enceintes sans contre-indications médicales connues, et dont la grossesse est à faible risque, à faire de l'activité physique régulière d'intensité modérée, et ce, indépendamment de leur niveau de condition physique.

On recommande de faire une activité cardiorespiratoire (marche active, jogging, vélo, natation, aquaforme, danse aérobique) ou des exercices de musculation et de flexibilité pour travailler le haut du corps, le tronc et le bas du corps pendant au moins 30 minutes, trois fois par semaine.

LES BIENFAITS DE L'ACTIVITÉ PHYSIQUE

Les femmes enceintes actives sont partout : dans les salles de sport, dans les couloirs de piscine, dans les cours de danse, de yoga, ou de spinning, sur les pistes de ski de fond, de ski alpin ou sur les sentiers de montagne. Une grossesse est une belle occasion de revoir vos habitudes de vie et de mettre l'activité physique à votre horaire quotidien. C'est souvent plus facile à dire qu'à faire pour vous, surtout au début de la grossesse ? Vous êtes normale ! Mais chaque minute d'activité sera bénéfique pour vous et votre bébé.

Une femme en bonne santé qui ne présente pas de contre-indications médicales peut être active du premier au dernier jour de sa grossesse. Cependant, être active n'a pas la même connotation pour toutes, et si vous êtes déjà active, il est important de doser vos efforts, de choisir les activités physiques qui vous conviennent le mieux et d'adapter votre entraînement à votre horaire et à votre condition physique. L'important est de rester active, de respecter votre rythme et d'avoir du plaisir.

LES EFFETS BÉNÉFIQUES DE L'ACTIVITÉ PHYSIQUE

ELLE AMÉLIORE...	ELLE FAVORISE...	ELLE DIMINUE...
• la capacité cardiovasculaire • la qualité du sommeil • la posture et la musculature • l'estime de soi • l'humeur et le niveau d'énergie • l'efficacité du système immunitaire	• la circulation sanguine • le maintien ou l'atteinte d'un poids santé • la flexibilité, l'équilibre et l'agilité • une sensation de bien-être • le retour de votre silhouette après l'accouchement	• les risques de souffrir d'hypertension artérielle et de diabète de grossesse • les nausées, les brûlures d'estomac, les crampes au ventre, la constipation et l'insomnie • les douleurs lombaires et au bassin, et les risques d'œdème • le niveau de stress et les risques de dépression pendant la grossesse • les risques de complications • la perception de la douleur lors du travail et de l'accouchement

POURQUOI BOUGER ?

Vous pouvez maintenir et même améliorer votre forme physique durant la grossesse. En pratiquant des activités physiques de façon régulière, c'est-à-dire environ trois fois par semaine, vous constaterez de nombreux bénéfices au niveau physique et psychologique qui dureront jusqu'à l'accouchement et à la période post-partum. Plusieurs études ont en effet démontré que les femmes enceintes pratiquant des activités physiques régulièrement supportent mieux le travail, et que leur accouchement se déroule généralement avec moins de complications et de recours médicaux (césarienne, accouchement prématuré, signes de détresse fœtale). Les femmes actives ont aussi une perception moindre de la douleur pendant le travail et l'accouchement, et récupèrent plus rapidement après celui-ci.

Des chercheurs se sont aussi intéressés au développement des enfants nés de mères actives durant la grossesse. Les études démontrent que ceux-ci ont de meilleures habiletés motrices à un an et de meilleures performances intellectuelles à l'âge de cinq ans. De plus, leur taux de risque de maladies cardiovasculaires à l'âge adulte est diminué.

Devant cette panoplie d'avantages, plusieurs femmes ayant un mode de vie sédentaire profitent de leur grossesse pour revoir leurs habitudes de vie et mener des activités plus axées sur leur santé et leur bien-être. Pourquoi pas vous ? Pourquoi pas maintenant ?

BOUGER N'EST PAS DANS VOTRE NATURE ?

Vous avez donc toutes les raisons de bouger et d'entraîner avec vous votre famille, votre conjoint et vos amis tout au long de votre grossesse ! Le but n'est pas de devenir une athlète olympique, mais bien d'être active. Si vous ne bougez pas suffisamment, la grossesse peut aussi entraîner un déclin de votre forme physique actuelle, ce qui amène son lot de conséquences.

Capsule maman

ACTIVE POUR LA VIE

Pour moi, l'activité physique est un signe de santé et de plaisir. J'en fais depuis que je suis toute petite : ballet classique, patin artistique, natation, vélo, etc. J'adore bouger et je n'ai jamais arrêté ! Quand j'ai connu mon Pierre, je l'ai initié au sport. C'est difficile à croire mais c'est vrai ! Pierre était un sédentaire et un fumeur. Ouf ! Au début, ç'a été vraiment difficile de le faire bouger, mais heureusement, il voulait changer ses habitudes de vie...

J'ai toujours fait plusieurs sports, mais la course à pied est mon sport favori – cette activité est géniale pour une femme qui a une famille, des enfants et une vie bien occupée. Je cours depuis maintenant 22 ans. Pendant mes grossesses, j'ai arrêté de courir parce que j'avais l'impression que c'était un peu trop violent sur mon corps et pour le petit trésor qui poussait dans mon ventre. J'ai respecté mes sensations et j'ai marché, fait du ski de fond, du vélo, de la raquette, des activités avec lesquelles j'étais à l'aise. J'ai même fait un 5 km de raquette dans le bois une semaine avant un de mes accouchements, et ma petite puce est arrivée pleine d'énergie et en santé ! J'ai eu quatre merveilleuses grossesses actives et j'en suis très fière. J'ai toujours continué de bouger avec mes enfants. Quel bel héritage à leur léguer que celui de l'activité physique et de la santé ! Merci la vie !

- Lynne Routhier, mère et mariée au triathlonien Pierre Lavoie

PARLEZ-EN À VOTRE MÉDECIN

Toute femme qui souhaite suivre un programme d'activité physique pendant la grossesse devrait d'abord obtenir le consentement de son médecin. Avant de commencer un quelconque programme d'exercice, il est primordial de connaître les signes d'alerte indiquant qu'il faut arrêter l'exercice.

Vous ne savez pas si vous êtes suffisamment en forme pour vous mettre à bouger, vous avez délaissé l'activité ou, au contraire, vous êtes une femme active ou même une athlète ? Quelle que soit votre condition physique actuelle, vous trouverez aux chapitres 5 et suivants toutes les recommandations précises pour la pratique d'une activité physique sécuritaire et des programmes d'activité conçus pour vous guider dans cette démarche.

LES CONTRE-INDICATIONS

Malheureusement, il se peut que vous soyez contrainte au repos partiel ou total pendant votre grossesse. Les contre-indications absolues sont rares en début de grossesse et seront discutées avec votre médecin le cas échéant.

Le tableau suivant devrait vous aider à mieux comprendre les différentes contre-indications à l'activité physique. Dans le doute, ou si vous avez des symptômes inhabituels, demandez toujours l'avis d'un médecin avant de poursuivre vos activités. Le questionnaire X-AAP est un outil intéressant pour connaître votre point de départ.

LES CONTRE-INDICATIONS À L'EXERCICE PHYSIQUE PENDANT LA GROSSESSE

LES CONTRE-INDICATIONS ABSOLUES (AUCUN EXERCICE PHYSIQUE)	LES CONTRE-INDICATIONS RELATIVES (SEULEMENT AVEC L'ACCORD DU MÉDECIN)	LES SIGNES D'ALERTE INDIQUANT QU'IL FAUT CESSER L'EXERCICE
• Maladie cardiaque significative hémo-dynamiquement • Maladie pulmonaire restrictive • Col incompétent (cerclage) • Multigeste à risque de travail prématuré • Saignement persistant aux 2e et 3e trimestres • Placenta praevia de plus de 26 semaines • Travail prématuré durant la grossesse actuelle • Membranes rupturées • Prééclampsie • Arythmie cardiaque maternelle non évaluée • Diabète de type 1 mal maîtrisé • Haute tension artérielle mal maîtrisée • Hyperthyroïdie mal maîtrisée	• Anémie • Bronchite chronique • Obésité morbide extrême • Sédentarité extrême • Retard de croissance intra-utérin • Limitations orthopédiques • Tabagisme important • Poids très insuffisant (IMC < 12)	• Saignement vaginal • Difficulté respiratoire avant l'exercice • Étourdissements • Maux de tête inhabituels • Douleur thoracique • Fatigue musculaire importante • Douleur ou œdème d'un mollet (symptôme de thrombophlébite) • Travail prématuré (contractions) • Diminution des mouvements fœtaux • Perte de liquide amniotique

LE SOMMEIL

Il est normal d'être fatiguée pendant la grossesse. Si la fatigue persiste, qu'elle est accompagnée d'autres symptômes dont vous ne connaissez pas la cause, comme des étourdissements, des troubles de la vision ou un essoufflement anormal, consultez votre médecin.

Pour bénéficier d'un sommeil réparateur, prenez des repas santé à des heures régulières, faites de l'activité physique et tentez de minimiser les éléments stressants de votre quotidien. Sachez que les rêves et les cauchemars sont souvent plus fréquents pendant la grossesse et sont normaux. Pratiquez-vous à faire des siestes express de 15 à 30 minutes, cela vous sera très utile plus tard.

Certains médecins peuvent vous recommander de prendre l'habitude de dormir du côté gauche pour ne pas comprimer la veine cave et favoriser le retour veineux.

L'INSOMNIE

L'insomnie peut survenir à n'importe quel trimestre. Elle peut être due à la grossesse comme telle, au stress lié à l'arrivée du bébé ou aux petits inconvénients physiques qui rendent les routines habituelles plus difficiles.

Si vous êtes très active et que vous faites de l'insomnie, vous devrez apprendre à doser vos entraînements selon votre niveau de récupération, de façon à ne pas vous épuiser. Il est possible que vous deviez changer votre horaire d'entraînement habituel parce que vous êtes trop fatiguée en soirée ou parce que cela vous empêche de bien dormir. Continuez de vous entraîner et de bouger en respectant votre rythme.

TRUCS ET CONSEILS

- Évitez les somnifères et autres calmants.

- Ne consommez pas plus de deux tasses de tisane par jour et évitez les tisanes proscrites.

- Faites des courtes siestes afin de récupérer.

- Essayez différentes techniques de méditation ou de relaxation avant de vous coucher ou à un autre moment qui vous convient (voir les exercices de respiration aux pages 154-155).

- Des étirements ou postures de yoga peuvent aussi vous aider (voir les pages 144 et suivantes).

- Faites vos exercices en début de journée s'ils ont un effet stimulant sur vous.

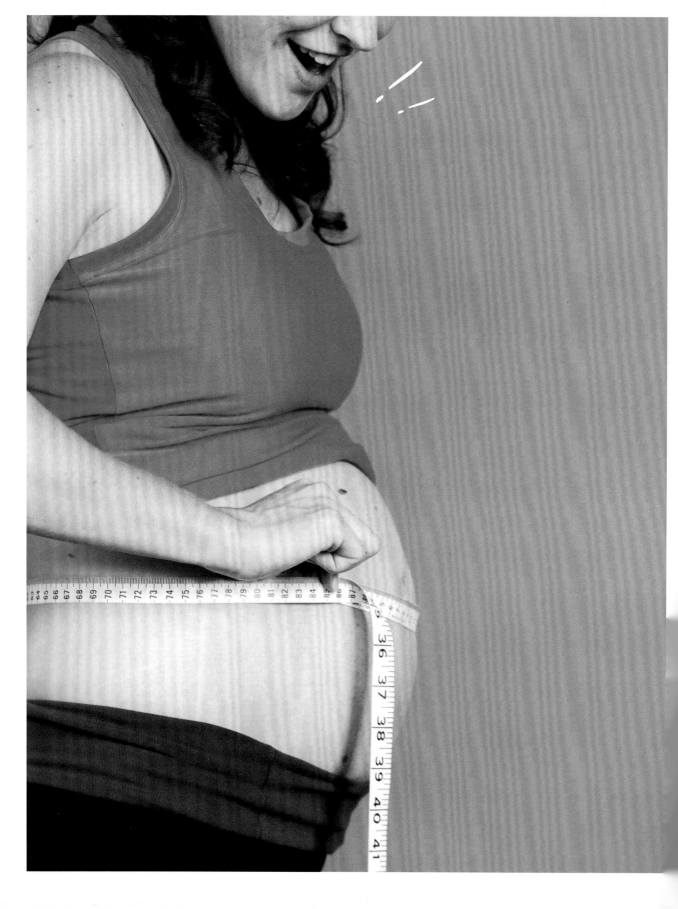

CHAPITRE 2

Des changements au-delà du bedon

Une grossesse entraîne des changements physiologiques importants qui affectent tous les systèmes, et les symptômes se font sentir dès les premiers instants. Les femmes enceintes actives découvrent souvent qu'elles sont enceintes lorsqu'elles ont des sensations différentes à l'entraînement. Par exemple, elles peuvent se sentir plus fatiguées dans les premières minutes de l'entraînement, être plus essoufflées, avoir des pulsations cardiaques plus élevées. Elles peuvent aussi avoir la nausée et récupérer moins rapidement après l'entraînement.

Que vous soyez active ou non, ce chapitre vous donnera des explications sur les transformations en cours dans votre corps et tentera de vous aider à travers les petits désagréments qu'elles entraînent. De tous les changements, le poids est certes celui qui devient le plus apparent aux deuxième et troisième trimestres, et toute une section y est consacrée dans ce chapitre pour vous donner une façon simple d'évaluer vos besoins quotidiens en énergie. Non, vous n'êtes pas folle, votre corps est le site d'une expérience scientifique. La plus merveilleuse de toutes !

LE SYSTÈME HORMONAL

Dès que vous êtes enceinte, des hormones, des facteurs de croissance et d'autres substances sont libérés. C'est à ce moment que votre corps commence à s'adapter pour favoriser les échanges entre le placenta et le fœtus afin de fournir à celui-ci les éléments nutritifs et d'éliminer les déchets métaboliques.

Les hormones impliquées dans la grossesse varieront en quantité, selon le stade de la grossesse, et seront responsables de plusieurs changements physiologiques. Elles affecteront votre humeur également.

Infobulle

LES CONTAMINANTS DE L'ENVIRONNEMENT ET VOUS
Plusieurs organisations sont maintenant à l'affût des contaminants que contiennent nos produits d'usage quotidien, comme les plastiques, les produits de nettoyage et les produits de beauté. Certains contaminants peuvent perturber les modes d'action normaux des hormones, alors peut-être aimeriez-vous faire quelques changements dans vos habitudes de consommation ? Vous trouverez sur le site Web de David Suzuki une section sur les produits de beauté où l'on recommande d'éviter 12 produits chimiques nocifs que l'on retrouve dans les produits de soins personnels. www.davidsuzuki.org

Recommandations

LA LAXITÉ LIGAMENTAIRE ET L'AUGMENTATION DES RISQUES DE BLESSURE

Malgré l'effet des hormones sur la laxité ligamentaire, le risque de blessure musculosquelettique n'est pas plus élevé chez la femme enceinte active. En pratique, aucune augmentation de l'incidence de blessures n'a pu être établie chez les femmes qui pratiquent une activité physique. Cependant, la prudence reste toujours de mise. Au troisième trimestre, avec l'augmentation de la masse corporelle et le changement du centre de gravité, la femme enceinte doit choisir des activités physiques qui comportent un moindre risque de chute et de perte d'équilibre, et idéalement à faibles impacts (voir à la page 93 pour une liste de tous les sports recommandés).

LE SYSTÈME MUSCULOSQUELETTIQUE

Votre corps s'adapte au fil des jours et sécrète des hormones pour faire de la place au bébé qui grandit en vous et pour se préparer à l'accouchement. Le poids supplémentaire, la rétention d'eau et l'augmentation de la laxité ligamentaire auront un effet sur votre centre de gravité et votre posture. De plus, certaines femmes pourront percevoir des changements dans leur démarche, une diminution de la tolérance au cours d'une activité physique ou en position assise, ou une instabilité articulaire.

La **relaxine** est une hormone sécrétée par le placenta qui favorise le relâchement des articulations et des ligaments, ainsi que l'assouplissement de l'utérus, du col et du périnée pour aider à l'expulsion du bébé le jour de l'accouchement. Bien que fort pratique à l'accouchement, elle peut exacerber certaines conditions déjà présentes chez une personne, comme : les pieds plats, l'hyperextension des genoux, une colonne vertébrale avec des courbes atténuées, les douleurs dorsales et pelviennes.

LE SYSTÈME CARDIOVASCULAIRE

Le système circulatoire (cœur, artères, veines) change dès les premiers jours pour s'adapter aux besoins de la mère et du bébé.

Le volume sanguin s'accroît pour approvisionner le bébé en nourriture et en oxygène, et pour éliminer le surplus de déchets de l'organisme. L'augmentation est graduelle pendant toute la grossesse, et, vers la 30e semaine, on l'estime à 50 %. Cette augmentation permettra aussi de supporter la perte de sang au moment de l'accouchement. Elle est responsable de bien des maux et inconforts, comme l'essoufflement. En effet, pour pomper et oxygéner le sang en surplus lors de la grossesse, le cœur bat en général de 10 à 15 fois de plus par minute, et son débit est d'environ 1,5 litre de plus. La quantité d'oxygène qui passe dans les poumons est, quant à elle, de 10 à 15 % plus élevée.

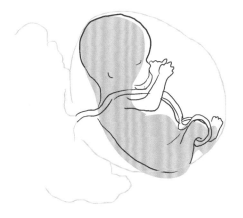

LE SYSTÈME DIGESTIF

Si vous teniez pour acquis votre système digestif et le travail qu'il accomplit quotidiennement, la grossesse vous permettra de réviser votre cours de biologie. Qu'il s'agisse de l'acidité de l'estomac, des reflux gastriques, de la durée de digestion ou de l'élimination, manger et digérer est une nouvelle expérience. Certains de ces effets sont dus aux modifications hormonales qui, par exemple, relâchent les muscles de l'intestin et augmentent le temps de transit intestinal, d'où la possibilité d'être plus constipée. L'augmentation de la grosseur de l'utérus et le positionnement du fœtus pendant la grossesse ont aussi un impact majeur sur les intestins et l'estomac, qui sont comme des boyaux et deviennent comprimés. Ballonnements et gaz seront probablement également au rendez-vous. Voici quelques-uns des petits désagréments qui risquent d'affecter la pratique de l'activité physique.

LES NAUSÉES

Les nausées et les vomissements sont des inconforts communs durant le premier trimestre, et parfois plus tard dans la grossesse. La nausée peut vous incommoder à plusieurs moments de la journée et être empirée par certains facteurs environnementaux comme les odeurs, la fatigue ou l'anxiété. La sensation de nausée est ressentie surtout quand l'estomac est vide – la nausée matinale est donc fréquente –, mais elle peut survenir à tout moment de la journée. Les nausées et vomissements de grossesse peuvent affecter de 50 à 90 % des femmes. Dans la plupart des cas, les symptômes cessent avant la 16ᵉ semaine de grossesse, mais jusqu'à 20 % des femmes peuvent continuer de ressentir des symptômes plus tard, et même jusqu'à la fin de la grossesse. Les causes des nausées sont encore inconnues et plusieurs hypothèses, allant des modifications hormonales au déficit en vitamine B6 ou B12, et même à la présence d'une bactérie souvent reliée aux ulcères d'estomac, ont été émises pour les expliquer. Ce n'est que dans un faible pourcentage de cas que les nausées fréquentes peuvent amener de la déshydratation, un débalancement des minéraux et une prise de poids insuffisante. Il y a tout de même moyen d'en diminuer les effets. Parfois, un aliment moins nutritif peut être la clé pour diminuer les nausées. Permettez-vous-le et consultez un diététiste ou un nutritionniste pour essayer de trouver des équivalents meilleurs pour la santé.

Si vos nausées ou vomissements sont trop sévères, votre médecin peut vous prescrire un médicament. Le Diclectin est le seul médicament approuvé par Santé Canada pour le traitement des nausées et vomissements durant la grossesse. En France, on prescrit plutôt le Primperan pour soulager les nausées. Avant de prendre un autre médicament ou produit naturel, parlez-en à votre professionnel de la santé.

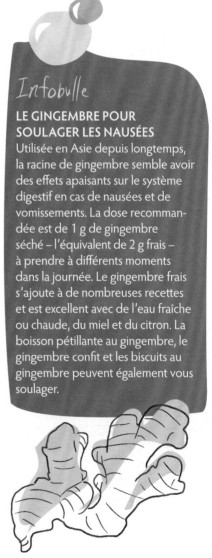

Infobulle

LE GINGEMBRE POUR SOULAGER LES NAUSÉES

Utilisée en Asie depuis longtemps, la racine de gingembre semble avoir des effets apaisants sur le système digestif en cas de nausées et de vomissements. La dose recommandée est de 1 g de gingembre séché – l'équivalent de 2 g frais – à prendre à différents moments dans la journée. Le gingembre frais s'ajoute à de nombreuses recettes et est excellent avec de l'eau fraîche ou chaude, du miel et du citron. La boisson pétillante au gingembre, le gingembre confit et les biscuits au gingembre peuvent également vous soulager.

LES NAUSÉES ET L'ACTIVITÉ PHYSIQUE

Pour éviter les nausées lors de la pratique d'activités physiques, prenez votre collation plus tôt avant de commencer, et réchauffez-vous plus longtemps et graduellement. Évitez aussi de boire une trop grande quantité de liquide ou de consommer uniquement du liquide dans les 30 minutes avant de vous entraîner. Choisissez plutôt des fruits frais et juteux comme des melons, ou des compotes, accompagnés d'une portion de fromage ou d'un biscuit à l'avoine.

Prenez une collation tout de suite après votre activité physique pour ne pas avoir l'estomac vide. Faites des essais, c'est le meilleur moyen de trouver ce qui fonctionne pour vous. Consultez aussi notre menu antinausées (voir la page 221), il vous inspirera peut-être !

TRUCS ET CONSEILS

- Mangez quelques biscottes au réveil avant de vous lever. Essayez les biscottes à base de riz, elles sont légères et faibles en gras. Les classiques biscuits sodas sont aussi toujours efficaces.

- Mangez de plus petites portions plus souvent pour éviter d'avoir l'estomac vide.

- Mangez lentement et mastiquez bien.

- Évitez de vous coucher après avoir mangé.

- Évitez les endroits où il fait trop chaud.

- Évitez les odeurs qui vous dérangent – mangez de la nourriture froide pour diminuer les odeurs de cuisson et demandez à votre partenaire ou aux membres de votre famille de préparer la nourriture lorsque c'est possible.

Capsule maman

LES NAUSÉES DU PREMIER TRIMESTRE

« J'ai été vraiment malade en début de grossesse et je n'ai rien fait du tout pendant les trois premiers mois, car j'en étais incapable. J'avais la nausée, je vomissais, j'étais très fatiguée. C'est à ce moment que, physiquement et mentalement, je me suis sentie le moins bien de toute ma grossesse – lorsque j'ai arrêté toute activité physique. Je m'ennuyais et trouvais le temps très long, car je ne pouvais rien faire. J'avais des engourdissements dans les membres inférieurs et supérieurs, et je me sentais toujours amorphe. Tout s'est arrangé dès que j'ai recommencé à m'entraîner ! »

– Michèle d'Amours, équipe nationale canadienne de patinage de vitesse longue piste

- Évitez les aliments frits, gras ou trop épicés.

- Prenez des collations croquantes et fraîches, comme des concombres ou des céleris, des raisins, des baies…

- Hydratez-vous. L'eau aromatisée avec des agrumes et du gingembre frais, l'eau pétillante citronnée ou l'eau avec des concombres soulage certaines femmes.

- Évitez de consommer des liquides avec les repas.

- Restez active et reposez-vous !

- Les smoothies et repas liquides peuvent vous aider à obtenir plus d'énergie avec moins d'aliments. Essayez notre Smoothie au gingembre antinausées (voir la recette à la page 209) !

LA CONSTIPATION

La constipation peut être due, entre autres, à l'augmentation du taux de progestérone, qui ralentit l'activité des intestins, à la prise de suppléments de fer, au calcium présent dans les multivitamines, à l'augmentation de la grosseur de l'utérus ou à la diminution de l'activité physique. Le transit des aliments dans les intestins est plus lent et la constipation s'installe même si vous n'en avez jamais souffert. On estime qu'un peu moins de la moitié des femmes en souffrent pendant leur grossesse, alors n'attendez pas d'en parler, vous n'êtes pas seule.

LES FIBRES ALIMENTAIRES

Les fibres sont des glucides mais ne peuvent être comptées comme source d'énergie, car elles ne sont pas digérées par les enzymes digestifs humains. Les fibres solubles contribuent à abaisser le cholestérol sanguin et à ralentir l'absorption des glucides. On les trouve dans les céréales d'avoine et les fruits riches en pectine. Les fibres insolubles agissent comme des éponges et absorbent l'eau dans les intestins pour aider à l'élimination. Elles sont d'un grand secours pour prévenir ou lutter contre la constipation et les hémorroïdes. Les sources de fibres insolubles sont le son, les céréales de blé entier, les farines complètes et les produits à base de grains entiers. En plus d'être très rassasiantes, les fibres aident à prévenir de nombreux problèmes de santé, comme les troubles cardiovasculaires et certains cancers.

Recommandations

AUGMENTEZ VOTRE CONSOMMATION DE FIBRES

L'apport recommandé pour la femme enceinte est de 28 g de fibres par jour. Par contre, les études démontrent que la plupart des femmes consomment à peine 10 g de fibres quotidiennement. La grossesse est donc un bon moment pour augmenter votre apport en fibres alimentaires. Celles-ci sont aussi recommandées en cas de diabète, car elles ralentissent l'absorption des glucides et contribuent à normaliser la glycémie.

LES ALIMENTS RICHES EN FIBRES

	PORTION HABITUELLE	FIBRES (g)
FRUITS		
Framboises	125 ml (½ tasse)	4 à 6
Pruneaux séchés, dénoyautés	75 ml (80 g)	5
Poire, avec pelure	1 (petite)	5
LÉGUMES		
Artichaut, bouilli	1 (moyen) 125 g	7
Épinards, cuits	125 ml (½ tasse)	4
Pomme de terre avec la pelure, cuite au four	1 (moyenne), 150 g	4
PRODUITS CÉRÉALIERS		
Céréales à déjeuner, 100 % son (de blé ou de maïs)	30 g (¼ tasse)	10 à 15
Boulgour, cuit	125 ml (½ tasse)	4
VIANDES ET SUBSTITUTS		
Légumineuses	125 ml (½ tasse)	15 à 19
Amandes, rôties ou à sec	60 ml (¼ tasse)	4

Source : Fichier canadien sur les éléments nutritifs (FCEN) 2007.

LES PRÉBIOTIQUES ET LES PROBIOTIQUES

Les prébiotiques et les probiotiques sont des nouveaux joueurs dans la santé digestive. Si vous avez des problèmes de constipation ou de régularité intestinale, demandez à votre professionnel de la santé comment ils peuvent vous aider. La flore intestinale est d'importance capitale pour le maintien d'une bonne santé digestive et immunitaire.

Les **prébiotiques** sont des substances alimentaires peu digérées par les enzymes humains qui vont nourrir certains microorganismes vivant dans l'intestin. Ils favorisent la croissance des bactéries aidantes aux dépens des autres. On les trouve souvent dans les produits riches en fibres, d'où leur double importance pour la santé digestive.

Les **probiotiques,** quant à eux, sont des microorganismes vivants qui, lorsqu'ils sont administrés en quantité adéquate, ont des effets bénéfiques sur la santé. Les microorganismes les plus communs sont le lactobacillus et le bifidobactérie, qu'on trouve dans les produits fermentés et les produits laitiers (yogourt, kéfir, fromage, etc.). On les trouve également sous forme de capsules.

Recommandations

LES PROBIOTIQUES

Les probiotiques seront présents dans le système digestif tant et aussi longtemps qu'ils sont consommés. La prise régulière de produits contenant des probiotiques est donc recommandée.

- Consommez environ 30 g de fibres alimentaires par jour (voir le tableau des aliments riches en fibres, à la page ci-contre).

- Buvez beaucoup d'eau.

- Faites de l'exercice afin d'augmenter la mobilité intestinale.

- Le jus de pruneau et les pruneaux peuvent vous aider, mais consommez-les de façon occasionnelle afin que votre corps ne s'habitue pas à la substance laxative qu'ils contiennent.

- Prenez des légumes en collation.

- Ajoutez de la graine de lin entière ou du son de blé à vos céréales et préparations de muffins et de pain.

- Essayez notre recette de muffins au son et aux dattes (voir la page 208) !

- Si vous prenez un supplément de fer, choisissez la version liquide et demandez à votre médecin une multivitamine qui dissocie la prise de fer et la prise de calcium en offrant deux comprimés quotidiens.

- Les probiotiques peuvent également vous aider.

- Ne vous pressez pas ! Si vous avez diminué votre consommation de caféine, il est possible que votre selle du matin prenne plus de temps.

- **Attention !** Consultez votre médecin ou pharmacien avant de prendre des laxatifs. Certains sont dangereux et contre-indiqués pendant la grossesse, puisqu'ils peuvent déclencher les contractions.

LES HÉMORROÏDES

Les hémorroïdes sont elles aussi une conséquence de l'augmentation du volume sanguin. Ce sont des varices anales provoquées par des troubles de la circulation veineuse. Les hémorroïdes qui apparaissent pendant la grossesse disparaissent après l'accouchement, dans la plupart des cas. Pour d'autres, les hémorroïdes apparaîtront après l'accouchement. La constipation et la difficulté d'aller à la selle peuvent aussi exacerber les hémorroïdes. Voici quelques trucs pour prévenir leur apparition.

- Même si vous êtes très fatiguée, essayez de faire une longue marche chaque jour pour activer la circulation sanguine.

- Suivez les recommandations pour éviter la constipation.

- Dormez avec les jambes légèrement surélevées, cela peut aider dans certains cas.

LE SYSTÈME URINAIRE

Les reins doivent fonctionner à un régime plus élevé pour éliminer les déchets supplémentaires produits par le fœtus. Bien entendu, vers la fin de la grossesse et selon le placement du bébé, la vessie peut être comprimée et le besoin d'uriner plus fréquent, voire parfois incontrôlable, surtout lors d'éternuements ou de toux. Les exercices pour le plancher pelvien (voir à la page 172) faits tout au long de la grossesse et pendant la période post-partum permettront de diminuer le risque d'incontinence urinaire.

LA TEMPÉRATURE CORPORELLE ET LA TRANSPIRATION

Pendant la grossesse, le taux élevé de progestérone, la prise de poids et l'augmentation des tissus corporels entraînent une hausse de la température corporelle, tout comme la pratique d'une activité physique. Le corps de la femme enceinte répond à ce phénomène en améliorant sa capacité à dissiper ce surplus de chaleur grâce à l'augmentation du volume sanguin. Une femme qui s'entraîne régulièrement dissipera mieux la chaleur pendant sa grossesse qu'une femme qui n'est pas active physiquement.

TRUCS ET CONSEILS

- Si vous suez davantage qu'avant la grossesse, buvez une boisson maison faite d'un jus de fruits dilué (⅓ de jus et ⅔ d'eau), à laquelle vous ajoutez une pincée de sel, ou une boisson pour sportif recommandée et sans caféine, afin d'éviter la déshydratation.

- Prenez un jus de légumes après votre activité physique ou des aliments légèrement salés, comme des craquelins et du fromage.

Capsule maman

LE SOUTIEN-GORGE IDÉAL

« En grande sportive, je n'ai pas l'habitude de prendre beaucoup de temps pour magasiner les dessous. Or, avec la grossesse, j'ai dû passer de nombreuses heures à magasiner les soutiens-gorge de sport sans coutures. Je vous suggère d'aller dans une boutique spécialisée en course à pied, ils sauront vous conseiller. Quel bon investissement ! »

– Pascale, première grossesse

LES SEINS

Les seins sont au premier rang des témoins de la grossesse, devenant plus gros, gorgés de sang, souvent hypersensibles, avec des aréoles plus foncées. Cela peut nuire à la pratique de certaines activités, mais certaines, ou certains, ne s'en plaindront pas !

LA PEAU

Autre signe de la grossesse, la pigmentation de la peau peut changer. Soyez particulièrement vigilante lors de la pratique de sports à l'extérieur, portez des vêtements longs ou/et une protection solaire adaptée, pour ne pas avoir de masque de grossesse ou de taches brunes.

LES SENS

« JE SENS TOUT ET J'AI LE NEZ ENFLÉ »

Si la mémoire vous lâche, vos autres sens, eux, sont à l'affût. L'odorat est beaucoup plus sensible, question de sentir les menaces de votre environnement. Par contre, c'est peut-être l'antisudorifique de votre conjoint ou l'odeur de certaines viandes que vous ne pouvez plus blairer. Il se peut aussi que vers la fin de la grossesse vous ayez de la difficulté à respirer, puisque les sinus peuvent être enflés à cause des hormones. Certaines femmes actives utilisent des bandelettes nasales pour favoriser l'entrée d'air dans les voies nasales lors de la pratique d'une activité ou pour mieux dormir. Les vaporisateurs nasaux d'eau saline peuvent aussi aider, surtout en période d'allergies.

LE GOÛT

Le goût est aussi modifié. Certaines femmes ont un goût métallique dans la bouche à partir du deuxième trimestre, d'autres trouvent que le goût de certains aliments semble différent. Laissez-vous tenter par de nouveaux aliments.

LA GOURMANDISE ET LES RAGES

C'est un classique, plusieurs vous demanderont quelles sont vos envies alimentaires de grossesse. Elles varient d'une femme à l'autre, mais les aliments les plus fréquemment rapportés sont la crème glacée, le chocolat ou les croustilles, et les aliments acides comme les cornichons, les agrumes et les raisins verts. Rien ne sert de vous enchaîner à votre chaise pour éviter ces envies, mieux vaut les assouvir avec des quantités raisonnables d'aliments. Par contre, si les aliments sont riches en éléments peu nutritifs, faites attention que ces envies passagères ne se transforment en consommation régulière. En plus de fournir un apport calorique supplémentaire, ces aliments prendraient la place d'autres plus nutritifs.

ENVIE	À ESSAYER
Sucré	• Un morceau de chocolat noir après le repas (si vous avez de la difficulté à dormir, prenez-le au moins 4 à 5 heures avant de vous coucher). • Les fruits sont tout indiqués, sous toutes leurs formes. Ajoutez-les au yogourt, aux poudings, aux muffins, faites-les ramollir au micro-ondes avec un peu de sirop d'érable et de noix. • Les fruits séchés : les pruneaux, dattes, figues, raisins secs et abricots sont riches en fibres et en potassium, et font une excellente collation après un entraînement. • Le lait au chocolat ou les boissons de soya aromatisées sont aussi de bons choix après une activité physique. • Le lait, les yogourts glacés et les sorbets se font facilement à la maison. • On oublie souvent les fruits comme la papaye, la mangue ou les litchis, qui sont très sucrés, au goût.
Salé	• Les graines de soya, de citrouille et de tournesol, et les pois chiches grillés épicés sont de délicieuses collations riches en protéines et en fibres. • Les galettes et craquelins de riz ; le pain pita badigeonné de pesto grillé se prépare rapidement. • Ajoutez une pincée de fleur de sel à vos mets sans en ajouter à la préparation.
Sucré-salé	• Les crêpes font d'excellents repas, accompagnées de légumes et de fromage. • Le fromage cottage avec des pêches vous donnera ce petit goût sucré-salé parfois recherché.
Gras	• Les rages de gras peuvent provenir d'un besoin de manger des mets plus lourds ou plus consistants. Faites-vous des purées de pommes de terre, ajoutez-y du panais, de la patate douce et un peu de beurre, de crème ou du fromage, pour une texture onctueuse. • Les trempettes à base de yogourt, de fromage frais (comme le quark) ou de crème sure peuvent être allongées pour servir de sauces ou de vinaigrettes. • Les pommes de terre frites maison cuites au four font des miracles pour cette envie de frites qui ne vous lâche pas. Les patates douces sont excellentes elles aussi. • Des pitas et tortillas accompagnés d'houmous ou de fromage.
Acidulé	• Un peu de jus de canneberge et de citron vert ajouté à votre eau comblera votre goût de sur et d'acide. • Les raisins verts frais ou congelés sont parfaits pour apaiser le besoin d'acidité. • Le pamplemousse et tous les agrumes sont bien acidulés. • Les sorbets de fruits apportent acidité et fraîcheur. • Ajoutez des agrumes à vos salades ou à vos repas de viande. Par exemple, les canneberges séchées et le filet de porc font bon ménage. • Faites des coulis de fruits frais, que vous utiliserez pour napper yogourts, fromage cottage, gâteaux, pains, muffins, crème et yogourts glacés.

LES AVERSIONS

Si vous ressentez de l'aversion pour certains aliments, essayez de les remplacer par d'autres aliments avec des valeurs nutritives similaires. Notez que ces « phases » d'aversion peuvent passer durant la grossesse.

DES TRUCS POUR CONTOURNER LES AVERSIONS

AVERSION	À ESSAYER
Poissons et viandes	• Le poisson en conserve, les poissons blancs moins gras et les viandes au goût plus neutre, comme la poitrine de poulet ou le filet de porc. • Badigeonnez, marinez, panez, camouflez – il existe une myriade de façons de donner un goût que l'on aime à un aliment au goût neutre (avec de la salsa de tomate, des pestos, du miel, de la marmelade d'agrumes, des pâtes de curry, des marinades à BBQ, etc.). • Intégrez-les à des mets composés en petits morceaux et hachés : galettes, croquettes, soupes, omelettes, quiches, sautés, etc. Et vive le chili, dans lequel on peut tout mettre ! • Ajoutez-les à vos sauces pour pâtes, à des fajitas, à des burritos ou à des tacos… • Garnissez-les de panure légère à base de céréales, de noix ou de graines de sésame. • Pensez à les manger froids, en salade ou en sandwich. • Le tofu est un aliment que vous pouvez manipuler sans pince-nez !
Fruits	• Intégrez-les dans un lait frappé, sous forme de coupes glacées, dans des muffins ou du pain maison. • Congelez-les afin de les déguster comme collation fraîche. • Choisissez des fruits au goût plus doux, comme les poires, les bananes ou les pêches. • Les fruits séchés, comme les canneberges ou les raisins secs, s'intègrent aux salades de pâtes, de riz et de laitues diverses.
Légumes	• Buvez-les ! Si vous avez une centrifugeuse, sortez-la ! • Faites-en des soupes et des crèmes, des plats composés, des gratins, des quiches et des pâtes. • Coupez-les en petits morceaux et ajoutez-leur des herbes fraîches.
Produits laitiers	• Ajoutez-les à toutes vos recettes en utilisant le yogourt, le kéfir ou la poudre de lait déshydratée. • Essayez les produits de soya enrichis.

TRUCS ET CONSEILS

● Recherchez des aliments frais, surtout pour les poissons, viandes et légumes.

● Mangez plus souvent des petites collations et repas.

● Mangez froid pour diminuer les odeurs et utilisez votre gril extérieur.

● Faites de la cuisson en papillote ou au four pour éviter les odeurs trop fortes.

● Si vous êtes très fatiguée, utilisez la mijoteuse, que vous pouvez même brancher à l'extérieur pour diminuer les odeurs.

● Mangez au restaurant ce que vous n'arrivez plus à sentir et à préparer. Faites-vous inviter par la famille et les amis.

● Les traiteurs et services de livraison à domicile peuvent aussi être utiles.

● Changez d'assiette de service, une assiette trop colorée peut susciter le dégoût.

Capsule maman

L'ART DU CAMOUFLAGE

« Je ne le savais pas à l'époque, mais c'est lors de ma grossesse, à cause des nombreux aliments qui m'inspiraient de l'aversion, que j'ai créé la banque de recettes qui allait me servir avec mes enfants, pour leur faire manger les aliments qu'ils aimaient moins. J'étais la reine du camouflage du poisson et de la viande, et ma lasagne au tofu les mystifiait à coup sûr, mon mari aussi ! »

– Catherine, mère de trois enfants

LE GAIN DE POIDS
DURANT LA GROSSESSE

Autre changement physiologique non négligeable : le gain de poids. Souvent appréhendé, il devrait être vu de façon positive, car c'est LE signe que votre bébé grandit ! Vous êtes inquiète ? C'est normal. Vous n'avez pas encore perdu le poids du premier ou du deuxième ? Vous n'êtes pas la seule. Il n'y a pas de gain de poids fixe et idéal, mais plutôt un ordre de grandeur établi en fonction du poids avant la grossesse. Chaque femme est unique et chaque grossesse l'est aussi.

À QUOI SERT LA PRISE DE POIDS ?
Le poids pris durant la grossesse comprend le poids du fœtus, du placenta et de l'utérus, l'augmentation du volume sanguin, ainsi que les réserves que votre corps se constitue en prévision de l'allaitement.

LA RÉPARTITION APPROXIMATIVE DU GAIN DE POIDS À LA GROSSESSE

GAIN DE POIDS TOTAL
11,5 à 16,5 kg (25 à 35 lb)

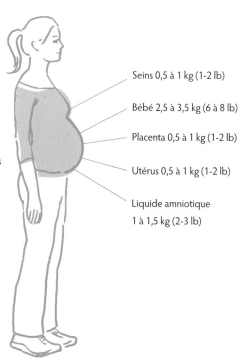

Augmentation du volume sanguin
1,5 à 2 kg (3-4 lb)

Stockage de protéines et de gras
3,5 à 4,5 kg (8 à 10 lb)

Augmentation des fluides corporels
1,5 à 2 kg (3-4 lb)

Seins 0,5 à 1 kg (1-2 lb)

Bébé 2,5 à 3,5 kg (6 à 8 lb)

Placenta 0,5 à 1 kg (1-2 lb)

Utérus 0,5 à 1 kg (1-2 lb)

Liquide amniotique
1 à 1,5 kg (2-3 lb)

UN BON MOMENT POUR ABOLIR LES RÉGIMES !

Peu importe votre poids de départ, une fois enceinte, NE FAITES PAS DE RÉGIME. Ce n'est pas non plus le moment d'augmenter de façon **trop importante** votre pratique d'une activité physique. Un régime mal planifié peut affecter négativement la qualité des aliments choisis, vos réserves et votre apport en nutriments essentiels à la grossesse, ce qui peut être néfaste pour le bébé. Certains régimes proposent aussi la prise d'herbes ou de suppléments pouvant être dangereux. Si vous êtes soucieuse d'offrir ce qu'il y a de mieux à votre bébé, regardez plutôt la qualité des aliments que vous consommez et vos horaires de repas et d'entraînement afin de mieux planifier votre alimentation et de limiter les inconforts liés à la grossesse, comme les nausées, la fatigue extrême ou les fringales monstres !

POUR VOUS GUIDER

Il faut d'abord calculer l'indice de masse corporelle (IMC). Lorsque vous n'êtes pas enceinte, il sert à déterminer le risque d'être atteinte de maladies chroniques souvent associées au poids, comme le diabète ou les maladies cardiovasculaires.

Attention ! Cet indice n'est plus valide une fois enceinte.
Par contre, la zone où votre IMC se situait avant la grossesse permettra d'orienter le gain de poids moyen à prévoir durant la grossesse.

Pour calculer votre IMC, utilisez votre poids **d'avant la grossesse** ou en début de grossesse. Reportez votre poids (en kg) et votre taille (en mètres carrés) dans le tableau ci-dessous pour trouver la zone dans laquelle vous vous situez. Comme c'est chose du passé, vous ne pouvez rien y changer.

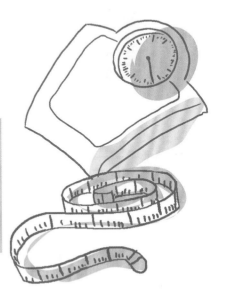

MON IMC AVANT LA GROSSESSE

POIDS _____ (kg) / TAILLE^2 _____ (m^2) =

Par exemple, pour une femme mesurant 1,65 m et pesant 65 kg :

$$\frac{65}{(1,65 \times 1,65)} = 23,8$$

Si votre IMC avant la grossesse se situait dans la zone 1, votre poids était sous votre poids santé. Les risques pour vous et votre bébé pourraient être plus élevés. Le poids à prendre est légèrement supérieur à la moyenne pour maintenir votre état de santé et celui de votre bébé. Faites vérifier vos apports en nutriments essentiels et votre apport en énergie. Par contre, si votre IMC faible (autour de 18-19) est habituel ou en lien avec la pratique intense d'une activité physique, le poids à prendre pendant la grossesse pourrait être moindre, pourvu que votre apport nutritionnel soit adéquat.

Si votre IMC avant la grossesse se situait dans la zone 2, vous aviez un poids santé ! Vous avez moins de risques de souffrir de maladies chroniques telles que le diabète ou les maladies cardiovasculaires, et les risques associés au poids pendant la grossesse sont minimes. Pendant votre grossesse, le poids à prendre sera dans la moyenne.

Si votre IMC avant la grossesse se situait dans la zone 3, vous aviez un léger excès de poids. Faites valider votre composition corporelle si vous avez une masse musculaire importante. Sans faire de régime, il serait important de revisiter certaines de vos habitudes alimentaires et activités physiques afin de vous assurer que vos apports alimentaires sont adéquats. Il se peut que vous preniez moins de poids pendant votre grossesse, surtout au début.

Si votre IMC avant la grossesse se situait dans les zones 4 à 6, votre poids était élevé et vous êtes plus à risque de souffrir de diabète de grossesse, d'hypertension ou d'avoir des complications à l'accouchement. La prise de poids recommandée est un peu moins importante et votre médecin saura vous diriger vers un spécialiste pour un suivi de grossesse approprié.

LE SUIVI

La pesée ne doit pas être une activité trop fréquente, mais il est tout de même important de se faire peser lors des visites médicales et nutritionnelles pour que votre professionnel de la santé puisse suivre l'évolution de votre prise de poids. Ces données sont de bons indices du déroulement de la grossesse et du développement du bébé.

Le gain de poids le plus important se produit en général au deuxième trimestre et varie d'une grossesse à l'autre. Le poids augmentera plus rapidement durant les deuxième et troisième grossesses. Certaines études suggèrent que le fait que l'augmentation soit graduelle et constante est aussi important que la quantité de poids prise pendant la grossesse.

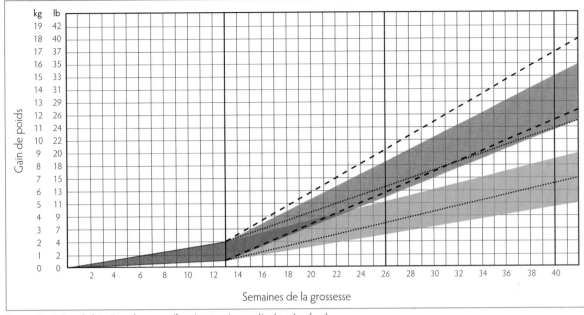

Source : Santé Canada, http://www.hc-sc.gc.ca/fn-an/nutrition/prenatal/ewba-mbsa-fra.php.

LÉGENDE	ZONE	IMC AVANT LA GROSSESSE	INTERVALLE DE GAIN DE POIDS TOTAL RECOMMANDÉ
- - - - -	1	< 18,5	12,5 – 18 kg (28 – 40 lb)
————	2	18,5 – 24,9	11,5 – 16 kg (25 – 35 lb)
············	3	25 – 29,9	7 – 11,5 kg (15 – 25 lb)
————	4-5-6	>30	5 – 9 kg (11 – 20 lb)
		Grossesse gémellaire	16 – 20 kg (35 – 45 lb)

Les recommandations sur la prise de poids ne servent qu'à vous guider. Certaines femmes prendront naturellement plus de poids que d'autres durant la grossesse, ce qui ne les empêchera pas pour autant de perdre le poids gagné après la naissance.

Si votre prise de poids vous semble insuffisante, assurez-vous que vous consommez une grande variété d'aliments sains, qui vous permettent de combler tous vos besoins en éléments nutritifs essentiels. Profitez des aliments « denses » en nutriments, c'est-à-dire des aliments qui fournissent beaucoup de nutriments et d'énergie pour une petite quantité. Par exemple, la portion nécessaire pour fournir 200 calories de raisins secs sera beaucoup plus petite que pour les raisins frais. Les repas liquides et les smoothies permettent aussi d'intégrer de nombreux aliments ou nutriments dans un petit volume. On trouve maintenant des boissons enrichies spécialement conçues pour les femmes enceintes. Si vous vous inquiétez de votre prise de poids, n'hésitez pas à en parler à votre spécialiste de la

santé. Faites-vous confiance et écoutez votre corps. La faim, la vraie, celle ressentie au creux de l'estomac, doit rester un élément clé quand vient le temps d'orienter l'apport alimentaire.

ET SI VOUS ÊTES PETITE ET TRÈS MUSCLÉE, OU TRÈS GRANDE ET MINCE ?

L'IMC ne dit pas tout et ne tient pas compte de la composition corporelle (la part du poids qui provient des muscles, des os, des organes, du gras ou de l'eau qui varie d'une personne à une autre.

Comme chaque cas est unique, seul un professionnel de la santé peut déterminer le niveau de risque réel, mais puisque l'IMC donne un éventail de poids assez large pour tenir compte de certaines différences dans la constitution corporelle, il s'agit, comme son nom l'indique, d'un bon **indice** pour une grande majorité de femmes.

L'ÉQUILIBRE ÉNERGÉTIQUE

Avoir l'énergie nécessaire pour la grossesse et pour poursuivre vos activités quotidiennes et sportives est important, mais de combien d'énergie avez-vous besoin pour prendre le poids prévu durant la grossesse et rester active ? Lorsque vous êtes enceinte, les mécanismes responsables de la production d'énergie s'adaptent.

CALCULEZ VOTRE DÉPENSE ÉNERGÉTIQUE QUOTIDIENNE

Afin d'évaluer les besoins quotidiens en énergie, on évalue la dépense énergétique estimée. Celle-ci tient compte du métabolisme de repos, de l'activité physique et des besoins supplémentaires, selon le stade de la grossesse.

Voici une façon simple d'estimer vos besoins quotidiens en énergie durant la grossesse.

LA DÉPENSE ÉNERGÉTIQUE QUOTIDIENNE ESTIMÉE
Pour chacune des étapes, reportez votre réponse dans la grille de calcul de la page 44.

Infobulle
LA CALORIE ET LA KILOJOULE
La calorie est l'unité de mesure utilisée pour définir l'énergie dégagée par les aliments que l'on consomme et l'énergie utilisée lors des activités physiques. La mesure que l'on appelle communément Calorie est en fait une kilocalorie, soit 1000 calories. La kilojoule est, quant à elle, la mesure métrique équivalant à 0,25 kcal (1 kcal = 4 kJ).

Étape 1 : Déterminez votre métabolisme de repos.

A Multipliez votre poids (en kg) par 9,99

_____ x 9,99 = _____

B Multipliez votre taille (en cm) par 6,25

_____ x 6,25 = _____

C Multipliez votre âge par 5

_____ ans x 5 = _____

En utilisant les réponses obtenues, faites le calcul

A + B − C = métabolisme de repos

_____ + _____ − _____ = _____ kcal

Étape 2 : Multipliez votre métabolisme de repos par le facteur d'activité physique. Le facteur d'activité physique permet d'estimer votre dépense énergétique moyenne, selon votre niveau d'activité physique.

Pour plus de précisions, vous pouvez également utiliser les tableaux de dépense énergétique par activité du chapitre 6 et choisir un facteur d'activité sédentaire (1,2) auquel vous ajoutez la dépense énergétique de vos activités physiques quotidiennes (ex. : aquaforme pendant 60 minutes = 220 kcal).

FACTEUR D'ACTIVITÉ	CATÉGORIE	DÉFINITION
1,2	Sédentaire	Pas ou peu d'activité, travail sédentaire.
1,4	Légèrement active	Exercice léger ou sports variés pratiqués 1 à 3 fois par semaine.
1,6	Modérément active	Exercice modéré ou sports variés pratiqués 3 à 5 fois par semaine.
1,8	Très active	Exercice vigoureux ou sports pratiqués 6 à 7 fois par semaine, ou travail physique.

Étape 3 : Ajoutez l'énergie nécessaire à la grossesse. Celle-ci correspond à la dépense d'énergie liée à la croissance du bébé, selon le trimestre. On estime que, pour le premier trimestre, les besoins en énergie sont relativement les mêmes qu'avant la grossesse, à 100 kcal près. Pour le deuxième trimestre, on recommande un ajout de 350 kcal, et 450 kcal pour le dernier trimestre si vous maintenez le même niveau d'activité physique.

Infobulle

LE MÉTABOLISME DE REPOS

Le métabolisme de repos est l'énergie nécessaire à votre corps au repos, à une température ambiante, pour maintenir les activités vitales. Plusieurs facteurs influencent le métabolisme de repos, voici les principaux.

L'âge : Le métabolisme de repos décroît avec l'âge. Le déclin commence après 25 ans, à un rythme de 2 à 3 % tous les 10 ans.

La composition corporelle : La proportion de la masse musculaire par rapport au tissu adipeux est un facteur déterminant. Les muscles brûlent davantage d'énergie que le gras au repos.

Les régimes précédents : Contrairement à l'activité physique, un régime faible en calories ou en glucides provoque à moyen terme une diminution du métabolisme de repos.

La génétique et les hormones : Eh oui ! Certaines personnes brûlent davantage d'énergie à ne rien faire. Le stress et les hormones thyroïdiennes jouent également un rôle important dans le métabolisme de repos, en l'augmentant (hyperthyroïdie et stress momentané) ou en le diminuant (hypothyroïdie et stress prolongé).

CALCULEZ VOTRE DÉPENSE ÉNERGÉTIQUE ESTIMÉE (DEE)

Étape 1 : Métabolisme de repos		Étape 2 : Facteur d'activité		Étape 3 : Besoins de la grossesse		DEE
_____ kcal	x	_____	+	100 kcal (1er trimestre)	=	_____
				350 kcal (2e trimestre)	=	_____
				450 kcal (3e trimestre)	=	_____

EXEMPLE :

Marie est une femme de 32 ans qui pèse 63 kg et mesure 165 cm. Elle nage 40 minutes trois fois par semaine et joue au tennis une fois par semaine. Elle est dans son **deuxième trimestre.**

Étape 1 : Métabolisme de repos :   1500 kcal

Étape 2 : Facteur d'activité :   x 1,6

Étape 3 : Besoins de la grossesse :   + 350

MÉTHODE	1er TRIMESTRE	2e TRIMESTRE	3e TRIMESTRE
DEE par trimestre :	2500 kcal	2750 kcal	2850 kcal

Les besoins de Marie au deuxième trimestre sont d'environ 2750 kcal par jour et augmenteront de 100 kcal au prochain trimestre si elle maintient le même niveau d'activité physique jusqu'à la fin de sa grossesse. Si son niveau d'activité change, elle devra refaire le calcul en modifiant le facteur d'activité à l'étape 2. Le menu ci-contre est conçu pour répondre aux besoins énergétiques de Marie.

Vous êtes peut-être étonnée de constater la faible augmentation des besoins énergétiques au premier trimestre. La mère mange pour deux, certes, mais l'embryon puis le jeune fœtus sont tout de même minuscules et ont davantage besoin de qualité et de régularité que de grandes quantités. Au premier trimestre, il faut privilégier la qualité nutritionnelle et le repos afin d'être en mesure de répondre aux demandes énergétiques des deux derniers trimestres. La répartition entre les différents nutriments et les besoins en vitamines et minéraux spécifiques sont de la première importance. Vous trouverez à la page suivante un exemple de menu comprenant des recettes qui présentent les quantités à consommer pour chaque trimestre.

EXEMPLE DE MENU POUR COMBLER LES BESOINS ÉNERGÉTIQUES DE MARIE DURANT LA GROSSESSE

1er TRIMESTRE	+ AJOUTS AU 2e TRIMESTRE	AJOUTS AU 3e TRIMESTRE***
8 h 00 : Petit-déjeuner		
Bagel à grains entiers ou 2 tranches de pain complet		
10 ml (2 c. à café) de beurre		
1 œuf poché ou 1 œuf au plat		
250 ml (1 tasse) de melon d'eau		
10 h 30 : Collation matinale – Muffin au son et aux dattes (voir la recette à la page 208)		
1 muffin		
2 kiwis		
13 h 00 : Repas du midi – Quinoa au cari et aux fruits séchés (voir la recette à la page 212)		
1 portion de la recette	+ ¼ portion de la recette	+ ½ portion de la recette
60 g (2 oz) de poulet grillé		
500 ml (2 tasses) d'épinards frais		
15 ml (1 c. à soupe) d'huile d'olive		
10 ml (2 c. à café) de jus de citron		
250 ml (1 tasse) de lait 1% partiellement écrémé ou de lait demi-écrémé		
15 h 00 : Collation d'après-midi		
175 ml (¾ tasse) de yogourt nature (2 à 4 % M.G.)		
15 ml (1 c. à soupe) de miel		
250 ml (1 tasse) de céréales (ex. : flocons de maïs)		
17 h 30* : Repas du soir – Pâtes aux palourdes (voir la recette à la page 214)		
1 portion de la recette		
2 biscuits à l'avoine		
20 h 00 : ENTRAÎNEMENT – 40 minutes de natation : 500 ml (2 tasses) d'eau pendant l'entraînement		
21 h 00 : Collation de fin de journée – Smoothie au beurre d'arachide et aux bananes (voir la recette à la page 209)**		
½ portion de la recette	+½ portion de la recette	+½ portion de la recette
TOTAL : 2500 kcal	2750 kcal	2850 kcal

* Le délai entre la prise du repas ou de la collation avant l'entraînement dépend de la tolérance aux liquides à l'effort et à la capacité de digestion. On recommande un délai de deux à trois heures avant de prendre un repas solide et une heure avant de prendre un repas liquide de type smoothie.

** La collation après l'entraînement doit être prise le plus rapidement possible (15 à 30 minutes après) afin de favoriser une meilleure récupération.

*** Les ajouts au 3e trimestre s'additionnent au menu de base du 1er trimestre.

CHAPITRE 3

L'équilibre à deux: alimentation et activité physique

Vous savez maintenant comment évaluer vos besoins et votre dépense énergétique, mais comment intégrer tout cela au quotidien et manger ce qu'il faut avant, pendant et après l'entraînement? Comment choisir les bons aliments afin de maintenir un niveau d'énergie tout au long de la journée? À ce jour, peu d'études ont été réalisées sur l'alimentation et l'hydratation des femmes enceintes actives. On applique donc les recommandations de base en nutrition sportive en considérant les besoins spécifiques de la grossesse et sur la base d'expériences auprès de mères actives. Que ce soit pour les nutriments et leur rôle, l'hydratation, les suppléments ou une condition particulière, vous trouverez dans ce chapitre l'essentiel de ce qu'il vous faut savoir pour vous alimenter et bouger à deux.

LA RÉPARTITION DE L'ÉNERGIE

Un équilibre entre les aliments fournissant des protéines, des glucides et des lipides permettra de maximiser votre apport en nutriments essentiels pour la grossesse, vous aidera à limiter, s'il y a lieu, ses effets secondaires et à avoir de l'énergie toute la journée. La répartition de l'énergie peut se faire en utilisant le pourcentage de l'apport quotidien total ou au moyen des groupes alimentaires. Les recommandations quant à la répartition de l'énergie sont les mêmes pour la femme enceinte que pour la femme active.

Recommandations

LA RÉPARTITION QUOTIDIENNE DE L'ÉNERGIE PROVENANT DES NUTRIMENTS

L'apport total en énergie provenant des repas et des collations dans une journée doit être réparti entre les nutriments de la façon suivante, et varie en fonction de l'énergie dépensée.

- Protéines: 15 à 35 % de l'énergie totale.
- Glucides*: 45 à 65 % de l'énergie totale.
- Lipides: 20 à 35 % de l'énergie totale.

* Plus vous faites d'activités physiques, plus la part des glucides est importante.

LES GROUPES ALIMENTAIRES

Chaque pays a sa propre façon de présenter le nombre de portions recommandées par jour pour les différents groupes alimentaires afin d'obtenir une bonne répartition de l'énergie et de combler les besoins nutritionnels. Certains aliments changent de groupe alimentaire selon le pays, et la grosseur des portions varie, mais on peut observer des constantes qui donnent une bonne idée de ce qui est nécessaire dans une journée. Vous pouvez aussi utiliser nos exemples de menus pour vous guider (voir à partir de la page 220). Dans le cas où la dépense énergétique est très importante, l'apport de tous les groupes d'aliments devra être augmenté.

LES COMPOSANTES QUOTIDIENNES D'UNE ALIMENTATION ÉQUILIBRÉE

ALIMENTS	NOMBRE DE PORTIONS RECOMMANDÉES	AJOUTS POUR LES BESOINS DE LA GROSSESSE	AJOUTS POUR LES BESOINS DE L'ACTIVITÉ PHYSIQUE*	SOURCES DE : (PRINCIPAUX NUTRIMENTS)
LÉGUMES ET FRUITS	7 ou 8 portions		Jusqu'à 2 portions de plus	Glucides, fibres
PRODUITS CÉRÉALIERS	6 ou 7 portions		Jusqu'à 5 portions de plus	Glucides, fibres
LAIT ET SUBSTITUTS	2 portions	2 portions de plus	Jusqu'à 2 portions de plus	Protéines, matières grasses, glucides
VIANDES ET SUBSTITUTS	2 portions	150 g (5 oz) de poisson par semaine pour les acides gras essentiels		Protéines, matières grasses
MATIÈRES GRASSES	45 ml (3 c. à soupe) d'huile ou d'autres matières grasses			Matières grasses
LIQUIDES	2 ou 3 litres	250-500 ml	Eau ou boisson sucrée à l'effort	
SUPPLÉMENTS		Acide folique (0,4 mg par jour)	Possibilité d'ajouter un supplément de fer et de vitamine B12	

Source : Adapté de Santé Canada, *Guide alimentaire canadien*.

* Pour les femmes sportives ou athlètes, l'ajout de portions doit se faire en fonction de la dépense énergétique.

LES GLUCIDES : SOURCES D'ÉNERGIE

Bien que tous les nutriments participent à alimenter les muscles à l'effort et le bébé, les glucides sont la principale source d'énergie – le glucose est d'ailleurs la seule source d'énergie utilisée par le cerveau et le bébé. Une insuffisance en glucides peut limiter la performance, particulièrement dans la pratique de sports d'endurance, et peut mener à l'hypoglycémie (manque de sucre) à l'effort. Une femme enceinte active utilise plus rapidement les glucides. Il vous faudra donc prévoir de consommer les bons aliments glucidiques avant l'effort et de remplacer les glucides utilisés pendant l'effort afin de ne pas faire d'hypoglycémie (voir l'infobulle de la page 50 pour plus de détails).

Il y a plusieurs formes de glucides. On peut les classer selon leur composition, qui correspond aussi à leur vitesse de digestion et d'absorption ou selon leur capacité à élever la glycémie. Cela aide à déterminer si vous devez les prendre avant, pendant ou après l'activité physique.

Les fibres alimentaires en font aussi partie, mais elles ont été abordées précédemment, car elles ne fournissent pas d'énergie (voir à la page 31).

LES GLUCIDES SIMPLES

Les glucides simples donnent un goût sucré aux aliments qui en contiennent. Ils sont dits « sucres rapides », car ils sont vite digérés et absorbés par le corps. Ils fournissent au corps un apport rapide mais momentané en énergie.

Dans les aliments, on les trouve naturellement dans les fruits, le lait et les produits laitiers. On parle aussi ici du sucre ajouté dans les desserts et les boissons, dont les boissons énergétiques. Ce sucre peut être raffiné et blanc, non raffiné et brun, ou sous forme de cassonade, de miel, de sirop d'érable, de sirop d'agave, de mélasse, etc.

Sur la liste des ingrédients d'un produit, on les trouve aussi sous les noms : « glucose », « fructose », « galactose », « sucrose », « lactose » et « maltose ».

On en mange pendant un entraînement d'une durée de 30 à 45 minutes. On peut aussi les prendre tout de suite après l'exercice, car ils serviront à refaire la réserve de glucides des muscles (glycogène).

LES GLUCIDES COMPLEXES

Les glucides complexes ont une structure moléculaire plus élaborée. Ils donnent une texture farineuse aux aliments qui en contiennent. Ils sont dits « sucres lents », car ils sont plus longs à digérer et à absorber. Ils fournissent donc à l'organisme un apport graduel en énergie.

Dans les aliments, on les trouve dans presque tous les pains et produits de boulangerie. La farine, les pâtes, les légumineuses, les pommes de terre et les tubercules en sont de bonnes sources.

Sur la liste des ingrédients d'un produit, on les trouve sous les noms : « amidon », « polymères de glucose » ou « maltodextrine ».

On en mange avant l'entraînement, entre autres. Ils aident à stabiliser la glycémie et à assurer la disponibilité du glucose pour le bébé, à limiter les baisses d'énergie et à diminuer la sensation de faim. Ils sont à préférer lors des longues sorties en vélo, des promenades en montagne ou de toute autre activité modérée d'une durée de plus de 45 minutes.

L'INDICE GLYCÉMIQUE

Utilisé en nutrition sportive et dans le contrôle du diabète, l'indice glycémique permet de classer les aliments selon leur capacité à élever la glycémie. Plusieurs facteurs influencent cet indice, dont la provenance, la cuisson et les autres aliments consommés au même moment.

Les aliments à indice glycémique élevé sont recommandés pendant un effort de courte à moyenne durée, et tout de suite après un effort et comprennent des aliments contenant des glucides complexes.

Les aliments à indice glycémique faible sont recommandés avant l'effort et pendant les activités de longue durée, car ils permettent de stabiliser la disponibilité du sucre pour le bébé, de limiter les baisses d'énergie et de diminuer la sensation de faim.

INDICE GLYCÉMIQUE DE CERTAINS ALIMENTS, PAR GROUPES D'ALIMENTS

INDICE GLYCÉMIQUE (% DE GLUCOSE)	FAIBLE : 55 ET MOINS	MOYEN : (56 À 69)	ÉLEVÉ : 70 ET PLUS
Aliments	• Pain de grains entiers, céréales de grains entiers, de son, de psyllium • Orge, boulgour, pâtes alimentaires, riz • Légumineuses • Lait, boisson de soya, yogourt nature	• Pain de blé entier, de seigle • Gruau, céréales de blé filamenté, müesli • Couscous, riz brun, riz basmati • Pomme de terre au four, patate douce, betteraves • Ananas, banane	• Pain blanc, bagel, tortilla, céréales en flocons avec des fruits ou des noix • Riz blanc à grains longs • Craquelins • Pommes de terre en purée, pommes de terre frites • Carottes cuites, navet, melon d'eau

Source : Association canadienne du diabète, 2008.

MANGER ET BOIRE AVANT UNE ACTIVITÉ PHYSIQUE

Choisir les bons aliments avant une activité physique vous permettra de vous adapter à votre nouvelle réalité. Ainsi, vous éviterez…

- d'avoir faim pendant l'activité ;
- ou diminuerez les risques de reflux gastriques ;
- de vous sentir ballonnée ;
- d'être déshydratée ;
- de manquer d'énergie pour vos muscles et pour bébé qui, lui, ne fait pas de pauses ;
- d'avoir trop de nausées.

Ce que vous choisirez dépendra de plusieurs facteurs :

- la durée de votre activité ;
- le temps entre votre repas ou collation et votre activité ;
- la température ;
- l'intensité et la durée de votre activité ;
- votre capacité de digestion ;
- les aliments qui vous font envie ou qui vous répugnent ;
- votre susceptibilité à une baisse de glycémie.

LE TEMPS DE DIGESTION

Le temps de digestion varie d'un aliment à l'autre. Ainsi, on estime que les aliments contenant des glucides sont digérés par l'estomac en moins d'une heure, que les protéines prennent de deux à quatre heures, et que les lipides prennent de quatre à six heures. Plus votre repas ou votre collation et votre activité physique sont rapprochés dans le temps, plus votre repas doit être léger, c'est-à-dire faible en matières grasses et en protéines. Vous trouverez dans le tableau de la page suivante quelques exemples d'aliments ou mets à consommer selon le temps qui vous sépare de votre entraînement. ATTENTION ! Les indications données dans ce tableau ne signifient pas que vous devez manger toutes les 30 minutes. Fiez-vous d'abord à votre appétit et ajustez vos collations afin de vous sentir bien avant l'effort.

Ainsi, si vous avez pris votre repas à midi et que votre entraînement est vers 18 h, vous pouvez prendre une collation de la deuxième colonne vers 14 h 30 et reprendre un choix de la première colonne 30 minutes avant.

Recommandations

Peu importe l'activité, la durée ou l'intensité, ne partez jamais sans une collation et de l'eau.

EXEMPLES D'ALIMENTS SUGGÉRÉS AVANT L'ENTRAÎNEMENT*

MOINS DE 30 MINUTES AVANT**	DE 30 MINUTES À 2 HEURES AVANT	2 HEURES ET PLUS AVANT
• Jus de fruits + craquelins • Compote de fruits et amandes • Fruits séchés et graines de citrouille • Barre de fruits séchés • Biscuits aux figues • ½ bagel et confiture • Muffin maison aux carottes	• Lait frappé aux fruits • Lait au chocolat et biscuit à l'avoine • Bol de céréales • Craquelins au blé, fromage et raisins • Compote de fruits et barre de céréales • Yogourt grec, bleuets et amandes • Rôtie au beurre d'arachide et ½ banane • Jus de légumes, craquelins et fromage (2 heures à l'avance)	• Jus de fruits, rôtie au beurre de noix (selon votre tolérance) et yogourt • Œuf brouillé, rôtie et fruits frais • Tortilla au thon, crudités, fruit et yogourt • Salade de pâtes au poulet, jus de légumes et pouding au riz • Soupe aux légumes, sandwich à la dinde et fruit frais • Pâtes avec sauce à la viande et salade verte

* Si vous faites de l'hypoglycémie ou du diabète de grossesse, choisissez plutôt dans la deuxième colonne.

** Bien que l'on recommande de manger des aliments qui sont sources de glucides complexes avant l'effort, si vous avez peu de temps, que votre activité n'est pas trop longue ou que vous avez la possibilité de prendre une boisson ou une collation pendant l'effort, vous pouvez en prendre une qui contient des sucres simples, comme un fruit.

BOIRE OU MANGER ?

Avant l'activité physique, tout ce qui est liquide et léger sera moins long à digérer et donc absorbé plus rapidement. Par contre, si vous souffrez de reflux gastriques et que votre estomac est compressé, il vaut mieux choisir des textures plus épaisses et onctueuses, comme les purées pour bébé.

Il est aussi important de maintenir une hydratation adéquate, puisque la déshydratation peut être la cause de contractions prématurées et que le maintien du volume sanguin permet d'évacuer la chaleur. Le seul inconvénient est qu'il est fort probable que votre vessie n'ait plus la même capacité de rétention. On recommande généralement de boire 500 ml d'eau dans l'heure qui précède l'effort. Fiez-vous également à votre soif pour déterminer la quantité à boire, mais surtout ne vous limitez pas parce que vous devez aller uriner plus souvent.

LES ALIMENTS À ÉVITER

En général, et surtout si le bébé affecte votre digestion, il est recommandé d'éviter les aliments épicés ou gras et les aliments qui peuvent donner des gaz, comme le chou, les oignons, les boissons gazeuses ou l'eau minérale gazéifiée. Les aliments acides pris à jeun peuvent également causer des reflux. Avant votre prochain entraînement, essayez notre recette simple de parfait au fromage frais et au melon d'été (voir à la page 210) !

« JE M'ENTRAÎNE TÔT LE MATIN »

Si vous ne mangez pas avant votre activité, vous avez de fortes chances d'avoir des moments de faiblesse, des étourdissements et un appétit de louve à votre retour.

Vous n'avez que très peu d'appétit ou des nausées, mais le matin est votre moment pour bouger ? Assurez-vous d'avoir pris une bonne collation avant de vous coucher la veille. Prenez quelques craquelins au réveil dans le lit.

Étirez-vous doucement et prenez la moitié de votre petit-déjeuner, faites votre activité et terminez ensuite votre petit-déjeuner au retour avec un verre de lait, des fruits et une autre rôtie, une tartine ou un muffin maison.

Vous manquez de temps ? Prenez votre petit-déjeuner sous forme liquide ou avec des aliments que vous aurez préparés la veille. Un lait frappé, un petit bol de gruau ou de quinoa peuvent vous fournir tous les éléments nutritifs nécessaires.

« JE M'ENTRAÎNE EN FIN D'APRÈS-MIDI »

Assurez-vous simplement d'avoir pris un bon repas le midi et prenez une collation (une poire et quelques amandes) 30 minutes avant de commencer votre entraînement.

« JE M'ENTRAÎNE À L'HEURE DU SOUPER OU EN SOIRÉE »

Certaines femmes qui s'entraînent en soirée ont tendance à ne pas manger un repas équilibré, par manque de temps ; d'autres mangent trop parce qu'elles mangent tard, après leur entraînement.

Si vous mangez après l'entraînement, prenez une collation plus substantielle en après-midi (plus de deux heures avant), sans oublier les protéines. Prenez ensuite une collation comme un jus de fruits dilué ou des fruits séchés pendant votre entraînement et mangez votre repas du soir tout de suite après.

Vous pouvez aussi diviser votre repas du soir en deux segments (avant et après l'entraînement), ce qui vous permettra de ne jamais avoir trop faim ou la sensation d'avoir trop mangé.

MANGER ET BOIRE PENDANT L'ACTIVITÉ PHYSIQUE

Durant l'activité physique, l'alimentation doit favoriser les échanges de nutriments avec le bébé et permettre d'éviter la déshydratation, de rester concentrée, de maintenir un bon niveau d'énergie ainsi que de récupérer plus rapidement.

Vous devrez choisir les aliments et les boissons selon…

- ce que vous avez mangé avant l'entraînement : plus le délai est long, plus il sera important de consommer une source de glucides à l'effort ;
- la température : plus il fait chaud moins votre estomac arrivera à bien digérer ;
- l'intensité et la durée de votre entraînement : les efforts prolongés et les efforts courts et intenses exigeront plus d'énergie ;
- vos goûts et aversions du moment : pour choisir un aliment qui vous aidera à faire votre activité ;
- votre sudation : pour remplacer les liquides et les électrolytes perdus.

Recommandations

Les sportifs devraient consommer 0,7 g de glucides par kilogramme de poids par heure d'effort (soit environ 30 à 60 g/h), soit sous une forme liquide ou solide. Il y a néanmoins peu de précisions par rapport à l'intensité de l'effort ou aux particularités de la grossesse. Fiez-vous avant tout à vos sensations et à votre soif, sans oublier qu'un petit rappel est parfois nécessaire.

DURÉE DE L'ENTRAÎNEMENT	QUOI BOIRE OU MANGER ?	COMMENTAIRES
Moins de 45 minutes	De l'eau suffit	• Excepté si vous n'avez pas pris de collation avant l'effort et que votre dernier repas remonte à plus de deux heures. Il vous faudrait alors boire ou manger un aliment source de glucides.
De 45 à 60-75 minutes	Eau + collation ou boisson énergétique	• La collation devrait fournir autour de 30 g de glucides (voir le tableau de la page 58) • La concentration en glucides de la boisson devrait être de 4 à 8 %, avec une pincée de sel.
De 60-75 à 120 minutes	Jusqu'à 30 g de glucides (de tous types) par heure, sous forme liquide ou solide	• La concentration en glucides de la boisson devrait être de 4 à 8 %, avec une pincée de sel. • Voir le tableau de la page 58 pour des idées de collations
Plus de 120 minutes	Jusqu'à 30 g de glucides (de tous types) par heure, sous forme liquide ou solide	• Varie selon le nombre de semaines de grossesse, l'intensité et le type de sport. Si vous faites ce genre d'effort, faites évaluer vos besoins. Il vous faudra consommer des glucides lents et rapides.

ATTENTION : Ces recommandations peuvent varier si vous souffrez d'hypoglycémie ou de diabète de grossesse. Si c'est le cas, demandez conseil à votre diététiste ou nutritionniste.

Recommandations

LA CONSOMMATION DE LIQUIDE À L'EFFORT

À l'effort, il est recommandé de boire environ 10 millilitres de liquide par kilogramme de poids corporel par heure.

Ex. : Une femme de 60 kg devrait boire 600 ml par heure, ce qui n'est pas toujours possible.

L'HYDRATATION

Il n'y a pas de recommandation standard sur l'hydratation pendant l'activité physique spécifique aux femmes enceintes. Par contre, on sait que chez les sportifs la performance peut diminuer lorsque la déshydratation s'installe. Or, la déshydratation est à éviter pour la femme enceinte, puisqu'elle peut mettre à risque le bébé et provoquer des contractions prématurées. Pour maintenir une hydratation adéquate, il n'est pas nécessaire de prendre autre chose que de l'eau si vous faites un entraînement léger d'une heure et que vous avez mangé une collation avant. Par contre, si vous n'avez rien mangé ou bu avant, que votre entraînement est plus long, qu'il fait chaud, ou que vous êtes sensible à l'hypoglycémie, vous devez vous hydrater à l'aide d'une boisson contenant des glucides et des électrolytes, ou boire de l'eau et manger une collation.

COMMENT SAVOIR SI VOUS ÊTES BIEN HYDRATÉE ?

Une urine de couleur limonade claire est souvent l'indication que vous êtes bien hydratée, mais les suppléments de vitamines peuvent colorer votre urine, particulièrement le matin, sans que vous soyez nécessairement déshydratée. VOTRE SOIF est un signal à observer et à écouter. Par contre, n'oubliez pas que l'exercice, et surtout les nausées, peuvent masquer ce signal. Soyez à l'affût et ayez toujours des liquides à portée de main.

LA COULEUR DE L'URINE PAR RAPPORT À L'HYDRATATION

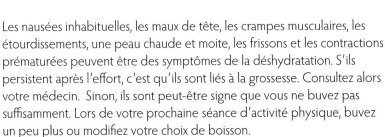

| NORMAL | DÉSHYDRATÉ | TRÈS DÉSHYDRATÉ |

Les nausées inhabituelles, les maux de tête, les crampes musculaires, les étourdissements, une peau chaude et moite, les frissons et les contractions prématurées peuvent être des symptômes de la déshydratation. S'ils persistent après l'effort, c'est qu'ils sont liés à la grossesse. Consultez alors votre médecin. Sinon, ils sont peut-être signe que vous ne buvez pas suffisamment. Lors de votre prochaine séance d'activité physique, buvez un peu plus ou modifiez votre choix de boisson.

QUELLE QUANTITÉ BOIRE PENDANT L'EFFORT ?

Bien sûr, plusieurs facteurs entrent en jeu et peuvent modifier la quantité de liquide à boire. L'idée générale est de débuter tôt pendant l'entraî-nement et de prendre de petites gorgées régulièrement. Si vous êtes très active et que vous faites des efforts intenses ou de longue durée, il peut être intéressant d'évaluer votre taux de sudation, qui a peut-être changé à cause de la grossesse.

CALCUL DU TAUX DE SUDATION POUR 60 MINUTES D'ACTIVITÉ PHYSIQUE

Soustrayez votre poids (en kg) après l'entraînement de votre poids (en kg) avant l'entraînement (pesez-vous nue idéalement).

Ex: 63,2 kg – 62,5 kg = 0,7 kg

La différence en kilogrammes correspond à des litres de liquide (1kg = 1 L); dans cet exemple-ci, la différence est de 0,7 L.

Additionnez ensuite les liquides bus à l'effort (estimés à 0,25 L). Ex: 0,7 L + 0,25 L = 0,95 L (950 ml).

Dans cet exemple, la personne devrait boire 950 ml de liquide, en moyenne, dans ce type d'entraînement. Cela peut paraître énorme, mais il est important de consommer la quantité facilement tolérée et de terminer le reste de la quantité après l'effort.

Il est normal de perdre un peu de poids, mais la perte devrait corres-pondre à moins de 2 % du poids corporel total. Si la perte correspond fréquemment à plus de 2 %, il serait bon de boire davantage à l'effort ou de diminuer l'intensité de l'entraînement. Si c'est votre cas, parlez-en à votre professionnel de la santé.

Recommandations

LA QUALITÉ DE L'EAU

- Ne buvez pas l'eau d'un lac ou d'une rivière si elle n'est pas traitée. Évitez les traitements à l'iode.

- Ne lavez pas vos fruits, vos légumes, vos mains ou vos dents avec de l'eau non traitée.

- Évitez de boire de l'eau chaude dans une fontaine si la machine est défectueuse, mal entretenue ou qu'elle ne peut pas amener l'eau à une température suffisamment haute. Il y a alors risque de croissance bactérienne.

- Si vous doutez de la qualité de l'eau, faites-la bouillir de trois à cinq minutes avant de la consommer. Cela tuera les bactéries, sans toutefois éliminer les métaux lourds.

- Procurez-vous un filtre à eau.

LE CHOIX DE L'EAU

Puisque nous en buvons tous les jours et que c'est le composé principal de notre corps, il est important de se tenir au courant de la qualité de l'eau que l'on consomme. Il y a deux éléments à surveiller en particulier : les métaux lourds et les bactéries. Les métaux lourds comme le plomb ou le cuivre, qui sont indétectables au goût et nocifs pour votre santé et celle du bébé, proviennent souvent de la plomberie de la maison. Les bactéries, quant à elles, peuvent se trouver particulièrement dans l'eau provenant de puits, ou dans l'eau consommée lors de voyages ou en camping. La réglementation par rapport à la qualité de l'eau n'est pas la même partout à travers le monde et il est toujours mieux de vous informer auprès des autorités gouvernementales des pays que vous visitez ou de votre agence de voyages.

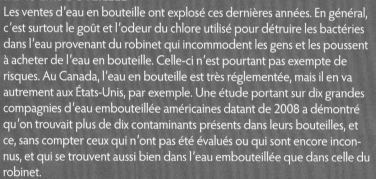

Infobulle

L'EAU EMBOUTEILLÉE

Les ventes d'eau en bouteille ont explosé ces dernières années. En général, c'est surtout le goût et l'odeur du chlore utilisé pour détruire les bactéries dans l'eau provenant du robinet qui incommodent les gens et les poussent à acheter de l'eau en bouteille. Celle-ci n'est pourtant pas exempte de risques. Au Canada, l'eau en bouteille est très réglementée, mais il en va autrement aux États-Unis, par exemple. Une étude portant sur dix grandes compagnies d'eau embouteillée américaines datant de 2008 a démontré qu'on trouvait plus de dix contaminants présents dans leurs bouteilles, et ce, sans compter ceux qui n'ont pas été évalués ou qui sont encore inconnus, et qui se trouvent aussi bien dans l'eau embouteillée que dans celle du robinet.

À l'heure actuelle, les études ne démontrent pas que la réutilisation de bouteilles de plastique laissées au réfrigérateur et bien nettoyées laisse échapper dans l'eau des bisphénols A (BPA), qui sont toxiques, mais une étude récente a relié l'exposition des femmes enceintes aux BPA à l'hyperactivité chez leurs filles. Il vaut donc mieux être prudente. **Raison de plus pour éviter le plastique !** L'utilisation d'une cruche en céramique semble donner les meilleurs résultats pour améliorer le goût de l'eau du robinet laissé au réfrigérateur. Les pichets avec filtres et les différents systèmes de filtrage, dont certains sont très performants, sont aussi de bonnes solutions.

L'eau minérale gazeuse est très populaire en Europe, où l'on recommande de consommer des eaux riches en calcium et en magnésium, et faibles en sodium. Plusieurs femmes l'adoptent lors des périodes de nausées, ou comme boisson non alcoolisée. Toutefois, elle n'est pas recommandée lors des entraînements.

QUAND L'EAU NE SUFFIT PAS : LES BOISSONS SPÉCIALISÉES

On doit d'abord faire une différence entre les boissons pour sportifs et les boissons énergisantes. Les premières sont un mélange de 4 à 8 % de glucides – souvent des sucres rapides –, d'eau et de minéraux (électrolytes). Les boissons énergisantes contiennent également des glucides, mais en proportion plus élevée. Elles ne contiennent en général pas d'électrolytes, mais plutôt de la caféine et des herbes ou vitamines ajoutées. Lors de la grossesse, les boissons pour sportifs peuvent être utiles dans la pratique de l'activité physique et en cas de sudation abondante. Les boissons énergisantes, quant à elles, sont à éviter en tout temps.

COMMENT CHOISIR UNE BOISSON ?

Si vous évaluez que vous devez ajouter des glucides à votre boisson, il vous faut prendre en considération le type de sucre qu'elle contient, sa concentration, son contenu en électrolytes et les autres ajouts inutiles ou potentiellement risqués durant la grossesse. Plusieurs boissons énergétiques en poudre contiennent des édulcorants tels que le stevia, l'acésulfame potassium et le sucralose. Certaines contiennent aussi des polyalcools, comme le xylitol. Certains colorants, comme le curcuma et l'annatto, sont aussi utilisés. Au Canada, la consommation de ces produits n'est pas restreinte pour le moment. Dans le doute, informez-vous auprès d'un diététiste ou d'un nutritionniste spécialisé en nutrition sportive. Pour plus de prudence, choisissez plutôt des boissons contenant des sucres de source naturelle, sans colorant ni caféine.

S'il fait très chaud, vous pouvez diluer votre boisson, car vous serez inévitablement portée à boire plus. À l'inverse, si la température est fraîche, votre boisson peut être légèrement plus concentrée, car vous en boirez moins.

ET LE SEL, DANS TOUT ÇA ?

L'ajout de sel (sodium) aux boissons consommées à l'effort permet de compenser les pertes par la sueur lors des entraînements de longue durée ou lorsqu'il fait très chaud et humide. Le sodium peut aussi aider à l'absorption des liquides. D'autres minéraux, aussi appelés électrolytes, sont également impliqués dans l'équilibre des liquides. Les crampes musculaires, qui sont encore un mystère pour les scientifiques, pourraient être reliées à la quantité de certains minéraux dans le sang, dont le potassium, le magnésium et le calcium. Choisissez des aliments qui contiennent ces nutriments pour aider à prévenir les crampes.

Faites vous-même vos boissons énergétiques maison avec des jus, c'est facile (voir la page 34) ! Essayez nos recettes de boissons pouvant être consommées chaudes ou froides (voir les pages 216-217)

Recommandations

LA CONSOMMATION DE SEL À L'EFFORT

Il n'y a pas de consensus, mais on recommande de 0,5 à 0,7 g de sel par litre pour maintenir le taux de sodium dans le sang. Une personne qui fait de l'hypertension ou de la rétention d'eau doit consulter son médecin avant de modifier sa consommation de sel.

COMBINER EAU ET ALIMENTS

Si vous préférez ne boire que de l'eau, consommez des aliments fournissant des glucides. Comme les aliments sont solides, le temps de digestion doit être considéré, mais cette option est appropriée pour de nombreuses activités pendant lesquelles il est possible de faire une pause.

EXEMPLES D'ALIMENTS POUVANT SERVIR DE COLLATION

GLUCIDES (15 g)	GLUCIDES (30 g)	GLUCIDES (45 g)	GLUCIDES (60 g)
1 fruit frais (pêche, poire, orange, pomme, nectarine)	1 banane	1 bagel	375 ml (1½ tasse) de boulgour cuit
250 ml (1 tasse) de petits fruits (fraises, framboises, bleuets, mûres, etc.)	250 ml (1 tasse) de jus d'orange	250 ml (1 tasse) de jus de raisin	2 pommes de terre moyennes
125 ml (½ tasse) de salade/compote de fruits	2 tranches de pain	4 biscuits aux figues	500 ml (2 tasses) de salade de fruits (sirop)
250 ml (1 tasse) de boisson énergétique	1 barre de céréales	375 ml (1½ tasse) de yogourt glacé	250 ml (1 tasse) de müesli
45 ml (3 c. à soupe) de raisins secs ou de canneberges séchées	125 ml (½ tasse) de gruau rapide non cuit	250 ml (1 tasse) de spaghettis ou de macaronis cuits	2 sachets de gruau à l'érable
1 barre de fruits séchés	1 verre de lait au chocolat (250 ml)	1 yogourt 2 % m.g. de 175 g avec fruits	1 barre énergétique

D'AUTRES PRODUITS POUR AVOIR DE L'ÉNERGIE

On ne s'ennuie pas au rayon des produits pour sportifs ! Bien qu'ils ne répondent pas tous aux besoins spécifiques des femmes enceintes, certains offrent une densité énergétique intéressante. En quelques bouchées, vous pouvez consommer une bonne quantité de glucides, de fibres et même de protéines et peuvent donc être utiles en cas de nausées. Voici les principaux produits disponibles.

LES BARRES ÉNERGÉTIQUES

De plus en plus de barres sont intéressantes parce qu'elles sont fabriquées à partir de fruits séchés et de noix, contrairement à celles fabriquées à partir d'ingrédients transformés. Elles contiennent en moyenne de 120 kcal à 350 kcal, certaines peuvent donc correspondre à un petit repas. Elles peuvent être utilisées avant, pendant et après l'entraînement. Essayez notre recette de boules d'énergie aux légumineuses (voir à la page 206), qui peuvent servir de barres énergétiques maison.

LES GELS ÉNERGÉTIQUES

Les gels sont une source d'énergie concentrée et fournissent environ 20 à 25 g de glucides par sachet. Ils sont surtout utiles pendant l'effort, à cause de leur côté pratique. Certains gels contiennent aussi des édulcorants, qui ne sont pas recommandés pendant la grossesse.

LES ÉLECTROLYTES

Les électrolytes sont souvent en capsules à dissoudre dans l'eau ou à croquer. Ils contiennent du sodium, du potassium, du magnésium, du chlore et un peu de glucides. Les athlètes qui suent abondamment les utilisent en combinaison avec une boisson pour sportifs lors de très longs entraînements. Ces produits ne contiennent généralement pas d'ingrédients à éviter pendant la grossesse et l'allaitement, sauf certains qui contiennent de la caféine, des colorants et des édulcorants. Seules les femmes très sportives ou athlètes pourraient devoir les utiliser.

LES PROTÉINES, POUR ALIMENTER LES MUSCLES

Plusieurs femmes s'inquiètent de perdre du tonus musculaire lors de l'épisode de grande fatigue du premier trimestre ou à cause du manque de mobilité du troisième trimestre. Certaines veulent en prendre un peu, car porter un bébé et l'avoir sans cesse dans les bras ensuite demande une bonne force musculaire pour éviter les blessures. On associe souvent les protéines à la masse musculaire, mais qu'en est-il vraiment ?

Les protéines fournissent des acides aminés que le corps utilise pour construire et maintenir divers tissus, comme les muscles. Durant la grossesse, les protéines sont essentielles au développement des tissus et organes du fœtus, ainsi que pour la croissance et le développement de l'utérus, du placenta et des glandes mammaires. Elles fournissent aussi de l'énergie et contribuent à la satiété. Un manque de protéines se fera sentir par des fringales plus fréquentes. C'est pourquoi la répartition de leur consommation dans la journée est importante. Les protéines sont formées de 20 acides aminés, dont 11, produits par le corps, sont considérés comme étant « non essentiels ». Les neuf autres, qui doivent êtres fournis par l'alimentation, sont dits « essentiels ».

Les besoins quotidiens en protéines augmentent d'environ 25 g durant la grossesse. On peut facilement consommer ce surplus en ajoutant un verre de lait et 60 g (2 oz) de poulet à un repas. Pour certaines, la consommation des besoins quotidiens peut être difficile, particulièrement au premier trimestre, à cause de nausées ou d'une aversion pour la viande. Il faut être vigilante, car si l'alimentation d'une femme enceinte ne contient pas assez de protéines, les protéines en réserve dans son corps, et surtout dans ses muscles, seront utilisées pour assurer l'apport au fœtus. Si l'apport reste insuffisant sur une longue période, les réserves de la mère s'épuiseront et le bébé pourra avoir un retard de croissance.

Infobulle

LA CAFÉINE, INGRÉDIENT CACHÉ ?

Certaines barres ou gels énergétiques contiennent de la caféine (dans la liste des ingrédients, on la trouve aussi sous les noms : « extrait de thé noir », « thé vert », « thé matcha » ou « guarana »). Il faut donc bien vérifier les étiquettes pour trouver les produits qui n'en contiennent pas.

Pour maintenir et stimuler la masse musculaire, il faut d'abord faire un entraînement qui sollicite les muscles, comme tous les exercices de renforcement musculaire présentés au chapitre 6 (voir à la page 134). Il faut aussi s'assurer de se reposer entre les entraînements et vérifier que l'apport quotidien en énergie et en protéines soit suffisant.

POUR L'ACTIVITÉ PHYSIQUE

Si vous faites beaucoup d'activité physique, vos besoins en protéines ne sont pas beaucoup plus élevés que si vous n'en faites pas, contrairement à la croyance populaire. Ils dépendent de votre masse musculaire et de votre dépense énergétique. Selon les sports, les besoins varient de 0,8 à 1,2 g par kg par jour, pour un maximum de 1,7 à 2 g par kg pour les sports où la dépense énergétique est très élevée ou ceux qui exigent plus de travail en force, comme la musculation ou le ski alpin ou pour les athlètes. Elles sont essentielles à une bonne récupération et doivent être intégrées à la collation après l'effort.

Par exemple, Julie pèse 62 kg, pratique des sports variés (natation, jogging) pendant 60 minutes par jour depuis longtemps, à raison de trois jours par semaine et de deux heures par jour le samedi. Ses besoins sont de 0,8 à 1 g par kg de poids par jour, ce qui donne de 50 à 62 g de protéines par jour, auxquels on ajoute 25 g pour la grossesse, pour un total d'environ 75 à 87 g de protéines par jour.

Le menu à la page suivante montre qu'il est facile de consommer ces apports recommandés par jour.

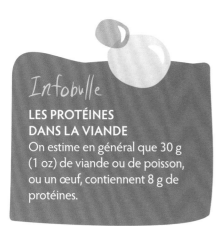

Infobulle

LES PROTÉINES DANS LA VIANDE
On estime en général que 30 g (1 oz) de viande ou de poisson, ou un œuf, contiennent 8 g de protéines.

UN MENU POUR COMBLER LES BESOINS EN PROTÉINES DE JULIE

PORTION	ALIMENTS	PROTÉINES (g)
PETIT-DÉJEUNER		
1	Muffin anglais	6
30 ml (2 c. à soupe)	Beurre d'arachide	7
125 ml (½ tasse)	Compote de pommes	0
250 ml (1 tasse)	Lait 1 % m.g.	8
COLLATION		
1	Barre de céréales maison (voir la recette à la page 205)	4
1	Orange	1
REPAS DU MIDI		
1	Salade composée de :	
	1 poivron rouge coupé	1
	500 ml (2 tasses) d'épinards bien lavés	3
	30 g (1 oz) de fromage râpé (ex. : mozzarella)	7
	30 ml (2 c. à soupe) d'huile d'olive	0
	1 œuf cuit dur	7
1	Pita de blé entier	6
1 portion	Houmous à la coriandre et au citron vert (voir la recette à la page 211)	6
100 ml (⅜ tasse)	Yogourt 2 % m.g. à saveur de vanille ou de fruit	4
COLLATION		
1	Pêche	1
60 ml (¼ tasse)	Amandes	6
REPAS DU SOIR		
½ portion	Ragoût de bœuf réinventé (voir la recette à la page 215)	23
250 ml (1 tasse)	Riz brun	5
250 ml (1 tasse)	Lait 1 % m.g.	8
125 ml (½ tasse)	Haricots verts à la vapeur	1
COLLATION		
100 ml (⅜ tasse)	Yogourt 2 % m.g. à saveur de vanille ou de fruit	4
125 ml (½ tasse)	Bleuets	0
TOTAL		**108 g**

Les sources de protéines sont nombreuses et variées, et on ne doit pas se limiter seulement à la viande. Si vous êtes végétarienne ou végétalienne, ou si à une période donnée vous avez une aversion pour la viande, référez-vous aux pages 82 à 84.

LES ALIMENTS RICHES EN PROTÉINES

ALIMENTS	PORTION	ÉNERGIE (kcal)	PROTÉINES (g)
VIANDES ET SUBSTITUTS			
Bœuf haché maigre	90 g (3 oz)	250	29
Poitrine de poulet	90 g (3 oz)	150	30
Filet de porc	90 g (3 oz)	160	31
Jambon	90 g (3 oz)	180	23
Saumon frais cuit	90 g (3 oz)	180	26
Thon (en conserve dans l'eau)	90 g (3 oz)	130	24
Crevettes	20	100	21
Pétoncles	7 (grosses)	90	17
Œufs entiers	2	150	14
Blancs d'œufs	100 ml (⅜ tasse)	50	11
Tofu ferme	90 g (3 oz)	145	16
Légumineuses (ex.: haricots de Lima, lentilles, pois chiches, haricots rouges, haricots noirs)	250 ml (1 tasse)	220	16
Fèves de soya grillées	60 ml (¼ tasse)	120	10
Amandes	60 ml (¼ tasse)	215	6
Arachides	60 ml (¼ tasse)	230	9
Noix de cajou	60 ml (¼ tasse)	200	6
Beurre d'arachide naturel	30 ml (2 c. à soupe)	200	9
Beurre d'amande naturel	30 ml (2 c. à soupe)	205	5
PRODUITS LAITIERS ET SUBSTITUTS			
Lait écrémé	250 ml (1 tasse)	90	9
Boisson de soya nature	250 ml (1 tasse)	84	7
Poudre de lait écrémé	45 ml (3 c. à soupe)	50	5
Yogourt nature 0 % m.g.	175 ml (¾ tasse)	110	9
Yogourt grec nature 0 % m.g.	175 ml (¾ tasse)	110	20
Fromage cottage 2 % m.g.	125 ml (½ tasse)	110	16
Mozzarella 25 % m.g.	50 g (1½ oz)	160	11
Edam	50 g (1½ oz)	179	13
Fromage cheddar 30 % m.g.	50 g (1½ oz)	200	12
Fromage à la crème	30 ml (2 c. à soupe)	100	2
PRODUITS CÉRÉALIERS			
Pain de blé entier	1 tranche	70	2 à 5
Tortilla de blé entier	1	100	2
Pain pita de blé entier	1	120	5
Gruau instantané nature	30 g (1 sachet)	109	4
Pâtes alimentaires cuites	250 ml (1 tasse)	210	7
Riz cuit	125 ml (½ tasse)	100	2
Bagel nature	1	245	9

* Source : Fichier canadien sur les éléments nutritifs (FCEN) 2007.

ET SI VOUS N'ARRIVEZ PAS À CONSOMMER DE LA VIANDE ?

Votre dégoût de la viande est tel que vous n'arrivez pas à l'intégrer au menu ? Votre appétit n'est pas non plus de la partie ? Les poudres de protéines vendues dans les salles de sport ou en boutique ne sont pas recommandées, car les risques de contamination avec des produits dopants comme les stéroïdes ou des stimulants sont trop importants. De plus, la quantité fournie par portion est souvent beaucoup trop grande – ces produits fournissent autour de 25 g de protéines par portion.

Tournez-vous d'abord vers les méthodes maison, soit en utilisant le tofu mou, en ajoutant des produits laitiers ou des protéines de soya texturées à vos yogourts, à vos laits frappés, à vos soupes, et même à vos mets composés comme les sauces ou lasagnes. Les noix et les graines sont également des sources de protéines qui s'ajoutent aux salades et aux grains, comme le riz ou le couscous. Le quinoa est une graine qui offre une bonne quantité de protéines, de même que certains pains tranchés ou céréales à déjeuner qui peuvent offrir jusqu'à 9 g par tranche ou portion.

MANGER ET BOIRE APRÈS L'ACTIVITÉ PHYSIQUE

Trop de sportifs sous-estiment l'importance de l'alimentation après l'entraînement qui est cruciale pour vous réhydrater et refaire vos réserves d'énergie. La récupération s'orchestre en deux temps et dépend bien entendu du type d'effort fourni, de l'intensité, de la perte d'eau subie et des autres activités qui suivent l'entraînement.

Pour récupérer efficacement, pensez d'abord à vous réhydrater. Trop souvent négligée, l'hydratation permet pourtant d'acheminer les nutriments vers les muscles et d'évacuer les déchets ; c'est essentiel ! Puis, pensez à absorber des glucides pour refaire vos réserves d'énergie : jus de fruits, fruits, fruits séchés, biscuits, barres tendres, pain, céréales, yogourt, lait au chocolat, etc. Ensuite, combiner les glucides avec les protéines nécessaires à la réparation des fibres musculaires, pour un mélange parfait. Les études démontrent qu'environ 10 g de protéines suffisent pour commencer le processus de récupération, et que la réparation des fibres musculaires et la régénération des réserves d'énergie (taux de glycogène musculaire) doivent idéalement se faire en même temps. Il n'est donc pas question de prendre uniquement un verre de jus, une barre de céréales ou une banane après un effort vigoureux, il faut ajouter quelques noix, un bout de fromage ou prendre un verre de lait au chocolat pour maximiser la récupération. Le moment idéal pour prendre une collation et s'assurer d'une récupération efficace est dans les 15 à 30 minutes après la fin de l'entraînement.

Vous n'avez pas faim après un effort soutenu mais plutôt soif ? Optez pour une collation liquide vous fournissant tout ce dont votre corps a besoin : lait au chocolat, yogourt à boire, lait frappé (préparé à base de lait, de yogourt et de fruits, par exemple), etc. Si vous vous entraînez en soirée, pensez à manger une collation complète avant d'aller au lit. N'oubliez pas que ces collations doivent, comme dans l'exemple de menu (voir à la page 45), entrer dans la répartition totale des aliments consommés dans une journée. Elles ne sont pas des ajouts.

Souvenez-vous qu'en plus d'optimiser la récupération, les collations permettent de prévenir les rages de faim susceptibles de survenir quelques heures après un effort rigoureux, et aident aussi à maintenir votre glycémie stable.

Notre recette de smoothie au beurre d'arachide et aux bananes (voir la recette à la page 209) peut même faire office de repas léger !

LES ALIMENTS CONTENANT DES GLUCIDES ET DES PROTÉINES

ALIMENTS	GLUCIDES (g)	PROTÉINES (g)
Lait au chocolat (500 ml – 2 tasses)	45 à 50	15
Yogourt à boire (200 ml – 7/8 tasse)	25	5
Boost / Ensure^{MD} (1)	40	10
Biscuits Newton^{MD} (4)	45	2
Banane (1)	30 à 40	2
Bagel (1)	45 à 50	7
Barre de céréales Val Nature^{MD} (1)	40	8
Pâtes alimentaires (500 ml – 2 tasses)	70	15
Pretzels (15 à 20)	25	2
Jus de légumes (300 ml – 1 ¼ tasse)	13	3

LES ALIMENTS À CONSOMMER EN PÉRIODE D'EXERCICE

	ALIMENTS	INDICE GLYCÉMIQUE	FONCTIONS
Avant l'exercice	L'eau et les glucides complexes	Aliments à indice glycémique bas ou moyen	• Favoriser l'absorption graduelle des glucides dans le sang. • Assurer la satiété.
Pendant l'exercice	L'eau et les glucides simples, selon le type d'activité, la durée ou l'intensité	Indice glycémique élevé	• Permettre une entrée rapide des glucides dans la circulation et les rendre disponibles pour le bébé. • Assurer une bonne hydratation.
Après l'exercice	L'eau et les glucides simples, et les aliments contenant des glucides et des protéines	Indice glycémique élevé	• Réhydrater. • Refaire les réserves de glycogène. • Réparer les fibres musculaires. • Assurer la satiété.

ET LES GRAS, DANS TOUT ÇA ?

Même s'ils ne semblent pas avoir leur place autour d'une activité physique à cause de leur temps de digestion plus élevé, les lipides ont plusieurs fonctions cruciales, et ce, particulièrement pendant la grossesse. Les lipides sont des composés essentiels des cellules et participent activement au développement du bébé et de son cerveau. Ils servent aussi à l'absorption des vitamines A, D, E et K, et à la fabrication des hormones sexuelles. Ils fournissent les acides gras essentiels qui, comme les acides aminés, sont des gras que le corps ne peut fabriquer lui-même. La quantité totale de matières grasses que nous consommons vient des gras naturellement présents dans les aliments tels la viande et les produits laitiers, les noix et les graines, les fruits comme les avocats et les olives, ainsi que des gras ajoutés comme l'huile et la margarine. Les lipides en circulation sont aussi une source importante d'énergie lors des activités physiques. D'ailleurs, le métabolisme des femmes pratiquant des sports d'endurance utilise plus facilement les lipides comme source d'énergie.

L'étiquette mauvais ou moins bons gras est souvent attribuée aux gras saturés et trans de par leur rôle dans les maladies cardiovasculaires. Les gras saturés sont généralement à l'état solide à la température ambiante. Ils sont présents dans des aliments d'origine animale comme la viande, la volaille et les produits laitiers. On les trouve aussi dans les huiles végétales d'origine tropicale comme l'huile de noix de coco, l'huile de palme et l'huile de palmiste. Les gras trans se trouvent dans les aliments préparés ou cuits avec des gras hydrogénés. Ces gras d'origine végétale ont été transformés afin d'avoir la texture des gras saturés et il est démontré qu'ils sont encore plus nocifs pour la santé que les gras saturés.

Capsule maman

UN PEU DE GRAS, S.V.P. !

Josiane, une femme active, ne mangeait que très peu de gras et d'aliments transformés et gras avant sa grossesse. Pendant les trois premiers mois de sa grossesse, par contre, elle se sentait toujours un peu nauséeuse et la seule chose qui l'aidait vraiment était de manger des pommes de terre frites… Cette situation l'a un peu inquiétée – elle savait que ce n'était pas vraiment le meilleur choix. Bien sûr, elle avait raison, mais il arrive que le corps des femmes qui ne consomment que très peu de gras leur envoie un signal pour qu'elles en augmentent l'apport. Josiane a donc commencé à faire ses propres pommes de terre frites, a ajouté à ses menus un peu de fromage, des noix et des yogourts qui contenaient du gras, et tout est rentré dans l'ordre.

Certains craquelins, croustilles, produits de boulangerie et aliments frits, ainsi que de nombreuses margarines en contiennent, de même que des barres de céréales et des barres énergétiques. Il est donc important de vérifier la liste des ingrédients pour trouver, entre autres, les mots suivants, qui prouvent que le produit contient des gras trans : « acides gras hydrogénés », « huile hydrogénée ou partiellement hydrogénée », « shortening d'huile végétale », « huile de palme ou de palmiste modifiée ».

Les acides gras insaturés sont généralement sous forme liquide à la température ambiante. On les trouve dans les huiles végétales comme l'huile d'olive et de canola, ainsi que dans les avocats, les noix, les graines et les margarines molles non hydrogénées. Les poissons gras, qui fournissent des oméga-3, sont aussi dans cette catégorie.

LES ACIDES GRAS ESSENTIELS

Les acides gras essentiels sont importants pour le système nerveux, la mémoire, la santé cardiovasculaire et la vision. Ils doivent être fournis par l'alimentation, car le corps ne peut pas les produire seul. Lors de la grossesse, ils jouent un rôle clé dans le développement du cerveau du fœtus. Cet apport en gras est donc primordial pour le fœtus. Une autre raison pour oublier les diètes et régimes farfelus ou trop restrictifs et d'ajouter du poisson au menu !

L'oméga-3 de source végétale est appelé AAL (acide alphalinolénique) et on le trouve dans l'huile de lin et de chanvre. Cette molécule est courte et pourrait être utilisée par le corps comme précurseur des autres formes d'oméga-3, les ADH et AEP, si ce n'était du fait que le corps s'en sert comme source d'énergie. L'ADH et l'AEP sont les oméga-3 qui proviennent de sources animales, comme les poissons et fruits de mer, dont principalement le saumon, le hareng, le maquereau et la sardine. L'ADH est la forme ayant un effet positif sur le développement du cerveau, alors que l'AEP est surtout étudié pour ses effets sur les symptômes de la dépression et la prévention des maladies cardiovasculaires.

Recommandations

LA CONSOMMATION JOURNALIÈRE D'ACIDES GRAS

L'apport recommandé pour la femme enceinte en acides gras oméga-6 est de 8 g par jour – objectif facile à atteindre –, et de 1,4 g par jour pour les oméga-3 – objectif qui demande une attention plus particulière.

ET LES SUPPLÉMENTS ?

Les suppléments d'oméga-3 fournissent en général davantage d'AEP
que d'ADH et certains ne sont pas
conçus pour les femmes enceintes.
Certains suppléments contiennent
aussi d'autres nutriments et parfois
de la vitamine A (rétinol), qui doit
être évitée.

Si vous êtes végétarienne ou
végétalienne, que vous avez une
intolérance ou une allergie au
poisson, ou que vous n'arrivez
pas à consommer l'apport recommandé, un supplément peut être
indiqué. On parle beaucoup des
contaminants présents dans le gras
des poissons utilisés par les compagnies de suppléments sans faire la
distinction entre les contaminants
présents dans les poissons et ceux
présents dans les suppléments
traités en usine. Le contrôle de la
qualité est donc ce qui fait la différence. La réglementation est plus
sévère au Canada qu'aux États-Unis,
où quelques cas de contamination
aux BPC ont été notés. Comme on
n'est jamais assez prudente lors de
la grossesse, fréquentez le rayon
des poissons plutôt que celui des
suppléments.

CHAPITRE 4

Les vitamines et les minéraux

Bien que toutes les vitamines et minéraux soient importants en tout temps, la grossesse et l'exercice augmentent les besoins pour certaines vitamines et certains minéraux, comme l'acide folique, qui est sans contredit le plus important de tous. Il y a aussi des associations gagnantes entre vitamines et minéraux, comme le fer et la vitamine C, ou le calcium et la vitamine D. Voici les vitamines et les minéraux à avoir à l'œil, basés sur les recommandations nord-américaines et les études disponibles sur les femmes enceintes sportives. Vous trouverez également des aliments à mettre à votre menu de tous les jours pour vous assurer un apport optimal pour chacun. Nous nous arrêterons aussi à quelques conditions particulières pouvant limiter la consommation, comme les allergies et le végétarisme.

L'ACIDE FOLIQUE

L'acide folique, que l'on appelle aussi folate ou folacine, joue un rôle dans le développement du système nerveux, dans la croissance des cellules et est impliqué dans la construction de l'ADN, la base de notre code génétique. Son importance est donc capitale dans le développement du fœtus. Il est aussi nécessaire au développement et à la multiplication des globules rouges, d'où son importance lors de l'activité physique et du transport de l'oxygène. Avec tous ces rôles, pas étonnant que les besoins en acide folique augmentent lors de la grossesse.

Infobulle

LE RÔLE DES VITAMINES

Les vitamines et les minéraux ne fournissent pas d'énergie (calories) mais ont des rôles multiples, que l'on découvre encore à ce jour.

Les vitamines peuvent être hydrosolubles ou liposolubles. Les surplus de celles qui sont hydrosolubles (solubles dans l'eau) sont éliminés dans l'urine. Celles qui sont liposolubles nécessitent des gras pour être absorbées. Une trempette au yogourt, par exemple, aidera à l'absorption de la vitamine A contenue dans la carotte. Elles sont ensuite mises en réserve dans l'organisme et non éliminées – il faut donc éviter de les surconsommer.

APPORTS NUTRITIONNELS RECOMMANDÉS EN ACIDE FOLIQUE

- Femme de 18 à 50 ans : 0,4 mg
- Femme sportive ou athlète : 0,4 mg
- Femme enceinte : 0,6 mg
- Femme qui allaite : 0,5 mg

Source : Santé Canada.

AU MENU

Les dernières données canadiennes rapportent que les femmes consomment en moyenne 0,2 mg d'acide folique quotidiennement. L'acide folique se trouve dans la plupart des aliments, mais ceux qui en contiennent le plus sont les légumineuses, les pâtes enrichies et le germe de blé. Les légumes, surtout ceux qui sont verts et feuillus, et les fruits en sont aussi de bonnes sources, ce qui explique pourquoi les femmes ont des apports plus élevés en acide folique en été. Depuis 1998, en Amérique du Nord, les produits céréaliers tels que la farine blanche, les pâtes alimentaires et certaines céréales à déjeuner sont enrichis en acide folique, ce qui a permis d'augmenter l'apport chez les femmes de 0,1 mg par jour. En Europe, l'enrichissement se fait sur une base volontaire et il n'y a pas de réglementation à cet effet.

LES ALIMENTS SOURCES D'ACIDE FOLIQUE

	PORTION HABITUELLE	ACIDE FOLIQUE (mg)	% DE LA RECOMMANDATION QUOTIDIENNE (0,6 mg) FOURNI PAR L'ALIMENT
FRUITS			
Avocat	½ fruit	0,08	14 %
Papaye	125 ml (½ tasse)	0,06	10 %
Jus d'orange (frais)	125 ml (½ tasse)	0,04	7 %
LÉGUMES			
Edamames (avec haricots à l'intérieur) cuits	125 ml (½ tasse)	0,26	43 %
Épinards cuits	125 ml (½ tasse)	0,14	23 %
Asperges cuites	6 pointes	0,13	22 %
PRODUITS CÉRÉALIERS			
Céréales de germe de blé	30 g (1 oz)	0,08	12,5 %
Pâtes alimentaires (blanches, nouilles aux œufs, aux épinards), enrichies et cuites	125 ml (½ tasse)	0,09	14 ou 15 %
VIANDES, POISSONS ET SUBSTITUTS			
Haricots noirs cuits	250 ml (1 tasse)	0,3	45 %
Lentilles sèches cuites*	250 ml (1 tasse)	0,4	63 %
Foie de veau**	90 g (3 oz)	0,3	50 %

Source : Fichier canadien sur les éléments nutritifs (FCEN) 2007.

* Les légumineuses en conserve ont généralement une teneur moins élevée en acide folique que les légumineuses sèches ou cuites.

** Le foie contient de la vitamine A (liposoluble) en grande quantité ; on ne recommande donc pas aux femmes enceintes d'en consommer plus d'une fois par mois.

LES CONDITIONS PARTICULIÈRES

Certaines conditions, dont l'obésité et le diabète, peuvent nécessiter la prise de 4 ou 5 mg d'acide folique par jour, en combinaison avec la prise de vitamine B12. Un apport plus élevé est aussi recommandé pour certaines femmes qui suivent des traitements de fertilité. Si c'est votre cas, consultez votre médecin, votre diététiste ou votre nutritionniste pour en savoir plus.

LE TUBE NEURAL

Le tube neural est la structure qui deviendra, environ 25 jours après la conception, la colonne vertébrale du fœtus. Les anomalies qui peuvent survenir lorsque le tube se développe mal et ne se referme pas sont très sérieuses. Elles peuvent engendrer une fausse couche, un enfant mort-né, des malformations, une déficience intellectuelle ou un handicap physique, comme le spina bifida.

Depuis les premières recherches du Conseil médical britannique de 1983, les études démontrent que la prise de 0,4 mg (400 µg) d'un supplément quotidien d'acide folique avant la procréation et dans les premiers mois de grossesse diminue de 50 % les risques que le bébé soit atteint d'une anomalie du tube neural (ATN).

LE FER

LE FER

Outre le fait d'avoir été l'aliment magique de Popeye, le fer joue de nombreux rôles métaboliques, dont celui d'aider au transport de l'oxygène. Les besoins en fer passent de 18 à 27 mg par jour durant la grossesse, puisque le système sanguin du bébé doit se développer. Plusieurs femmes sont à risque de manquer de fer à cause d'une alimentation pauvre en fer, de menstruations abondantes ou d'un entraînement intensif. Il est d'ailleurs fréquent que les femmes sportives soient en déficit de fer avant même que leur grossesse débute. Un manque de fer pendant la grossesse augmente le risque d'un accouchement prématuré, ainsi que d'un bébé de petit poids ayant lui aussi de faibles réserves de fer. Une déficience en fer qui perdure peut causer de l'anémie ferriprive (voir à la page 73). Si vous êtes très active, que vous avez déjà fait de l'anémie, que vous êtes végétarienne ou végétalienne, ou que vous ressentez une grande fatigue, voici un bon moment pour consulter un nutritionniste ou un diététiste et trouver les aliments qui vous permettront de consommer les quantités recommandées.

AU MENU

Le fer des aliments de sources végétales (fer non héminique) est moins bien absorbé que le fer provenant des produits animaux (fer héminique). Seulement 2 à 20 % du fer de ces chers épinards et légumes est absorbé, alors que le fer héminique a un taux d'absorption de 15 à 35 %. Si votre consommation de viande rouge est faible, il est important de choisir davantage d'aliments riches en fer ou auxquels on a ajouté du fer, comme des pâtes alimentaires et des céréales à déjeuner. Afin d'améliorer l'absorption du fer provenant de sources végétales, il est recommandé de consommer le plus souvent possible des aliments contenant de 50 à 75 mg de vitamine C.

Recommandations

APPORTS NUTRITIONNELS RECOMMANDÉS EN FER ?

- Femme de 18 à 50 ans : 18 mg
- Femme sportive ou athlète en sports d'endurance : 23 à 30 mg
- Femme enceinte : 27 mg
- Femme qui allaite : 9 mg, ou 18 mg pour la femme active qui allaite

Source : Santé Canada, Burke et Deakon, *Clinical sports nutrition*.

Ainsi, l'absorption du fer d'un repas de légumineuses sera améliorée par l'ajout de poivrons rouges. Un verre de jus d'orange ou deux kiwis permettront au fer de vos céréales à déjeuner d'être mieux absorbé. Par contre, le thé, le café, le chocolat et le vin rouge contiennent des polyphénols et des tanins qui diminuent l'absorption du fer. Il vaut mieux attendre une heure pour prendre votre thé ou votre café si vous devez augmenter votre apport en fer, puisque ceux-ci peuvent diminuer de 30 à 65 % l'absorption du fer contenu dans votre pain grillé matinal. Pour le vin, il est déjà sur la liste noire, alors pas de soucis ! Les phytates, des composés présents dans les céréales de grains entiers, dans le germe de blé, les légumineuses, les noix et les protéines de soya, nuisent aussi à l'absorption du fer, mais ne diminuez pas votre apport en fibres alimentaires pour autant. Le calcium pris en même temps qu'un aliment source de fer en diminuera l'absorption, mais vous ne devez pas non plus diminuer votre consommation de produits laitiers. Si vous prenez un supplément de calcium, ne le faites pas en même temps que votre repas riche en fer ou que votre supplément de fer.

Comment combler vos besoins ? En mangeant des palourdes à tous les jours ? Mais non ! Une salade d'épinards, avec des poivrons rouges et du tofu, vous fournira près de 14 mg de fer. Ajoutez à cela une collation de graines de citrouilles, puis des lanières de bœuf au souper et vous arriverez à plus de 20 mg.

LES ALIMENTS SOURCES DE FER

	PORTION HABITUELLE	FER (mg)	% DE LA RECOMMANDATION QUOTIDIENNE PENDANT LA GROSSESSE (27 mg) FOURNI PAR L'ALIMENT
FER HÉMINIQUE			
Palourdes en conserve ou fraîches*	90 g (3 oz)	22,5	83 %
Foie de poulet**	90 g (3 oz)	7,2	27 %
Moules*	90 g (3 oz)	6,3	23 %
Bœuf haché, cheval	90 g (3 oz)	2,7	10 %
Crevettes*	100 g (16 unités)	1,8	7 %
Porc, poulet, poisson	90 g (3 oz)	0,8	3 %
Œufs	1	0,5	2 %
FER NON HÉMINIQUE			
Céréales enrichies	30 g (1 oz)	4 à 7	15 %
Fèves de soya	125 ml (½ tasse)	4	15 %
Haricots noirs cuits	250 ml (1 tasse)	5	28 %
Crème de blé	60 ml (¼ tasse)	4	15 %
Quinoa sec	125 ml (½ tasse)	4	15 %
Mélasse noire	15 ml (1 c. à soupe)	3,5	13 %

Source : Fichier canadien sur les éléments nutritifs (FCEN) 2007.

* Elles doivent être bien cuites.

**Comme le foie contient de la vitamine A en grande quantité, on ne recommande pas aux femmes enceintes d'en consommer plus d'une fois par mois.

L'ANÉMIE

L'anémie par manque de fer est appelée anémie ferriprive. Elle affecte environ 18 % des femmes enceintes des pays développés, particulièrement au début de la grossesse si leurs réserves de fer étaient déjà faibles. Sinon c'est vers la mi-grossesse que les symptômes apparaissent, puisque le bébé va puiser à même ces réserves pour poursuivre son développement. Les besoins de la femme enceinte sont aussi plus importants à cause de l'augmentation du volume sanguin.

Les symptômes d'un déficit en fer sont parfois confondus avec ceux du début de la grossesse : fatigue, manque d'énergie, pâleur, système immunitaire affaibli, vertiges, évanouissements, essoufflement. Une carence en fer peut comporter des risques de santé pour la mère en raison des saignements lors de l'accouchement et des risques d'hémorragie. L'anémie peut être encore plus prononcée après l'accouchement, ou en cas de fausse couche.

Si vous pensez ressentir des symptômes d'anémie, même en début de grossesse, demandez à votre médecin de vérifier vos réserves de fer (votre ferritine) par un bilan sanguin.

LES SOLUTIONS ET LES SUPPLÉMENTS

Il est important d'agir rapidement et d'ajouter immédiatement au menu des aliments riches en fer. Si votre médecin vous prescrit un supplément de fer, il est recommandé de le prendre à jeun, d'éviter les aliments contenant du calcium, comme le lait, et les aliments contenant de la caféine dans les 30 minutes suivant la prise du supplément. Il est possible que le supplément vous cause de la constipation, des crampes, des nausées et des selles noires, mais n'arrêtez pas de le prendre pour autant. Prenez-le le soir avec un jus de fruits et une collation, ou lors de votre repas. Vérifiez avec le pharmacien quelle forme de fer vous convient le mieux – le fer sous forme liquide cause moins d'effets secondaires. Certains suppléments naturels liquides semblent être efficaces, mais la quantité recommandée par portion est très minime. Si vous ne cherchez qu'à augmenter légèrement votre apport en fer, il vaut mieux investir dans des aliments qui vous fourniront d'autres nutriments et prendre une multivitamine prénatale.

L'ACTIVITÉ PHYSIQUE ET L'ANÉMIE

Si l'anémie est légère, il n'y a pas de restriction à faire de l'exercice physique modéré, pourvu qu'elle soit traitée. Cependant, il se peut que vous vous sentiez plus fatiguée, plus essoufflée et que vous ayez moins d'endurance. Respectez le rythme que votre corps vous impose afin de ne pas aggraver la situation.

APPORTS NUTRITIONNELS RECOMMANDÉS EN VITAMINE C

- Femme : 75 mg
- Femme active ou athlète : 75 mg
- Femme enceinte : 85 mg
- Femme qui allaite : 120 mg

Source : Santé Canada.

LA VITAMINE C

La vitamine C aide non seulement à l'absorption du fer, mais elle est essentielle à la création de nouveaux tissus, au maintien de la santé des dents et des gencives, au bon fonctionnement du système immunitaire et pour aider à la cicatrisation, d'où l'augmentation des besoins pendant la grossesse et son importance après l'accouchement. Les fruits exotiques et citrins en sont les principales sources, mais les poivrons rouges ou jaunes offrent un apport surprenant.

LES ALIMENTS SOURCES DE VITAMINE C

	PORTION HABITUELLE	VITAMINE C (mg)	% DE LA RECOMMANDATION QUOTIDIENNE PENDANT LA GROSSESSE (85 mg) FOURNI PAR L'ALIMENT
FRUITS			
Goyave	1 fruit	206	242 %
Papaye	250 ml (1 tasse)	91	108 %
Kiwi	1 gros	84	99 %
Orange	1 moyenne	70	82 %
Fraises	250 ml (1 tasse)	94	111 %
LÉGUMES			
Poivrons rouges et jaunes crus	125 ml (½ tasse)	144 à 166	169 %
Poivron vert cru	125 ml (½ tasse)	63	74 %
Brocoli cuit	125 ml (½ tasse)	54	64 %
JUS			
Jus d'orange	125 ml (½ tasse)	43	51 %
Jus de pamplemousse	125 ml (½ tasse)	50	59 %
Jus de pomme avec vitamine C	125 ml (½ tasse)	42	49 %

Source : Fichier canadien sur les éléments nutritifs (FCEN) 2007.

LE CALCIUM ET LA VITAMINE D

Pourquoi les présenter ensemble ? Le calcium est surtout connu pour son rôle dans la croissance et la solidité des os et des dents. Il est également essentiel pour la contraction musculaire et les transmissions nerveuses, des rôles qui sont loin d'être à négliger dans l'activité physique, mais sans la vitamine D, il est moins bien absorbé. C'est pourquoi l'un ne va pas sans l'autre et que plusieurs des aliments riches en calcium sont enrichis de vitamine D.

Recommandations

APPORTS NUTRITIONNELS RECOMMANDÉS EN CALCIUM

- Femme : 1000 mg
- Femme active ou athlète : 1000 mg
- Femme enceinte : 1000 à 1300 mg
- Femme qui allaite : 1000 à 1300 mg

Source : Santé Canada.

LE CALCIUM

Lors de la grossesse, c'est surtout au troisième trimestre que le fœtus a de grands besoins en calcium, car c'est la période de croissance des os et des dents. Il ne faut jamais oublier que la croissance du fœtus ne fait pas de pauses, et que, si le calcium n'est pas disponible en quantité suffisante lorsque nécessaire, les mécanismes hormonaux s'enclencheront pour prendre le calcium dans les os de la mère et le mettre en circulation pour le fœtus. Si vous avez plus de 25 ans, vous ne pouvez plus augmenter la quantité de calcium dans vos os ; il est donc encore plus important d'avoir un apport quotidien suffisant. Les activités physiques qui demandent de supporter son poids, comme la marche, la course à pied, le ski alpin et le tennis, permettent aux os d'être plus solides. La recette gagnante : faire de l'exercice et consommer chaque jour des aliments riches en calcium.

Les produits laitiers sont les aliments qui permettent de consommer le plus facilement les apports en calcium et en vitamine D. Il est intéressant de regarder les autres sources de calcium, comme le tofu ou les produits enrichis, qui peuvent être tout aussi attrayantes, bien que leur apport en calcium soit moindre et que son absorption soit plus difficile. En consommant quatre portions de produits laitiers par jour, vous arriverez à combler vos besoins en calcium.

LES ALIMENTS SOURCES DE CALCIUM

	PORTION HABITUELLE	CALCIUM (mg)	% DE LA RECOMMANDATION QUOTIDIENNE PENDANT LA GROSSESSE (1000 mg) FOURNI PAR L'ALIMENT
LÉGUMES			
Chou cavalier cuit	125 ml (½ tasse)	189	19 %
Épinards cuits	125 ml (½ tasse)	154	15 %
FRUITS			
Jus d'orange enrichi de calcium	125 ml (½ tasse)	155	16 %
Figues séchées ou fraîches	4	54	5 %
LAIT ET SUBSTITUTS			
Lait de chèvre enrichi	250 ml (1 tasse)	370	37 %
Lait homogénéisé 3,25 %, 2 %, 1 % m.g., écrémé, lait au chocolat	250 ml (1 tasse)	291 à 324	29 à 32 %
Boisson de soya ou de riz enrichie de calcium	250 ml (1 tasse)	324	32 %
Lait en poudre	24 g (5 c. à thé)	320	32 %
Yogourt nature	175 ml (¾ tasse)	282 à 320	28 à 32 %
Gruyère, suisse, chèvre, cheddar et mozzarella	30 g (1 oz)	238 à 304	24 à 30 %
VIANDES, POISSONS ET SUBSTITUTS			
Sardines de l'Atlantique en conserve dans l'huile	90 g (3 oz)	343	34 %
Saumon (rose, rouge ou sockeye) en conserve avec arêtes	90 g (3 oz)	205 à 250	21 à 25 %
Tofu préparé avec du sulfate de calcium	90 g (3 oz)	208	21 %
Haricots et légumineuses (petits blancs, blancs) en conserve ou cuits	250 ml (1 tasse)	93 à 141	9 à 14 %
Amandes	60 ml (¼ tasse)	79	8 %

Source : Fichier canadien sur les éléments nutritifs (FCEN) 2007.

LA VITAMINE D

Cette vitamine est complice du calcium, puisqu'elle aide à son absorption dans l'intestin. Sa particularité vient du fait qu'elle est activée par la peau lors de l'exposition au soleil. Autrefois, la vitamine D était uniquement associée à la prévention de l'ostéoporose, une maladie de dégénérescence osseuse qui touche un grand nombre de femmes ménopausées. Elle fait par contre les manchettes depuis quelques années pour son rôle dans la prévention de certaines maladies chroniques, dont les maladies cardiovasculaires, et des cancers, dont le cancer du côlon. Pendant la grossesse, un apport supplémentaire en vitamine D est nécessaire pour permettre au bébé de naître avec une bonne réserve de cette vitamine, puisque le lait maternel en contient très peu.

Les apports nutritionnels recommandés viennent d'être révisés à la hausse au Canada et aux États-Unis, puisqu'il est maintenant établi que l'apport fourni par l'alimentation est trop limité.

La prise d'un supplément de vitamine D est recommandée…

- si vous vivez dans un endroit où l'exposition au soleil n'est pas optimale dans les mois d'hiver ;
- si vous avez la peau très foncée ou évitez l'exposition au soleil (les protections solaires empêchent la transformation de la vitamine D par la peau) ;
- si vous êtes végétarienne ;
- si vous êtes allergique ou avez une intolérance envers les produits laitiers, ou que vous ne consommez pas de poisson.

AU MENU

Les aliments riches en vitamine D ne sont pas légion. Les poissons et les produits enrichis comptent parmi les meilleures sources de vitamine D.

LES SUPPLÉMENTS

Les vitamines prénatales contiennent en moyenne de 200 à 400 UI de vitamine D. En pharmacie, on la trouve souvent associée au calcium. Votre diététiste, nutritionniste, médecin ou pharmacien établira avec vous si vous devez prendre uniquement votre multivitamine prénatale, un supplément combiné ou un supplément unique en vitamine D.

LES ALIMENTS SOURCES DE VITAMINE D

	PORTION HABITUELLE	VITAMINE D (UI)	% DE LA RECOMMANDATION QUOTIDIENNE PENDANT LA GROSSESSE (600 UI) FOURNI PAR L'ALIMENT
LÉGUMES			
Champignons shiitake cuits	125 ml (½ tasse)	77	13 %
Champignons cuits	125 ml (½ tasse)	63	11 %
FRUITS			
Jus d'orange enrichi de vitamine D	125 ml (½ tasse)	50	8 %
LAITS ET SUBSTITUTS			
Lait homogénéisé 3,25 %, 2 %, 1 % m.g., écrémé, lait au chocolat	250 ml (1 tasse)	106	18 %
Lait en poudre	24 g (5 c. à thé)	106	18 %
Lait de chèvre enrichi	250 ml (1 tasse)	103	17 %
Boisson de soya ou de riz enrichie de vitamine D	250 ml (1 tasse)	88	15 %
Yogourt nature enrichi de vitamine D	175 ml (¾ tasse)	7 à 60	4 à 30 %
VIANDES, POISSONS ET SUBSTITUTS			
Saumon (rouge ou sockeye) en conserve ou cuit	90 g (3 oz)	702 à 813,6	117 à 136 %
Saumon (chum ou keta)	90 g (3 oz)	571,2 à 673,2	95 à 112 %
Thon rouge cru ou cuit*	90 g (3 oz)	648 à 828	108 à 138 %
Jaune d'œuf cuit	2 gros	42 à 52	7 à 9 %
Huile de foie de morue	5 ml (1 c. à thé)	427	71 %
Margarine	5 ml (1 c. à thé)	27	5 %

Source : Fichier canadien sur les éléments nutritifs (FCEN) 2007.
*Ne pas consommer plus d'une portion de thon rouge par mois, à cause de son contenu en mercure.

LA VITAMINE B12

Le rôle principal de la vitamine B12 est lié de près à l'acide folique pour la synthèse des globules rouges, le bon fonctionnement du système nerveux et la croissance. Seuls les produits de source animale offrent une forme absorbée par le corps. Bien que la vitamine B12 soit mise en réserve dans le corps et permette d'éviter les déficiences pendant de longs mois, elle peut faire défaut, particulièrement chez les végétariens, les végétaliens, les femmes très actives et les athlètes. C'est une vitamine très importante pour l'activité physique. Depuis quelques années, des études faites sur des athlètes d'élite ont permis d'observer que des taux faibles mais normaux de vitamine B12 dans le sang affectent l'humeur, la récupération et la performance.

Recommandations

APPORTS NUTRITIONNELS RECOMMANDÉS EN VITAMINE B12

- Femme : 2,4 µg
- Femme active ou athlète : 2,4 µg
- Femme enceinte : 2,6 µg
- Femme qui allaite : 2,8 µg

Source : Santé Canada.

AU MENU

Si vous êtes végétarienne ou végétalienne, un supplément pourrait être indiqué. Certains aliments sont aussi enrichis en vitamine B12, comme certaines céréales à déjeuner, la levure alimentaire et les boissons de soya. Si vous avez de fréquents vomissements dus à la grossesse, une baisse en vitamine B12 pourra donner lieu aux mêmes symptômes que l'anémie par manque de fer (voir à la page 73), et la prise d'acide folique pourrait masquer cette baisse. En cas de fatigue importante, n'hésitez pas à questionner votre médecin, votre diététiste ou votre nutritionniste à ce sujet.

LES ALIMENTS SOURCES DE VITAMINE B12

	PORTION HABITUELLE	B12 (µg)	% DE LA RECOMMANDATION QUOTIDIENNE PENDANT LA GROSSESSE (2,6 µg) FOURNI PAR L'ALIMENT
LAIT ET SUBSTITUTS			
Lait écrémé	250 ml (1 tasse)	1,4	54 %
Fromage cottage	175 ml (¾ tasse)	1,1 à 1,3	42 à 50 %
Lait homogénéisé 3,25 %, 2 %, 1 % m.g.	250 ml (1 tasse)	1,1 à 1,2	42 à 46 %
Boisson de soya, lait au chocolat	250 ml (1 tasse)	1	38 %
Yogourt nature	175 ml (¾ tasse)	0,8 à 1	31 à 38 %
VIANDES, POISSONS ET SUBSTITUTS			
Palourdes	90 g (3 oz)	44	1692 %
Foie, veau, agneau, bœuf cuits	90 g (3 oz)	63,4 à 77,2	+ de 2500 %
Huîtres cuites	90 g (3 oz)	21,8 à 31,5	838 à 1212 %
Moules	90 g (3 oz)	21,6	831 %
Maquereau*	90 g (3 oz)	16,2 à 17,6	623 à 677 %
Bœuf haché cuit	90 g (3 oz)	2,9 à 3,2	112 à 123 %
Porc cuit, coupes diverses	90 g (3 oz)	1,0 à 1,3	38 à 50 %
Œufs cuits	2 gros	1,1 à 1,3	42 à 50 %

Source : Fichier canadien sur les éléments nutritifs (FCEN) 2007.

*Plusieurs autres poissons sont riches en vitamine B12. Référez-vous à la liste des poissons permis à la page 18.

LE MAGNÉSIUM

Le magnésium participe au développement des os et est aussi impliqué au niveau du système nerveux. Il est associé à la prévention des maladies cardiovasculaires, au syndrome prémenstruel (qui est chose du passé mais qui reviendra !) et aux migraines.

Lors de la grossesse, le magnésium est utilisé comme supplément pour aider au traitement de l'hypertension de grossesse, et parfois aussi des crampes. Pour chacune de ces conditions, un suivi médical et une évaluation de l'apport alimentaire en magnésium s'impose, afin que les doses recommandées soient adéquates.

Lors d'une activité physique, le magnésium participe à la production d'énergie et à la contraction et à la relaxation des muscles, comme le cœur. Lors d'un effort intense, la perte de calcium dans la sueur augmenterait légèrement les besoins, et ce, particulièrement chez les athlètes qui limitent leur apport énergétique. Il semble aussi qu'une partie de la population n'en consomme pas suffisamment, en grande partie à cause du raffinage des céréales.

AU MENU

Une alimentation variée riche en produits de grains entiers permet de consommer l'apport recommandé. Les noix et les graines sont en tête de liste des aliments riches en magnésium.

Le chocolat est une source de magnésium, mais attention, il s'agit de chocolat amer pour la cuisson ou contenant plus de 70 % de cacao. N'oubliez pas qu'il contient aussi du gras saturé et de la caféine. Les noix, les graines, les légumineuses et les fèves de soya sont de bien meilleurs choix au quotidien.

Recommandations

APPORTS NUTRITIONNELS RECOMMANDÉS EN MAGNÉSIUM

- Femme : 315 mg
- Femme très active ou athlète : 315 mg
- Femme enceinte : 350 à 400 mg
- Femme qui allaite : 310 à 360 mg

Source : Santé Canada.

LES ALIMENTS SOURCES DE MAGNÉSIUM

	PORTION HABITUELLE	MAGNÉSIUM (mg)	% DE LA RECOMMANDATION QUOTIDIENNE PENDANT LA GROSSESSE (350 mg) FOURNI PAR L'ALIMENT
LÉGUMES			
Épinards bouillis	125 ml (½ tasse)	83	28 %
Artichaut bouilli	1 moyen (125 g)	72	24 %
Pomme de terre avec la pelure, cuite au four	1 moyenne	55	18 %
PRODUITS CÉRÉALIERS			
Céréales de son à 100 %	250 ml (1 tasse)	111	37 %
Germe de blé brut	30 g (¼ tasse)	73	21 %
VIANDES, POISSONS ET SUBSTITUTS			
Graines de citrouilles	60 ml (¼ tasse)	207	69 %
Fèves de soya rôties	250 ml (1 tasse)	414	138 %
Haricots noirs ou blancs de Lima cuits	250 ml (1 tasse)	127 à 191	42 à 64 %
Noix du Brésil déshydratées	60 ml (¼ tasse)	133	44 %
Flétan de l'Atlantique cuit au four	100 g (3 ½ oz)	107	36 %
Thon (rouge ou à nageoires jaunes) cuit au four*	100 g (3 ½ oz)	64 à 69	21 à 23 %
AUTRES			
Chocolat mi-sucré ou mi-amer	125 ml (½ tasse)	103 à 228	42 à 64 %

Source : Fichier canadien sur les éléments nutritifs (FCEN) 2007.
*Ne pas consommer plus d'une portion de thon rouge par mois, étant donné son contenu en mercure.

LE ZINC

Dernier en liste, le zinc est pourtant très important. Impliqué dans la croissance et l'immunité, il est aussi responsable du bon fonctionnement de plusieurs réactions qui se produisent dans le corps.

Une relation a été établie entre les bébés de petit poids et un apport inadéquat en zinc durant la grossesse. Il est aussi possible que l'apport plus élevé en calcium et en fer recommandé pendant la grossesse cause une diminution de l'absorption du zinc. Le zinc a un rôle dans la fonction thyroïdienne au niveau du système immunitaire.

AU MENU

Les sources de zinc sont similaires aux sources de fer, ce qui est paradoxal, car les deux sont un peu en compétition lors de l'absorption. Cependant, le corps fait habituellement de bons choix quand vient le temps d'absorber ce qui lui manque.

LES ALIMENTS SOURCES DE ZINC

	PORTION HABITUELLE	ZINC (mg)	% DE LA RECOMMANDATION QUOTIDIENNE PENDANT LA GROSSESSE (11 mg) FOURNI PAR L'ALIMENT
LÉGUMES			
Cœurs de palmier cuits	2 cœurs	2,5	23 %
Chou nappa cuit	125 ml (½ tasse)	2,2	20 %
PRODUITS CÉRÉALIERS			
Germe de blé	30 g (¼ tasse)	3,7	34 %
Riz sauvage cuit	125 ml (½ tasse)	1,2	11 %
LAIT ET SUBSTITUTS			
Lait de vache, babeurre, soya	250 ml (1 tasse)	0,7 à 1,2	6 à 11 %
Fromage de toutes variétés	30 g (1 oz)	0,8 à 1,5	7 à 14 %
VIANDES, POISSONS ET SUBSTITUTS			
Huîtres sauvages de l'Atlantique cuites	90 g (3 oz)	66 à 164	600 à 1400 %
Foie de veau cuit	90 g (3 oz)	10 à 11	92 à 97 %
Bœuf, épaule, flanc ou surlonge, braisé	90 g (3 oz)	6 à 10	55 à 91 %
Crabe cuit, de toutes variétés	90 g (3 oz)	3 à 6,8	27 à 62 %
Graines de citrouille	60 ml (¼ tasse)	2,6 à 4,3	24 à 39 %
Porc maigre cuit, de différentes coupes	90 g (3 oz)	2,0 à 4,1	18 à 37 %
Haricots et légumineuses (petits blancs, pinto, romains, blancs, noirs, roses, de Lima, lentilles) cuits	250 ml (1 tasse)	1,1 à 2,2	10 à 20 %
Graines de soya	60 ml (¼ tasse)	2,1	19 %
Dinde cuite, de différentes coupes	90 g (3 oz)	1,6 à 2,8	15 à 25 %

Source : Fichier canadien sur les éléments nutritifs (FCEN) 2007.

Il vous semble complexe de trouver des aliments qui fournissent tous ces nutriments ? S'il pouvait y avoir un aliment qui les fournit tous en même temps, plusieurs femmes enceintes aux prises avec des nausées seraient comblées !

Voici une liste d'aliments qui offrent plus de deux nutriments clés pour l'activité physique et la grossesse. Ajoutez-les à votre menu chaque semaine, cela vous aidera à combler vos besoins.

LES RECETTES ET LES ALIMENTS PAYANTS

Légende : pourcentage de la recommandation quotidienne pendant la grossesse
✓ = 5 à 9%   ✓✓ = 10 à 14%
✓✓✓ = 15 à 19%   ✓✓✓✓ = 20% et +

	PORTION	CALCIUM (1000 mg)	VITAMINE D (600 UI)	MAGNÉSIUM (350 mg)	FER (27 mg)	VITAMINE B12 (2,6 mg)	ZINC (11 mg)	ACIDE FOLIQUE (600 µg)	VITAMINE C (85 mg)	FIBRES
FRUITS										
Papaye	250 ml (1 tasse)							✓	✓✓✓✓	✓
Figues	4 figues	✓		✓						✓✓
Fraises	250 ml (1 tasse)			✓				✓	✓✓✓✓	✓✓
Jus d'orange enrichi en vitamine D et en calcium	125 ml (½ tasse)	✓✓							✓✓✓✓	
LÉGUMES										
Épinards	125 ml (½ tasse) cuits	✓✓		✓✓✓✓			✓	✓✓✓✓	✓✓✓✓	✓
Bettes à carde	125 ml (½ tasse) cuites	✓		✓✓✓✓					✓✓✓✓	✓
Poivron rouge	125 ml (½ tasse) cru							✓	✓✓✓✓	
PRODUITS CÉRÉALIERS										
Quinoa	125 ml (½ tasse)			✓✓			✓	✓		✓
Germe de blé	60 ml (¼ tasse)			✓✓✓✓	✓		✓✓✓	✓✓		✓✓
VIANDES, POISSONS ET SUBSTITUTS										
Saumon	90 g (3 oz)		✓✓✓✓	✓✓✓✓		✓✓✓✓		✓		
Palourdes	90 g (3 oz)			✓	✓	✓✓✓✓	✓✓		✓✓	
Bœuf en ragoût	90 g (3 oz)			✓	✓	✓✓✓✓	✓✓✓✓			
Haricots noirs	250 ml (1 tasse)	✓		✓✓✓✓	✓✓		✓✓✓	✓✓✓✓		✓✓✓✓
Amandes entières	60 ml (¼ tasse)	✓		✓✓✓✓	✓		✓✓			✓✓
LAIT ET SUBSTITUTS										
Lait 2% m.g.	250 ml (1 tasse)	✓✓✓✓	✓✓✓	✓		✓✓✓✓	✓✓			
Boisson de soya ou de riz enrichie de vitamine D	250 ml (1 tasse)	✓✓✓✓	✓✓✓	✓✓		✓✓✓✓	✓			✓

(Suite à la page suivante)

Légende : pourcentage de la recommandation quotidienne pendant la grossesse ✓ = 5 à 9 % ✓✓ = 10 à 14 % ✓✓✓ = 15 à 19 % ✓✓✓✓ = 20 % et +	PORTION	CALCIUM (1000 mg)	VITAMINE D (600 UI)	MAGNÉSIUM (350 mg)	FER (27 mg)	VITAMINE B12 (2,6 mg)	ZINC (11 mg)	ACIDE FOLIQUE (600 µg)	VITAMINE C (85 mg)	FIBRES
COLLATIONS										
Barre de céréales maison	1 barre (page 205)			✓✓			✓			✓✓
Muffin à la citrouille et au raisin	1 muffin (page 207)	✓		✓	✓					✓
Houmous à la coriandre et au citron vert	1 (page 211)			✓	✓		✓	✓✓✓	✓✓	✓✓
Smoothie au gingembre antinausées	1 (page 209)	✓✓✓✓	✓✓✓	✓✓✓✓	✓✓✓	✓✓✓✓	✓✓✓✓	✓✓✓✓	✓✓✓✓	✓✓✓✓
Smoothie au beurre d'arachide et aux bananes	1 (page 209)	✓✓✓✓	✓✓✓	✓✓✓		✓✓✓✓	✓	✓	✓✓✓	✓✓
REPAS										
Boules d'énergie aux légumineuses	5 boules (page 206)	✓		✓✓✓✓	✓✓		✓✓✓	✓✓✓✓		✓✓✓✓
Quinoa au cari et aux fruits séchés	¼ de recette (page 212)	✓		✓✓✓✓	✓✓✓		✓✓✓	✓		✓✓✓
Saumon en papillote	½ recette (page 213)	✓✓	✓✓✓✓	✓✓✓✓	✓✓	✓✓✓✓	✓	✓✓✓	✓✓✓✓	✓✓✓
Pâtes aux palourdes	½ recette (page 214)	✓✓✓✓	✓	✓✓✓✓	✓✓✓✓	✓✓✓✓	✓✓✓✓	✓✓✓✓	✓✓✓✓	✓✓✓✓
Ragoût de bœuf réinventé	⅛ de recette (page 215)	✓✓✓✓		✓✓✓✓	✓✓✓✓	✓✓✓✓	✓✓✓✓	✓	✓✓✓✓	✓✓✓

Source : Fichier canadien sur les éléments nutritifs (FCEN) 2007.

LES CONDITIONS PARTICULIÈRES

LE VÉGÉTARISME

Il y a plusieurs types de végétarisme et de nombreuses femmes enceintes sont végétariennes, voire végétaliennes. Ce mode d'alimentation sans viande ou sans produits animaux offre, comme tout mode d'alimentation, des avantages et des inconvénients. Il faut surtout regarder les nutriments de près.

Les différents types de végétarisme :

- le **semi-végétarisme** élimine seulement la viande rouge ;
- le **lacto-végétarisme** élimine les produits animaux et les œufs, mais conserve les produits laitiers ;
- le **lacto-ovo-végétarisme** élimine les produits animaux, mais conserve les produits laitiers et les œufs ;
- le **végétalisme** élimine les produits animaux, les produits laitiers, les œufs et tous les sous-produits animaux comme la gélatine ou les bouillons.

De nombreuses femmes actives ou athlètes sont aussi végétariennes. Il n'y a aucune contre-indication à être végétarienne et active si vous avez une grossesse normale et que vous êtes en bonne santé. Même s'il y a peu d'études sur le sujet, il ne semble pas y avoir d'effets négatifs sur les performances. Une alimentation omnivore ne comportant que des aliments de faible valeur nutritive a bien plus d'effets négatifs. En général, une alimentation végétarienne fournit un apport plus élevé en fibres et apporte moins de gras saturés. Elle permet d'avoir un taux de cholestérol moins élevé, une pression artérielle plus basse et moins de risques de souffrir de maladies cardiovasculaires ou de diabète. Comme pour une alimentation omnivore, une bonne planification est nécessaire afin de s'assurer de combler tous les besoins nutritionnels de la mère et du bébé.

Si vous évitez les produits laitiers et les œufs, le calcium et les vitamines D et B12 sont à surveiller. L'apport énergétique total est aussi important, car une alimentation plus riche en fibres donne une grande impression de satiété. Il se peut que votre appétit soit moindre, surtout si vous avez en plus des nausées, ou en fin de grossesse, lorsque le bébé comprime l'estomac.

Pour vous assurer un apport adéquat en protéines, vous devez inclure à votre menu des légumineuses, des noix et des grains, des céréales, des produits de soya (tofu, soya texturé), ainsi que des œufs et des produits laitiers, si vous en consommez.

Afin de vous assurer d'obtenir tous les acides aminés nécessaires, il est important de consommer des aliments complémentaires et variés dans une même journée, comme des produits céréaliers, des légumineuses, des noix et des graines.

La sportive ou l'athlète : Vos besoins en protéines et en énergie seront légèrement supérieurs à la normale. Il serait bon de faire vérifier votre consommation par un diététiste ou un nutritionniste.

LES NUTRIMENTS CLÉS À SURVEILLER

Le fer : Les apports recommandés sont de 1,3 à 1,7 fois plus élevés pour les athlètes et 1,8 fois plus élevés pour les athlètes végétariennes. La grossesse augmente aussi les besoins en fer ; ceux-ci approchent les 50 mg par jour pour une femme végétarienne. Il devient alors difficile d'obtenir cet apport seulement par l'alimentation. Il est important de consulter un diététiste ou un nutritionniste pour faire valider la consommation d'aliments riches en fer, et d'envisager la prise d'un supplément alimentaire.

Le calcium et la vitamine D : Il existe sur le marché de nombreux produits enrichis en calcium et en vitamine D. Du jus d'orange aux céréales, il est possible de trouver d'autres sources que les produits laitiers. Il est important, par contre, de se rappeler que le calcium des produits laitiers est mieux absorbé que celui des produits végétaux, à cause des substances fibreuses (phytates et oxalates) qui se trouvent dans ces derniers.

La vitamine B12 : Même si elle est présente dans de nombreux végétaux, la vitamine B12 n'est active que dans les produits d'origine animale. Certaines bactéries produisent de la vitamine B12 dans l'intestin, mais il semble que cette production soit trop faible pour être absorbée. Un supplément vous sera recommandé par votre médecin, votre diététiste ou votre nutritionniste, sauf si vous consommez suffisamment de produits laitiers et d'œufs.

LES INTOLÉRANCES ET LES ALLERGIES ALIMENTAIRES

De plus en plus nombreuses et complexes, les intolérances et allergies alimentaires peuvent facilement transformer l'heure des repas en casse-tête. En éliminant des groupes d'aliments, vous éliminez certains nutriments, mais il est possible de trouver des aliments de substitution. Pour l'intolérance au lactose, par exemple, les produits de soya enrichis ou le lait et les fromages sans lactose vous permettront de combler vos besoins en calcium. Les allergies sévères, comme celle aux arachides, doivent être prises au sérieux afin d'éviter des réactions fortes qui seraient un choc pour la mère comme pour le bébé et qui peuvent être dangereuses. Attention, l'aversion pour certains aliments et l'augmentation du nombre de ballonnements et de gaz – souvent due à la grossesse – ne sont pas des signes d'intolérance ou d'allergie.

LE DIABÈTE DE GROSSESSE

Le diabète gestationnel ou de grossesse est une complication qui survient dans 2 à 4 % des cas, en Europe et en Amérique, au deuxième ou troisième trimestre, et qui disparaît après la grossesse pour la majorité des femmes. Il n'est pas dû à la consommation de sucres (glucides) ni directement relié au poids, bien que les femmes ayant un surplus de poids important avant la grossesse soient plus à risque.

Il s'agit d'une augmentation du taux de sucre dans le sang (glycémie) qui est provoquée par les hormones sécrétées par le placenta. Ces hormones diminuent l'efficacité de l'insuline, dont un des rôles est de faire pénétrer le sucre dans les cellules – c'est ce qu'on appelle la résistance à l'insuline. S'il y a trop de sucre en circulation dans le sang, la glycémie est trop élevée. Un test permet alors de déterminer s'il y a diabète de grossesse. Une trop grande quantité de sucre en circulation n'est pas une bonne chose pour le bébé puisque cela fait augmenter son poids trop rapidement. Quant à la mère, elle n'a plus l'énergie nécessaire pour faire ses activités, elle est fatiguée et a constamment soif et faim puisque le sucre n'atteint pas ses cellules.

L'avis du médecin

« L'activité physique devrait faire partie de la routine de toute femme aux prises avec le diabète, enceinte ou non, pour améliorer le métabolisme des glucides (sucres). Les femmes enceintes qui souffrent de diabète, d'obésité ou d'hypertension chronique doivent être suivies par un spécialiste de l'entraînement, qui pourra leur prescrire un entraînement adapté et personnalisé, selon leur condition.

« L'exercice physique est bénéfique dans la prévention du diabète de grossesse chez les femmes ayant un indice de masse corporelle supérieur à 30. Si vous êtes à risque, vous devriez vous assurer de faire une activité physique de façon régulière au moins trois fois par semaine, pendant 30 minutes. »

– Dr Pascale Desautels, gynécologue-obstétricienne

Si vous souffrez de **diabète de grossesse,** il est important de consulter un diététiste ou un nutritionniste afin d'élaborer un plan d'alimentation qui permet de contrôler votre glycémie, et de pratiquer une activité physique de façon régulière. Le moment de la journée est très important, puisque la glycémie varie en fonction des activités quotidiennes. Les récentes recherches suggèrent que les femmes enceintes doivent orienter leur activité physique en fonction des moments de la journée où leur glycémie est la plus élevée.

L'HYPERTENSION ET LA PRÉÉCLAMPSIE

L'hypertension (hausse de la pression artérielle) de grossesse, nommée prééclampsie, est différente de l'hypertension habituelle. Elle se déclare au troisième trimestre chez 5 % des femmes. Si vous avez déjà fait de l'hypertension, vous êtes plus à risque de souffrir de prééclampsie pendant la grossesse. En général, les protéines, les oméga-3, le calcium, le magnésium et l'hydratation seront les éléments à surveiller pour aider à contrôler l'hypertension et ses effets.

L'avis du médecin

« Si vous souffrez d'hypertension, il est possible de poursuivre vos activités physiques, avec l'accord de votre médecin, avant 32 semaines, si votre tension se situe sous 150/90.

« Si vous faites de l'hypertension et que vous poursuivez l'entraînement, essayez de vous procurer une machine MAPA qui permet de surveiller la tension artérielle sur 24 heures. Si votre tension monte en haut de 160/90 à l'entraînement, réduisez l'intensité de vos exercices. Après 32 semaines, si votre tension est au-delà de 150/90, vous souffrez peut-être de prééclampsie. Si c'est le cas, le repos total est recommandé. »

– Dr Denys Samson, chef du département d'obstétrique, CSSS de Charlevoix

CHAPITRE 5

Des activités à votre image

Afin de débuter du bon pied, il est important de connaître votre condition physique actuelle et votre profil d'activité. Vous pourrez ainsi faire des choix d'activités appropriés pour lesquelles vous trouverez, dans les chapitres suivants, des programmes d'entraînement flexibles que vous pourrez adapter à vos besoins, à votre horaire et à votre condition. À vos marques… Prêtes ? Partez !

LES QUATRE PROFILS D'ACTIVITÉ PHYSIQUE

🚺 LA DÉBUTANTE

La femme sédentaire se déplace surtout en auto et ne pratique aucun sport de façon régulière. Il lui arrive à l'occasion de faire un peu de marche, de vélo ou un sport d'hiver, mais pas régulièrement. « Je n'ai pas envie de faire de l'exercice », « Je suis trop fatiguée », « Je n'ai pas le temps de m'entraîner ! » Vous vous reconnaissez dans ces phrases ? Vous avez conscience de votre manque d'exercice, mais vous manquez souvent de motivation ? Comme vous êtes enceinte, vous avez décidé de commencer tranquillement un programme d'activité physique et de prendre soin de votre corps ? Bravo ! Vous trouverez des exercices simples adaptés à vos besoins dans ce livre.

LA FEMME ACTIVE

La femme active pratique une ou des activités physiques de façon plus ou moins régulière et d'intensité faible à modérée pendant environ 30 minutes trois fois par semaine. Elle marche souvent pour ses déplacements pendant environ 30 minutes par jour et fait de l'activité physique – marche en montagne, natation, aérobie, ski, badminton, vélo, etc. – régulièrement, seule ou avec des amis. Vous êtes une femme active et consciente des bénéfices qu'apporte la pratique d'une activité physique régulière et êtes à la recherche d'exercices sécuritaires à pratiquer pendant votre grossesse ? Vous en trouverez dans ce livre qui combleront vos besoins.

LA SPORTIVE

La femme sportive pratique régulièrement des activités physiques, à raison de plusieurs fois par semaine (de 3 à 5 heures d'entraînement hebdomadaire, voire plus), d'intensité modérée à élevée. La sportive recherche parfois la performance et maintient un niveau d'activité régulier. Vous êtes sportive et tenez à maintenir votre niveau d'activité physique pendant la grossesse ? Écoutez les signaux de fatigue de votre corps et servez-vous de votre jugement pour la pratique de vos activités. Voyez nos programmes d'entraînement et référez-vous à un entraîneur qualifié auprès des femmes enceintes.

L'ATHLÈTE

L'athlète recherche la performance et prend part à des compétitions. L'activité physique fait partie intégrale de sa vie, et son mode de vie est axé sur l'atteinte d'objectifs sportifs. Elle s'entraîne généralement cinq ou six jours par semaine, à raison de 10 à 20 heures par semaine, selon son sport. C'est votre cas ? Pendant la grossesse, écoutez les signaux de fatigue de votre corps, servez-vous de votre jugement dans la pratique de vos activités et consultez un médecin si vous voulez continuer de vous entraîner de la même façon.

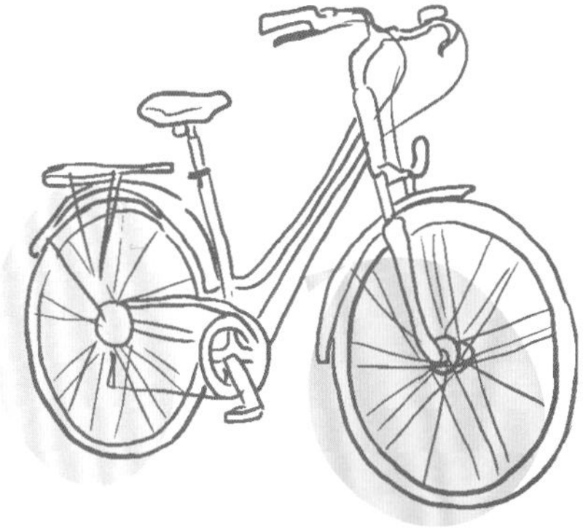

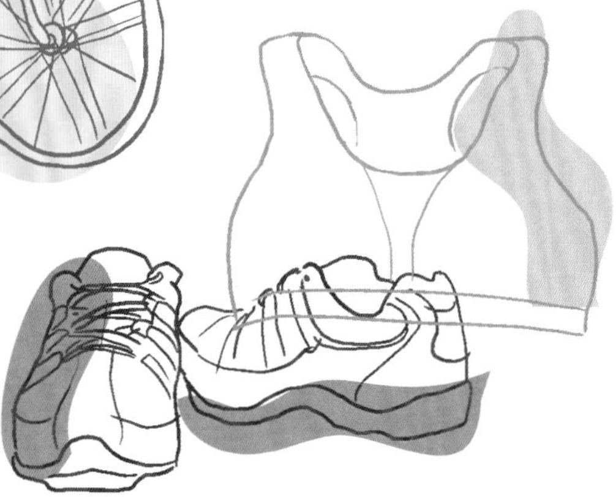

VOTRE MÉDECIN ET VOUS

Votre médecin devrait être mis au courant de votre désir de commencer à vous entraîner ou de poursuivre vos activités physiques. Le questionnaire X-AAP est un outil intéressant pour dépister les problèmes potentiels et déterminer le niveau d'activité physique d'une femme enceinte.

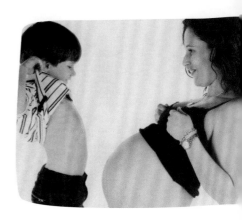

LE QUESTIONNAIRE X-AAP

Le questionnaire X-AAP sur l'aptitude à l'activité physique des femmes enceintes a été conçu par la Société canadienne de physiologie de l'exercice [SCPE]. Il permet de recueillir des informations sur l'état de santé général, les malaises reliés à la grossesse, les habitudes d'activité physique des derniers mois et les intentions de pratique durant la grossesse. Il contient la liste des contre-indications que doit vérifier le médecin, un guide de prescription d'activités aérobiques et de conditionnement musculaire, un certificat autorisant la personne à faire de l'exercice durant la grossesse et des conseils sur les habitudes de vie et les indices d'arrêt de l'exercice. Vous trouverez ce questionnaire sur le site Web de la SCPE (www.scpe.ca) sous l'onglet « Publications ».

LES QUESTIONS FRÉQUEMMENT POSÉES

Vous connaissez les bienfaits de l'exercice et les contre-indications, vous savez quels aliments manger pour favoriser votre santé et celle de votre futur enfant, mais vous avez encore des questions sur l'activité physique ? Voici celles les plus fréquemment posées auxquelles nos experts ont répondu.

« EST-CE QUE J'AI PLUS DE RISQUES DE FAIRE UNE FAUSSE COUCHE SI JE M'ENTRAÎNE ? »

Non. Aucune étude n'a établi de lien entre la pratique d'une activité physique et un risque accru de fausse couche. Si vous avez déjà fait une fausse couche, l'activité physique n'est pas nécessairement contre-indiquée, mais choisissez tout de même des activités sans impacts. Si vous avez fait deux ou trois fausses couches, il est recommandé d'y aller de prudence et de commencer l'entraînement au deuxième trimestre avec des activités sans impacts. Dans le doute, abstenez-vous ou, mieux, demandez l'avis de votre médecin.

« EST-CE QUE J'AI PLUS DE RISQUES D'ACCOUCHER PRÉMATURÉMENT SI JE M'ENTRAÎNE BEAUCOUP ? »

Non. Une revue des recherches faites entre 1987 et 2010 étudiant les effets de l'activité physique sur le travail et les risques d'accouchement prématuré n'a pas établi de façon claire les causes de ce dernier. L'activité physique à intensité modérée pratiquée de façon régulière protégerait même contre les risques d'accouchement prématuré. Les femmes travaillant debout présentent un risque légèrement accru, mais le travail de maison et les autres activités quotidiennes ne semblent pas associés au risque d'accouchement prématuré.

« PUIS-JE CONTINUER L'ACTIVITÉ PHYSIQUE SI J'AI DES CRAMPES DANS LE BAS-VENTRE PENDANT LE PREMIER TRIMESTRE ? »

Dans les premières semaines de la grossesse, des crampes dans le bas-ventre peuvent être causées par un changement hormonal normal et par l'adaptation de l'utérus, qui se prépare pour la grossesse. Les tiraillements et les crampes ressemblant à des douleurs dues aux règles sont fréquents.

Si les crampes ne sont pas trop intenses et ne sont pas accompagnées de saignements, vous pouvez continuer votre activité physique ; sinon il vous faut consulter. Des crampes sans saignement sont rarement un signe de fausse couche. Il y a bien sûr des exceptions, mais l'exercice n'est pas un facteur de risque.

« PUIS-JE CONTINUER DE M'ENTRAÎNER SI JE RESSENS DES DOULEURS MUSCULAIRES APRÈS MES EXERCICES ? »

Il est normal de ressentir des douleurs musculaires ou ligamentaires après ou pendant un exercice physique, surtout lors d'une deuxième ou troisième grossesse. Il n'est pas nécessaire d'arrêter complètement l'activité physique. Priorisez plutôt des activités à impacts réduits comme la natation, le yoga ou le vélo stationnaire, et ralentissez le rythme au besoin.

« EST-CE QUE CERTAINS EXERCICES PHYSIQUES PEUVENT FAIRE SE RETOURNER LE BÉBÉ ? »

Non, bien qu'il existe plusieurs mythes et fausses croyances à ce sujet. La Société des obstétriciens et gynécologues du Canada soutient que l'activité physique ne fait pas retourner les bébés (voir la section sur la natation, à partir de la page 118, et la section sur le yoga, à partir de la page 144).

« COMMENT LE BÉBÉ RÉAGIT-IL QUAND JE M'ENTRAÎNE ? »

Les études ont démontré que la réponse fœtale la plus courante à l'activité physique est une augmentation de la fréquence cardiaque du fœtus d'environ 10 battements par minute et un retour au niveau de base 10 à 20 minutes après la fin de l'activité physique de la mère. Cela n'est pas néfaste pour le fœtus. Ces données peuvent varier selon la durée et l'intensité de l'effort de la mère.

« PEUT-IL Y AVOIR UN RISQUE DE DÉTRESSE FŒTALE PENDANT L'ENTRAÎNEMENT ? »

Non. Les études ont démontré qu'il n'y a pas de risque de détresse fœtale durant l'activité physique.

« QUAND JE M'ENTRAÎNE, EST-CE QUE MON BÉBÉ PEUT MANQUER D'OXYGÈNE OU DE GLUCOSE ? »

Le placenta permet les échanges entre le bébé et la mère. Durant la grossesse, le corps s'adapte en réorganisant la circulation afin de mieux irriguer les muscles squelettiques. À l'exercice, le débit sanguin vers l'utérus peut diminuer à 50 % des valeurs au repos et même chuter d'un autre 30 % si l'effort est prolongé et d'intensité élevée. Les effets sur le fœtus sont incertains, il est donc conseillé de diminuer l'intensité de l'exercice pour assurer un bon flot sanguin vers l'utérus et de consommer des glucides pendant l'entraînement pour éviter l'hypoglycémie (voir à la page 50).

« EST-CE QUE L'EXERCICE PENDANT LA GROSSESSE PEUT ÊTRE ASSOCIÉ À DES BÉBÉS DE POIDS INFÉRIEUR À LA MOYENNE ? »

De nombreuses études se sont penchées sur la question et les avis sont partagés. Selon certains chercheurs, s'entraîner à une intensité élevée sur de longues périodes peut réduire l'apport en glucose au fœtus au point d'entraîner un retard de croissance utérine et un bébé ayant un poids inférieur à la moyenne.

Toutefois, les femmes modérément actives physiquement n'ont pas plus de risques de donner naissance à des bébés de poids inférieur à la moyenne (moins de 2500 g [ou 5,5 lb]). Les femmes sédentaires, au contraire, courent plus de risques.

LE CHOIX D'UNE ACTIVITÉ

MON CORPS À L'ENTRAÎNEMENT, SELON LES TRIMESTRES

PREMIER TRIMESTRE

À l'entraînement, vous pouvez constater des changements dans votre corps dès les premières semaines de la grossesse. Le volume sanguin augmente dans le but de nourrir le bébé, ce qui peut vous rendre plus essoufflée. Certaines femmes remarquent qu'elles sont plus fatiguées dans les premières minutes de leur entraînement (sentiment de mollesse) ou lorsqu'elles font des entraînements plus longs. Il se peut que votre organisme récupère moins rapidement. Si vous souffrez de nausées, il est possible que vous perdiez l'envie de vous entraîner ou que vous en soyez simplement incapable.

DEUXIÈME TRIMESTRE

Vous devriez retrouver l'énergie perdue. Si vous avez complètement arrêté de bouger, recommencez graduellement à faire de l'activité physique quelques fois par semaine, sans toutefois vous lancer à corps perdu dans le sport. Si vous avez été active au premier trimestre, vous commencerez à percevoir des changements au niveau physique dus au ventre qui grossit. Le deuxième trimestre est idéal pour la poursuite de vos activités, puisque vous n'êtes pas encore trop encombrée par le poids du bébé et que votre diaphragme n'est pas trop compressé.

TROISIÈME TRIMESTRE

Le ventre devient plus proéminent, les jambes sont plus lourdes, le bébé pèse sur le périnée, les activités avec moins d'impacts sont à prioriser si vous êtes inconfortable. De plus, le centre de gravité change, ce qui peut influencer votre équilibre et votre habileté à pratiquer certains sports. Si vous avez peur de poursuivre une activité physique parce que vous avez l'impression que votre bébé est bas, parlez-en à votre médecin. Il se peut que ce soit simplement dû au fait que vos abdominaux et muscles pelviens soient moins forts.

QUELLE ACTIVITÉ CHOISIR ?

Le choix d'une activité physique pendant la grossesse dépend de votre santé ainsi que de votre niveau d'activité avant la grossesse. Au fil des mois, le centre de gravité et l'équilibre changent. Vous courez plus de risques de perdre l'équilibre, alors soyez vigilante sur le choix de vos activités en fin de grossesse. Il se peut aussi que vous soyez plus fatiguée et que vous mettiez plus de temps à récupérer d'un exercice physique. Soyez à l'écoute des signaux de fatigue que vous envoie votre corps.

Avant de débuter, consultez le tableau des activités physiques et des exercices de musculation recommandés (ci-contre). Préconisez les activités aérobiques continues qui n'occasionnent pas de chocs sur le corps et les articulations : marche, natation, vélo, yoga ou renforcement musculaire à faibles impacts.

LES SPORTS PENDANT LA GROSSESSE

Le tableau ci-contre présente les recommandations générales pour tous les sports selon le profil d'activité physique. Ces recommandations s'appliquent aux femmes en bonne santé qui ne présentent aucune contre-indication médicale. Vous trouverez plus de précisions sur ces sports dans le chapitre suivant.

LES SPORTS PENDANT LA GROSSESSE

SPORT	RECOMMANDÉ	COMPORTE CERTAINS RISQUES	À PROSCRIRE	PAGE
ACTIVITÉS SÉCURITAIRES POUR TOUTES LES FEMMES ENCEINTES EN BONNE SANTÉ				
Aérobie sans sauts	✓			132
Aquaforme	✓			118
Aquajogging	✓			126
Ballon prénatal	✓			155
Danse prénatale	✓			133
Exercices cardiovasculaires dans une salle de sport (ex. : elliptique)	✓			133
Natation	✓			118
Renforcement musculaire	✓			134
Vélo stationnaire	✓			127
Yoga, yoga prénatal, Pilates	✓			144
ACTIVITÉS QUI PEUVENT ÊTRE POURSUIVIES PENDANT LA GROSSESSE PAR CELLES QUI LES PRATIQUAIENT AVANT SUR UNE BASE RÉGULIÈRE				
Aérobie avec sauts	✓			132
Badminton simple ou double	✓			159
Course à pied	✓	✓		112
Escalade avec sécurité	✓	✓		159
Kayak de mer	✓			—
Kayak de rivière		✓		—
Marche en montagne (selon le terrain et l'altitude)	✓	✓		106
Marche nordique avec des bâtons (selon le terrain)	✓	✓		106
Patinage sur glace, patinage à roulette	✓	✓		—
Raquette à neige (selon le terrain)	✓	✓		116
Racquetball, squash	✓			159
Ski de fond (classique ou pas de patin)	✓			116
Ski alpin		✓		117
Tennis	✓			159
Spinning^MC	✓			127
Triathlon	✓	✓		—
Vélo à l'extérieur	✓	✓		127
Vélo de montagne (selon le terrain)	✓	✓		127
Volleyball		✓		—
SPORTS DE CONTACT DÉCONSEILLÉS ET SPORTS AVEC RISQUES DE CHUTE IMPORTANTS				
Hockey, ringuette		✓		—
Soccer		✓		—
Basketball		✓		—
Football		✓		—
SPORTS À PROSCRIRE				
Escalade, première de cordée			✓	—
Plongée sous-marine			✓	—
Marche en altitude (à plus de 1600 mètres)			✓	—

Source : American College of Gynecology and Obstetrics.

Recommandations

COMMENT CHOISIR UNE ACTIVITÉ SPORTIVE ?

Avant de commencer une activité, il faut tenir compte des facteurs suivants :

- *Les risques de chute :* préconisez les activités où les risques de chute sont faibles ou celles avec lesquelles vous êtes à l'aise. Bon nombre de sports comportent des risques de chute ou de blessure. Pour les minimiser, il est important de faire des activités avec lesquelles vous êtes parfaitement à l'aise. Certaines femmes choisissent de continuer des sports plus risqués, tandis que d'autres préfèrent trouver des options plus sécuritaires.

  Même en étant très prudente, un accident peut arriver. Ce n'est pas le temps d'essayer un nouveau sport ou de vous aventurer en terrain inconnu. Évitez les terrains escarpés, accidentés et glissants. Portez une attention spéciale à votre environnement et aux personnes qui circulent autour de vous. Même si vous êtes habituée de faire une activité physique, quelqu'un d'autre pourrait vous faire chuter (en ski ou à vélo sur une piste cyclable, etc.)

  En cas de chute, consultez votre médecin si vous avez des contractions, des saignements ou si vous constatez une absence de mouvement fœtal pendant plusieurs heures. Un choc sur le ventre peut entraîner des complications pour le fœtus, tel un décollement placentaire. Restez calme ! Une chute peut aussi être sans conséquences pour la mère et l'enfant.

- *La familiarité avec l'activité physique :* privilégiez les activités avec lesquelles vous êtes familiarisée.
- *Les impacts :* les activités avec impacts peuvent être continuées si vous les pratiquiez avant la grossesse, si vous êtes à l'aise et confortable à les poursuivre et avez l'accord de votre médecin.
- *Le confort :* choisissez une activité qui n'entraîne pas de douleur ou d'inconfort dans la région pelvienne, à l'abdomen, au dos, au bassin, aux jambes ou toute autre sensation de douleur. Votre aptitude à pratiquer une activité peut changer lorsque votre centre de gravité se modifie.
- *Les contacts physiques :* autant que possible, évitez les activités qui peuvent engendrer des contacts physiques, comme les sports d'équipe.
- *Les conditions environnementales :* évitez toute exposition à des conditions environnementales difficiles, et ce, à tous les trimestres : chaleur intense, taux d'humidité élevé, pression atmosphérique élevée, rareté d'oxygène (en altitude, par exemple).
- *L'altitude :* les recommandations concernant l'altitude à ne pas dépasser pour la femme enceinte varient de 1600 m (5250 pi) à 2285 m (7500 pi). **Les femmes vivant déjà en altitude sont adaptées et ne courent pas de risques.** Pour les autres, l'entraînement en altitude est à proscrire, puisque les réactions sont imprévisibles.

À FAIRE SEULE OU ACCOMPAGNÉE

Si vous n'êtes pas très sportive et que vous avez de la difficulté à vous motiver, pourquoi ne pas joindre un groupe de femmes et vous inscrire à un cours d'aquaforme, de yoga prénatal, de danse, d'aérobie prénatale ou de spinning^MC prénatal ? Il y a de tout pour tous les goûts ! Il existe une panoplie de cours pour les femmes enceintes. S'entraîner en groupe est bien plus motivant que de le faire seule et vous pouvez partager vos expériences avec d'autres futures mamans. Qui sait, peut-être vous lierez-vous d'amitié avec des femmes avec qui vous pourrez aller marcher et vous entraîner après l'accouchement ?

Si c'est votre première grossesse, vous vivez aussi vos derniers moments à deux, votre partenaire et vous. Pourquoi ne pas en profiter pour faire des activités de couple ?

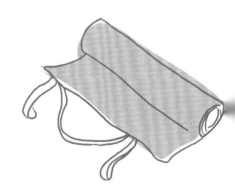

S'ENTRAÎNER À LA BONNE INTENSITÉ : COMMENT MESURER L'EFFORT ?

UN OUTIL À UTILISER PENDANT LA GROSSESSE

Puisque la fréquence cardiaque varie pendant la grossesse, la meilleure façon de mesurer l'intensité des entraînements est de se fier à l'échelle de perception de l'effort adaptée de BORG. C'est une méthode simple et efficace. Cette échelle se base sur la capacité de soutenir une conversation à l'effort pour déterminer l'intensité d'entraînement souhaitée.

L'ÉCHELLE DE PERCEPTION DE L'EFFORT*

INTENSITÉ DE L'EXERCICE	NIVEAU D'EFFORT	EFFORT RESSENTI EN FONCTION DE LA DURÉE**
Nulle (aucun effort)	0	
Très faible	1	Effort très léger que vous pouvez maintenir pendant plusieurs heures sans difficulté et qui vous permet de tenir une conversation sans problème.
Faible	2	Vous avez une grande facilité à converser.
Modérée	3	Vous avez de la facilité à converser.
Légèrement élevée	4-5	Effort aérobique que vous pouvez maintenir pendant environ 30 minutes ou un peu plus sans trop de difficulté. Maintenir une conversation est par contre assez difficile. Pour converser, vous devez faire des pauses.
Élevée	6-7	Effort aérobique que vous pouvez maintenir pendant 15 à 30 minutes à la limite de l'aisance. Converser devient ardu.
Très élevée	7-8	Effort soutenu que vous pouvez maintenir de 3 à 10 minutes. Vous ne pouvez pas converser.
Extrêmement élevée	9	Effort très soutenu que vous ne pouvez maintenir plus de 2 minutes. Vous n'avez pas envie de converser tellement l'effort est intense !
Maximale	10	Effort que vous pouvez tenir moins d'une minute et que vous terminez dans un état de fatigue extrême.

* Adapté de Borg : BORG, G. « Perceived exertion as an indicator of somatic stress », *Scandinavian Journal of Rehabilitation Medicine*, vol. 2, n° 2, 1970, p. 92-98.

** Une plus grande fréquence d'effort à la même intensité peut modifier la perception de l'effort à la hausse.

LA FRÉQUENCE CARDIAQUE

Si vous êtes habituée de mesurer votre effort à l'aide de vos pulsations cardiaques, vous noterez probablement certains changements pendant votre grossesse. La fréquence cardiaque peut être influencée par de nombreux facteurs, dont l'hydratation, le niveau de fatigue, la température extérieure, l'heure de la journée, l'ingestion de stimulants comme la caféine et, pendant la grossesse, l'augmentation du volume sanguin.

LA FRÉQUENCE CARDIAQUE CIBLE PENDANT LA GROSSESSE

Le tableau ci-dessous donne le pourcentage de l'intensité souhaitée de l'activité physique par rapport à la fréquence cardiaque maximale. La fréquence cardiaque maximale (FCM) est le nombre de battements par minute que vous pouvez atteindre lors d'un exercice à intensité très élevée, par exemple lors d'un effort intense d'une à deux minutes. **Un test de FCM est fort exigeant et ne doit jamais être fait pendant la grossesse.** Vous pouvez l'estimer en utilisant la formule suivante[*] :
FCM = 208 – (0,7 x âge).

Ce tableau présente des données pour les femmes qui n'ont aucun problème de santé majeur. L'efficacité du système cardiorespiratoire varie d'une personne à l'autre, et la fréquence cardiaque réelle peut donc varier pour une même intensité.

LA FRÉQUENCE CARDIAQUE CIBLE APPROXIMATIVE** (PENDANT LA GROSSESSE)

ÂGE	FRÉQUENCE CARDIAQUE MAXIMALE FCM = 208 – (0,7 X ÂGE)	60 %	65 %	70 %	75 %	80 %
20	194	116	126	136	146	155
22	193	116	125	135	144	154
25	191	114	124	133	143	152
28	188	113	122	132	141	151
30	187	112	122	131	140	150
32	186	111	121	130	139	148
34	184	111	120	129	138	147
36	183	110	119	128	137	146
38	181	109	118	127	136	145
40	180	108	117	126	135	144

* Formule de Robers et Lanwher.
** Adapté de : Académie canadienne de la médecine du sport.

L'OBÉSITÉ ET L'INTENSITÉ DE L'ENTRAÎNEMENT

Les femmes enceintes obèses qui sont suivies par un médecin peuvent faire de l'exercice pendant leur grossesse en respectant ces zones cibles. Les zones de fréquence cardiaque cibles pour une femme enceinte dont l'IMC était de plus de 30 avant la grossesse se situent autour de 102 à 124 battements par minute pour les femmes de 20 à 29 ans, et de 101 à 120 battements par minute pour les femmes de 30 à 39 ans.

LES METS

On peut évaluer la dépense énergétique d'une activité grâce à ses équivalents métaboliques, aussi appelés METS. Un MET correspond au taux d'énergie (ou d'oxygène) nécessaire au repos, soit 3,5 millilitres d'oxygène par kilogramme par minute. Par exemple, une activité dont la valeur en METS est de 3 exigera une dépense d'énergie trois fois plus grande que l'état de repos, pour une même personne et une même période de temps. L'efficacité énergétique est liée à l'expérience dans la pratique d'un sport, puisque l'on dépense moins d'énergie à faire un sport dans lequel on excelle qu'un sport que l'on apprend.

Toutefois, le calcul à partir des METS est moins précis pendant la grossesse, car il omet de considérer l'efficacité énergétique. En effet, la femme enceinte tend à trouver des moyens d'être plus efficace énergétiquement, particulièrement dans les activités qui lui demandent de supporter son poids, comme la marche ou la course. En plus de ces activités, il y aurait une augmentation de 6 % de la dépense énergétique pour les activités comme le vélo ou la natation en fin de grossesse.

Vous trouverez au chapitre suivant une évaluation de la dépense énergétique pour chaque activité à partir du calcul des METS. Il s'agit seulement d'une indication. Ceux-ci vous seront probablement plus utiles pour votre programme d'entraînement après l'accouchement.

Infobulle

LES MONTRES INTELLIGENTES

Les cardiofréquencemètres sont monnaie courante, et plusieurs femmes les choisissent pour orienter leurs efforts à partir de la fréquence cardiaque. Ces montres évaluent aussi la dépense énergétique liée aux activités. Si vous avez l'habitude d'utiliser une montre pour évaluer votre dépense énergétique plutôt qu'un facteur d'activité, il est important de savoir que la fréquence cardiaque de la femme enceinte est différente de celle d'une femme qui n'est pas enceinte. Comme les mesures de dépense énergétique calculées par ces montres sont influencées par la fréquence cardiaque, leurs données risquent de ne pas être conformes à la réalité. Pendant la grossesse, le cardiofréquencemètre permet cependant de vous guider, en ce qui a trait à l'intensité de votre entraînement, pour demeurer dans la zone visée et obtenir les résultats souhaités.

UN PROGRAMME POUR CHAQUE PROFIL

Maintenant que vous connaissez votre profil d'activité, essayez le programme d'entraînement d'une semaine* qui lui correspond. Cela vous permettra d'évaluer la réponse de votre corps à l'entraînement. Ensuite, vous pourrez consulter le chapitre suivant pour plus de choix d'activités et de programmes d'entraînement adaptés.

Vous n'avez pas à suivre un programme à la lettre ; adaptez-le à vos contraintes. Le but premier est d'avoir du plaisir à bouger et de rester active.

♀ LA DÉBUTANTE

Commencez graduellement, c'est-à-dire par de courtes périodes d'une activité cardiovasculaire sans impacts à faible intensité, comme 15 minutes de marche, de vélo stationnaire, de yoga ou de natation, et augmentez-en la durée jusqu'à faire 30 minutes par séance. Entraînez-vous à faible intensité au premier trimestre et augmentez l'intensité aux deuxième et troisième trimestres. Ce n'est pas le moment de faire une très longue séance d'entraînement si vous n'êtes pas habituée ; votre corps se fatiguerait plus vite. Commencer trop rapidement ou à une intensité trop élevée pourrait aussi engendrer des blessures, des courbatures, et vous ne prendriez plus de plaisir à vous entraîner.

Il est normal d'être fatiguée. Faites ce qui est possible sans vous surmener. Quelques minutes d'activité physique valent mieux que rien du tout.

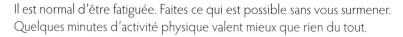

---

* Source : Académie canadienne de la médecine du sport.

LE PROGRAMME D'ENTRAÎNEMENT POUR DÉBUTANTE

Le programme d'entraînement pour débutante a pour objectif une mise en forme graduelle. Il se compose de 3 x 30 minutes d'activité physique par semaine, à faible intensité.

LE PROGRAMME D'ENTRAÎNEMENT POUR DÉBUTANTE

	LUNDI	MARDI	MERCREDI	JEUDI	VENDREDI	SAMEDI OU DIMANCHE
ACTIVITÉ	Activité cardio-vasculaire sans impacts au choix*	Repos	Activité cardio-vasculaire sans impacts au choix*	Repos	Activité cardio-vasculaire sans impacts au choix*	(facultatif) – Renforcement musculaire spécifique à la grossesse (voir à la page 134).
DURÉE	15 à 30 minutes**		15 à 30 minutes**		20 à 30 minutes	20 à 30 minutes
TYPE D'ENTRAÎNEMENT	Entraînement continu		Entraînement continu		Entraînement continu	
INTENSITÉ (Selon l'échelle de perception de l'effort adaptée de Borg)	1er trimestre : faible à modérée : 2-3; 2e et 3e trimestres : faible à légèrement élevée : 2-3-4		1er trimestre : faible à modérée : 2-3; 2e et 3e trimestres : faible à légèrement élevée : 2-3-4		1er trimestre : faible à modérée : 2-3; 2e et 3e trimestres : faible à légèrement élevée : 2-3-4	

* Marche rapide, natation, vélo stationnaire, aérobie sans sauts, ski de fond, raquette, etc.
** Commencez par 15 minutes et ajoutez 2 minutes à chaque séance, jusqu'à faire 30 minutes d'exercice continu.

🚶 LA FEMME ACTIVE ET 🏃 LA SPORTIVE

Si vous êtes déjà active ou sportive, vous pouvez continuer les activités physiques que vous pratiquiez déjà, si vous n'avez aucune contre-indication médicale et que votre médecin est d'accord. L'intensité et la durée devront être adaptées à votre niveau de fatigue et à vos sensations à l'entraînement.

Essayez de garder une vitesse constante durant l'exercice. Un entraînement plus long et à faible intensité est une bonne façon d'améliorer l'endurance.

LE PROGRAMME D'ENTRAÎNEMENT POUR LA FEMME ACTIVE

Le programme d'entraînement a ici pour objectif le maintien de la forme physique. Il se compose de trois jours d'entraînement cardiovasculaire (deux courtes séances et une longue) et de deux séances de renforcement musculaire à intensité modérée.

LE PROGRAMME D'ENTRAÎNEMENT POUR LA FEMME ACTIVE

	LUNDI	MARDI	MERCREDI	JEUDI	VENDREDI	SAMEDI OU DIMANCHE
ACTIVITÉ	Activité cardio-vasculaire au choix*	Renforcement musculaire spécifique à la grossesse (voir à la page 134) ou yoga	Repos	Activité cardio-vasculaire au choix*	Renforcement musculaire spécifique à la grossesse (voir à la page 134) ou yoga	Activité cardio-vasculaire au choix*
DURÉE	30 à 45 minutes**	30 minutes		30 minutes	30 minutes	30 à 60 minutes**
TYPE D'ENTRAÎNEMENT	Entraînement continu lent (récupération active)			Entraînement continu rapide		Entraînement à faible intensité (endurance de base)
INTENSITÉ (Selon l'échelle de perception de l'effort adaptée de Borg)	Faible : 2			Légèrement élevée : 4-5		Faible à modérée : 2-3

* Marche rapide, natation, vélo stationnaire, aérobie sans sauts, ski de fond, raquette, etc.

** Débutez par 30 minutes et ajoutez 15 minutes aux deux semaines, ou jusqu'à faire 45 ou 60 minutes d'exercice continu.

LE PROGRAMME D'ENTRAÎNEMENT POUR LA SPORTIVE

Ce programme d'entraînement a pour objectif le maintien de la forme sans chercher à atteindre des sommets ni à participer à des compétitions sportives. Faire de quatre à six séances par semaine d'intensité modérée à légèrement élevée.

LE PROGRAMME D'ENTRAÎNEMENT POUR LA FEMME SPORTIVE

	LUNDI	MARDI	MERCREDI	JEUDI	VENDREDI	SAMEDI	DIMANCHE
ACTIVITÉ	Activité cardiovasculaire au choix* ou repos complet	Renforcement musculaire spécifique à la grossesse (voir à la page 134) ou yoga	Activité cardiovasculaire au choix*	Renforcement musculaire spécifique à la grossesse (voir à la page 134) ou yoga	Repos complet	Activité cardiovasculaire au choix*	Activité cardiovasculaire au choix*
DURÉE	Environ 45 minutes	30 minutes	60 minutes	30 minutes		60 à 90 minutes	90 à 120 minutes
TYPE D'ENTRAÎNEMENT	Entraînement continu lent (récupération active)		Entraînement cardiovasculaire varié			Entraînement cardiovasculaire varié	Entraînement long ou en endurance
INTENSITÉ (Selon l'échelle de perception de l'effort adaptée de Borg)	Faible : 2		Modérée à légèrement élevée : 3-4-5			Légèrement élevée à élevée 5-6-7	Faible à modérée : 2-3

* Votre sport de prédilection ou activité complémentaire.

Il est important de prendre au minimum une ou deux journées de repos complet par semaine. Soyez à l'écoute de vos signes de fatigue.

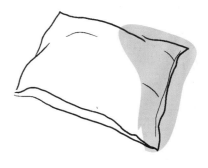

🏃 L'ATHLÈTE

Vos entraînements devront être revus et adaptés, pendant la grossesse, selon vos objectifs de compétition après la grossesse.

La prise de poids, l'augmentation de l'élasticité des articulations et des ligaments ainsi que le déplacement du centre de gravité entraînent nécessairement des limitations et une diminution de la compétitivité. Il y a immanquablement une baisse de l'intensité absolue due aux exigences physiologiques de la grossesse. Si vous avez l'accord de votre médecin, vous pouvez poursuivre vos entraînements en réduisant leur intensité et leur fréquence.

L'objectif pendant la grossesse devrait être le maintien de la forme physique et de la capacité aérobique. La grossesse est aussi un moment pour faire des sports complémentaires si vous devenez inconfortable dans la pratique de votre sport (si vous faites de la course à pied ou du cyclisme, par exemple).

De façon générale, les athlètes maintiennent un niveau d'activité plus vigoureux pendant leur grossesse, même si elles en diminuent naturellement l'intensité. Parlez de votre condition avec votre médecin. Votre suivi médical risque d'être plus rigoureux.

LES COMPÉTITIONS

Bien qu'il puisse être tentant de continuer à compétitionner durant votre grossesse, surtout pendant les premiers mois, vous ne devriez pas prendre part à des compétitions sportives dans le but d'être compétitive. Au premier trimestre, il arrive cependant que certaines athlètes poursuivent la compétition sans savoir qu'elles sont enceintes. Si c'est votre cas, vous ne pouvez rien changer aux actions passées, concentrez-vous sur vos actions futures !

Si vous souhaitez prendre part à un événement sportif pour le plaisir, sans objectif de compétition, vous devez tout d'abord obtenir le consentement de votre médecin. La règle est de ne pas participer à une compétition par temps chaud et humide, d'être capable de parler pendant l'exercice, de ne pas dépasser vos limites et de rester bien hydratée.

Une étude a suggéré qu'un régime d'entraînement rigoureux pendant la grossesse chez les athlètes pouvait faciliter le retour à un niveau compétitif après la grossesse, mais ces résultats ne font pas l'unanimité.

« J'ai une ou plusieurs contre-indications. » (voir à la page 24)	OUI →	Changez d'activité en cas de contre-indication absolue. Vérifiez auprès d'un médecin en cas de contre-indication relative.
NON ↓		
« J'ai l'accord de mon médecin ou de ma sage-femme pour pratiquer cette activité. »	NON →	Changez d'activité.
OUI ↓		
« Je pratique une activité à faible risque (marche, natation, vélo stationnaire, yoga). »	NON →	Je suis habituée de pratiquer mon activité (ski alpin, escalade). NON → Changez d'activité.
OUI ↓	← OUI ⏎	
« Je connais les risques associés et les moyens de les réduire. »	NON →	Informez-vous (voir à la page 94).
OUI ↓		
« Je suis à l'aise avec les risques encourus et je me sens en sécurité en pratiquant cette activité. »	NON →	Changez d'activité.
OUI ↓		
« Je connais bien la posture ou les mouvements faits lors de cette activité. »	NON →	Informez-vous.
OUI ↓		
« Je suis à l'aise dans cette activité (je ne ressens pas de douleurs ou d'inconfort). »	NON →	Changez d'activité.
OUI ↓		
« Je recherche le plaisir, le maintien de la forme et la santé, et non à être compétitive. »	NON →	Revoyez vos objectifs et attentes à la baisse.
OUI ↓		
« J'arrive à parler pendant que je m'entraîne. » (Test de la parole.)	NON →	Diminuez l'intensité de l'entraînement.
OUI ↓		
« Je m'entraîne en respectant la fréquence cardiaque cible modifiée. »	NON →	Si elle est trop basse : augmentez graduellement l'intensité de l'entraînement pour en retirer davantage de bénéfices. Si elle est trop élevée : diminuez l'intensité de l'entraînement.
OUI ↓		
« Je m'alimente et m'hydrate bien avant, pendant et après l'entraînement. »	NON →	Relisez le chapitre 3 (à la page 47).
OUI ↓		
BON ENTRAÎNEMENT !		

Maintenant que vous avez intégré les notions de base de l'entraînement et l'intensité à respecter, selon votre profil, consultez les programmes d'activités physiques pendant la grossesse du chapitre suivant.

Programmes d'activité physique pendant la grossesse

LES ACTIVITÉS PÉDESTRES

LA MARCHE

La marche est probablement l'activité la plus simple, la moins dispendieuse, la plus accessible à toutes et qui comporte le plus faible risque de blessure. Vous pouvez débuter à tout moment de votre grossesse et poursuivre jusqu'au jour de l'accouchement si vous vous sentez confortable et à l'aise. Au besoin, réduisez la durée ou le niveau de difficulté de vos séances. Si vous avez d'autres enfants, emmenez-les avec vous ! Ils seront heureux de participer à l'entraînement de maman. Après tout, vous êtes un modèle pour eux !

La marche n'occasionne que de faibles impacts au niveau des articulations et il est possible de maintenir une bonne forme physique en marchant régulièrement. L'équipement nécessaire pour la marche est minimal, ce qui en fait un sport passe-partout. Cette activité a aussi l'avantage de se pratiquer en famille et en couple. Tout le monde dehors !

LA MARCHE RAPIDE

La marche rapide est un excellent exercice cardiovasculaire pour la femme enceinte et une bonne alternative à la course à pied jusqu'à la fin de la grossesse. Comme l'impact sur les articulations et les ligaments est moindre pour la course à pied, la marche rapide répond bien aux besoins des femmes qui ressentent des douleurs ou des inconforts en courant durant les deuxième et troisième trimestres.

Infobulle

Consultez les exemples de menus selon le type d'activité aux pages 220 à 223.

LA MARCHE EN MONTAGNE

Vous pouvez continuer de marcher en montagne été comme hiver si vous êtes attentive aux signaux de faim et de fatigue, et ce, jusqu'à la toute fin de votre grossesse. À ce moment-là, vous aurez probablement moins de réserves, alors ne partez pas sans collations. Prenez des sentiers adaptés à votre expérience en montagne et à votre habileté pendant la grossesse. Si vous faites rarement de la marche en montagne, ce n'est pas le moment de vous aventurer dans des sentiers très escarpés où vous pourriez tomber ou glisser. Attention aussi à l'altitude. Si vous ne vivez pas en altitude, il n'est pas recommandé de se balader en montagne à plus de 1600 m. Si vous habitez en altitude et que vous êtes acclimatée, il est toutefois recommandé de ne pas dépasser 2300 m. Dans le doute, ne prenez pas de risques inutiles et consultez votre médecin.

LA MARCHE NORDIQUE

La marche nordique est une marche accélérée qui se pratique avec des bâtons, ce qui, en gardant le haut du corps actif, enlève un peu de poids sur les articulations des membres inférieurs. La marche nordique se pratique toute l'année.

Les entraînements peuvent être diversifiés en changeant de parcours et d'environnement, ou en marchant dans la neige, dans le sable, en montagne ou sur un parcours vallonné.

Infobulle

LES ÉTIREMENTS

Après un exercice modéré ou un nouvel exercice sollicitant de nouveaux muscles, il est normal de ressentir de la fatigue ou des courbatures pendant les 24 à 48 heures qui suivent l'entraînement. Il est donc important de bien étirer les régions travaillées. Les quadriceps sont très sollicités lors des descentes en montagne et risquent d'être endoloris le lendemain.

TRUCS ET CONSEILS

- La marche ne comporte pratiquement aucun risque pour le fœtus et la mère. Cependant, pour éviter les chutes, la vigilance est de mise sur les terrains accidentés, rocheux ou très escarpés. Au troisième trimestre, lorsque votre ventre cache vos pieds, soyez d'autant plus vigilante dans le choix des terrains.

- L'automne, attention aux feuilles d'arbre au sol. Dans les sentiers, elles peuvent être glissantes et recouvrir des trous ou d'autres obstacles.

- L'hiver, attention à la glace ! Les crampons peuvent être utiles si vous marchez régulièrement. La marche à l'intérieur, sur un tapis roulant ou une piste d'athlétisme, peut être une alternative plus sécuritaire.

LES PARTICULARITÉS PENDANT LA GROSSESSE

Si vous ressentez des douleurs lorsque vous marchez trop longtemps, il est recommandé de ralentir le pas ou de diminuer la durée de vos entraînements. Certaines femmes peuvent ressentir des douleurs dans le bas du dos ou au bassin, ou une sensation de lourdeur dans les jambes, ce qui n'est pas nécessairement une contre-indication à l'exercice. Si vous avez l'impression que vos jambes sont lourdes, que vous perdez de la mobilité et que vous souffrez de rétention d'eau, quelques minutes de marche chaque jour vous feront beaucoup de bien. Au besoin, ralentissez le rythme et écourtez vos sorties. Quelques minutes d'exercice valent mieux que rien du tout. Cependant, si vous avez des contractions prématurées, arrêtez immédiatement.

L'ÉQUIPEMENT

Les chaussures de marche : Un bon soulier de marche est l'équipement de base à ne pas négliger si vous voulez pratiquer cette activité régulièrement sans vous blesser. Voyez cet achat comme un investissement. Il n'est pas nécessaire d'acheter des chaussures haut de gamme, mais il est important de choisir des chaussures de qualité adaptées à votre pied. N'hésitez pas à vous rendre dans un magasin spécialisé pour la course à pied et à demander l'aide d'un conseiller, qui pourra déterminer votre type de pied et vous recommander les meilleures chaussures pour votre budget. N'oubliez pas que vos pieds peuvent enfler et que vous aurez besoin de plus de support à mesure que votre grossesse avancera (coût : $$ à $$$).

Les bottes de marche : Faites-vous conseiller, selon l'usage que vous comptez faire de vos bottes – marche en sentier, marche en terrain accidenté, courte randonnée, longue randonnée, etc. Il n'y a rien de pire que de marcher longtemps avec des bottes mal ajustées. Préconisez une botte avec un bon soutien, surtout si vous prévoyez marcher durant le troisième trimestre, alors que vous aurez plus de poids à supporter (coût : $$ à $$$).

Les crampons : Offerts dans les boutiques spécialisées pour la course à pied, les crampons sont très utiles pour marcher dans la neige en toute sécurité (coût : $).

Les bâtons de marche : Les bâtons de marche ne sont pas essentiels, mais peuvent être utiles pour garder l'équilibre. De plus, lorsqu'on les utilise, le haut du corps est aussi mis à contribution. Il est possible de se procurer des bâtons dans une boutique de plein air ou d'utiliser de vieux bâtons de ski ou des branches d'arbre (coût : $ à $$$).

L'ENTRAÎNEMENT DE MARCHE POUR LA DÉBUTANTE

Ce plan pour marcheuse débutante d'une durée de huit semaines comprend trois séances de marche par semaine, à tous les deux jours. Essayez de prendre une journée de repos entre chacune des séances.

Au début, marchez à une intensité faible à modérée (2 à 5 sur l'échelle de perception de l'effort adaptée de BORG).

Essayez d'être constante et de faire un minimum de trois entraînements par semaine. Vous pouvez planifier les journées et les heures d'entraînement à chaque début de semaine, un peu comme des rendez-vous importants. Gardez votre horaire d'entraînement à la vue, sur votre réfrigérateur, par exemple.

PROGRAMME DE MARCHE POUR LA DÉBUTANTE

SEMAINE	LUNDI	MARDI	MERCREDI	JEUDI	VENDREDI	SAMEDI	DIMANCHE
1	Repos	15 à 20 minutes de marche	Repos	15 à 20 minutes de marche	Repos	15 à 20 minutes de marche	Repos ou autre activité
2	Repos	15 à 25 minutes de marche	Repos	15 à 25 minutes de marche	Repos	15 à 25 minutes de marche	Repos ou autre activité
3	Repos	20 à 25 minutes de marche	Repos	20 à 25 minutes de marche	Repos	20 à 30 minutes de marche	Repos ou autre activité
4	Repos	15 à 20 minutes de marche	Repos	20 à 30 minutes de marche	Repos	20 à 35 minutes de marche	Repos ou autre activité
5	Repos	15 à 20 minutes de marche	Repos	20 à 35 minutes de marche	Repos	25 à 35 minutes de marche	Repos ou autre activité
6	Repos	20 à 30 minutes de marche	Repos	25 à 35 minutes de marche	Repos	30 à 35 minutes de marche	Repos ou autre activité
7	Repos	30 à 35 minutes de marche	Repos	25 à 35 minutes de marche	Repos	25 à 35 minutes de marche	Repos ou autre activité
8	Repos	30 à 40 minutes de marche	Repos	30 à 40 minutes de marche	Repos	30 à 45 minutes de marche	Repos ou autre activité

En tout temps, lorsque vous vous en sentez capable, vous pouvez allonger ou ajouter des sorties de marche, ou encore ajouter des exercices de renforcement musculaire. Vous pouvez choisir de faire vos exercices de musculation la même journée que votre journée de marche ou la journée suivante (voir les exercices de renforcement musculaire aux pages 135 à 142).

PROGRAMME D'ENTRAÎNEMENT DE MARCHE POUR LA FEMME ACTIVE ET LA SPORTIVE

Ce programme sur quatre semaines comprend trois ou quatre séances de marche par semaine et quelques exercices de yoga. Vous trouverez les exercices de yoga prénatal aux pages 147 à 155. Pour chaque séance, choisissez-en deux ou trois.

Utilisez cet exemple de programme d'entraînement au fil de votre grossesse, en allongeant ou en diminuant la durée des séances selon votre condition, ou en choisissant l'une ou l'autre des variantes proposées.

PROGRAMME DE MARCHE ET DE YOGA POUR LA FEMME ACTIVE

SEMAINE	LUNDI	MARDI	MERCREDI	JEUDI	VENDREDI	SAMEDI	DIMANCHE
1	30 minutes de marche + 10 minutes de yoga	Repos	30 minutes de marche rapide + 10 minutes de yoga	Repos	30 minutes de marche + 10 minutes de yoga	30 à 45 minutes de marche lente (facultatif)	Repos
2	35 minutes de marche + 10 minutes de yoga	Repos	45 minutes de marche rapide + 10 minutes de yoga	Repos	35 minutes de marche + 10 minutes de yoga	45 minutes à 1 heure de marche lente (facultatif)	Repos
3	40 minutes de marche + 10 minutes de yoga	Repos	30 minutes de marche rapide + 10 minutes de yoga	Repos	40 minutes de marche + 10 minutes de yoga	45 minutes à 1 heure de marche lente (facultatif)	Repos
4	45 minutes de marche + 10 minutes de yoga	Repos	45 minutes de marche rapide + 10 minutes de yoga	Repos	50 minutes de marche + 10 minutes de yoga	45 minutes à 1 heure de marche lente (facultatif)	Repos

VARIANTES D'ENTRAÎNEMENTS DE MARCHE POUR LA FEMME ACTIVE ET LA SPORTIVE

Pour varier les entraînements de marche, vous pouvez jouer avec la durée, l'intensité ou le choix des terrains. Voici quelques exemples simples vous proposant d'alterner des périodes de marche rapide avec des périodes de marche plus lente.

Dans les exemples suivants, la marche rapide peut être faite à une intensité élevée, soit 5 ou 6 sur l'échelle adaptée de BORG, et la marche d'un pas régulier à une intensité modérée, soit 2 ou 3 sur l'échelle adaptée de BORG.

ENTRAÎNEMENT 1

INTERVALLES COURTS (30 minutes, dont 5 de marche rapide)

DURÉE	EXERCICE	INTENSITÉ	RÉPÉTITION
10 minutes	Échauffement : marche d'un bon pas	2-3-4	
1 minute	Marche rapide, sans courir	5-6-7	5 séries
2 minutes	Marche à pas réguliers	2-3	
5 minutes	Retour au calme : marche à pas réguliers	2	

ENTRAÎNEMENT 2

INTERVALLES LONGS (40 minutes, dont 10 de marche rapide)

DURÉE	EXERCICE	INTENSITÉ	RÉPÉTITION
10 minutes	Échauffement : marche d'un bon pas	2-3-4	
5 minutes	Marche rapide, sans courir	5-6-7	2 séries
5 minutes	Marche à pas réguliers	2-3	
10 minutes	Retour au calme : marche lente	2	

ENTRAÎNEMENT 3

PROGRAMME PROGRESSIF, PUIS RÉGRESSIF
(45 minutes, dont 35 de marche rapide)

DURÉE	EXERCICE	INTENSITÉ
5 minutes	Échauffement : marche d'un bon pas	2-3-4
10 minutes	Marche rapide, sans courir	5-6
15 minutes	Marche très rapide, sans courir	7-8
10 minutes	Marche rapide, sans courir	5-6
5 minutes	Retour au calme : marche lente	2

ENTRAÎNEMENT 4

LA PYRAMIDE (50 minutes, dont 10 de marche rapide)

DURÉE	EXERCICE	INTENSITÉ
10 minutes	Échauffement : marche d'un bon pas	2-3-4
1 minute	Marche rapide	5-6
2 minutes	Marche lente	2-3
2 minutes	Marche rapide	5-6
4 minutes	Marche lente	2-3
4 minutes	Marche rapide	5-6
8 minutes	Marche lente	2-3
2 minutes	Marche rapide	5-6
4 minutes	Marche lente	2-3
1 minute	Marche rapide	5-6
2 minutes	Marche lente	2-3
10 minutes	Retour au calme : marche lente	2

ESTIMATION DE LA DÉPENSE CALORIQUE POUR LA MARCHE

ACTIVITÉ	INTENSITÉ	DÉPENSE ÉNERGÉTIQUE (METS)	CALORIES DÉPENSÉES PAR HEURE D'ACTIVITÉ		
			FEMME DE 55 KG	FEMME DE 70 KG	FEMME DE 90 KG
Marche	Très faible (3,6 km/h)	2,0	110	140	180
Marche avec une poussette	Faible (3,6 km/h)	2,5	138	175	225
Marche	Modérée (5,6 km/h)	3,8	209	266	342
Marche	Modérée (6,4 km/h)	5,0	275	350	450
Marche avec montée	Modérée (5,6 km/h)	6,0	330	420	540
Marche	Élevée (8 km/h)	8,0	440	560	720
Marche en montagne avec sac à dos	Élevée	7,0	385	490	630

Capsule maman

REMPLACER LA COURSE À PIED PAR DE LA MARCHE RAPIDE

« Je cours depuis l'âge de 13 ans. Pendant ma grossesse, j'ai couru pendant le premier et le deuxième trimestre, à raison de 50 à 60 km par semaine (70 à 80 km avant la grossesse). Pendant le troisième trimestre, le poids du bébé m'occasionnait des douleurs dans le bas-ventre. J'ai donc remplacé mes entraînements de course à pied par de la marche rapide jusqu'à la fin de ma grossesse. Je faisais quatre séances de marche rapide d'une heure à une heure et demie par semaine. »

– Karine Lefebvre, mère de deux enfants

LA COURSE À PIED

La pratique de la course à pied en début de grossesse peut inquiéter plusieurs femmes. La croyance populaire est que la course à pied augmente les risques de fausse couche au premier trimestre. Pourtant, aucune étude n'a encore démontré un lien entre la course à pied et le risque de fausse couche, le risque d'accouchement prématuré ou de rupture de membrane. Au contraire, plusieurs études ont démontré les nombreux bénéfices de la course à pied.

Une femme qui courait sur une base régulière avant d'être enceinte et qui ne présente aucune contre-indication médicale pendant sa grossesse peut continuer son programme d'entraînement pendant la grossesse en réduisant la durée et l'intensité des entraînements auxquels elle est habituée. Elle doit cependant être capable de maintenir une conversation sans être à bout de souffle.

Excellent exercice pour le système cardiorespiratoire, la course à pied améliore la circulation sanguine, permet de contrôler efficacement la prise de poids et de retrouver son poids plus rapidement après la grossesse.

Vous croyez être prête à courir pendant votre grossesse, mais l'êtes-vous vraiment ?

Si vous répondez positivement à toutes les questions qui suivent, que vous ne présentez aucune contre-indication médicale et que vous avez l'approbation de votre

L'avis de l'entraîneur

« Il est essentiel de faire des exercices pour le plancher pelvien et des exercices de gainage pour renforcer le tronc. Ces exercices sont importants pour les femmes qui courent pendant la grossesse à cause des impacts et du poids du fœtus sur le plancher pelvien. »

– Richard Chouinard, responsable de la formation pratique à la division de kinésiologie de la faculté de médecine de l'Université Laval et spécialiste en entraînement sportif

professionnel de la santé, vous pouvez poursuivre la course à pied pendant votre grossesse.

- Avant votre grossesse, couriez-vous au moins trois fois par semaine, à raison de 20 minutes ou plus par séance, depuis au moins six mois ?
- Avez-vous une alimentation équilibrée ?
- Êtes-vous consciente de vos limites et prête à diminuer l'intensité de vos entraînements pendant votre grossesse ?

LES PARTICULARITÉS PENDANT LA GROSSESSE

La course à pied peut être difficile au troisième trimestre, entre autres à cause de la pression sur le diaphragme et du poids supplémentaire sur le plancher pelvien du fœtus qui grandit. Pour certaines femmes, le poids du bébé occasionne un inconfort dans la région pelvienne. Pour d'autres, la course à pied fera partie de leur routine jusqu'à la toute fin.

Des douleurs intenses dans la région pelvienne lorsque vous courez peuvent être un signe que votre corps ne s'adapte pas bien à ce sport. Il est alors recommandé d'arrêter.

Si vous courez encore au troisième trimestre et que le médecin constate que le bébé descend prématurément, arrêtez la course à pied. Par contre, si le bébé descend à 39 semaines, c'est tant mieux.

L'incontinence urinaire peut apparaître ou réapparaître au troisième trimestre quand vous courez. Si cela vous arrive, parlez-en à votre médecin ou à votre sage-femme, qui vérifiera si ce n'est pas du liquide amniotique.

TRUCS ET CONSEILS

- Si vous courez à l'extérieur, faites un trajet en boucle près de votre domicile ; si vous êtes plus fatiguée, vous pourrez facilement rentrer à la marche.

- Planifiez votre trajet avec des arrêts pipi et des points d'eau !

- Habillez-vous adéquatement pour ne pas avoir trop chaud – il se peut que vous ayez plus chaud qu'à l'habitude pendant votre grossesse.

- Le choix de la surface de course est aussi un élément à considérer. Les sentiers en terre battue sont à prioriser, pour minimiser les impacts.

L'avis du médecin

« Il n'est pas recommandé pour une femme qui ne courait pas régulièrement avant la grossesse de commencer la course à pied. Par contre, si vous êtes en bonne santé, que vous n'avez aucune contre-indication connue et que vous couriez de façon régulière avant la grossesse, vous pouvez continuer la course à pied.

« Il est contre-indiqué de poursuivre cette activité si, à tout moment de votre grossesse, vous avez des saignements actifs (chaque jour) ou des signes de placenta praevia (au deuxième trimestre), une fuite de liquide amniotique ou des contractions prématurées. Si l'un de ces signes apparaît durant un entraînement, cessez la course, reposez-vous quelques minutes et revenez en marchant ! »

– Dr Pascale Desautels, gynécologue-obstétricienne

Capsule maman

PRENDRE DU TEMPS POUR SOI

« Durant ma première grossesse, j'ai nagé 3000 m cinq fois par semaine, jusqu'à la toute fin. Lors de ma deuxième grossesse, j'ai fait de la course à pied, à raison de 8 km de course et 3 km de marche rapide cinq fois par semaine. Je fais la même chose maintenant que j'en suis à ma troisième grossesse. Les dix premières minutes sont toujours plus difficiles. J'ai les jambes lourdes, et ce, peu importe si j'ai couru le jour d'avant ou si j'ai pris congé. Mon rythme est plus lent, surtout si je pousse mes enfants en poussette, car l'entraînement est plus exigeant. Courir me permet de garder un certain équilibre mental et d'avoir l'impression que je fais des choses pour moi. Les jours où je cours, je me sens beaucoup plus disponible émotionnellement pour mes enfants ! »

– Cynthia Graton, championne canadienne au 100 m dos en 1996, enceinte de son troisième enfant

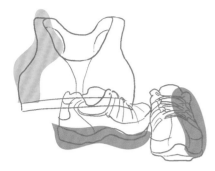

L'ÉQUIPEMENT

Les chaussures de course : Un bon soulier de course est un élément à ne pas négliger. Il faut un meilleur support pendant la grossesse à cause, entre autres, de la prise de poids. De plus, les pieds peuvent enfler ; certaines femmes portent des souliers une pointure plus grande pendant leur grossesse (coût : $$ à $$$).

Le soutien-gorge de sport : Les seins ont aussi besoin d'un bon support. Assurez-vous d'utiliser un soutien-gorge conçu pour les sports avec impacts. Il en existe plusieurs modèles (coût : $ à $$).

La ceinture de course : Certaines femmes portent une ceinture de course pour supporter le ventre et le bas du dos. Le maillot de bain sous le pantalon d'entraînement est aussi une alternative à la ceinture (coût : $$).

La ceinture avec des gourdes : Si vous courez sur de longues distances ou faites de longues sorties, cette ceinture peut être utile. Cependant, avec le ventre qui grossit, il faut soit la mettre sous le ventre, soit choisir une taille plus grande… Vous pouvez aussi vous trouver un trajet avec des points d'eau (coût : $$ à $$$).

Les vêtements : Choisissez un pantalon d'entraînement avec une bande élastique extensible que vous pourrez porter sous votre ventre (coût : $$ à $$$).

ESTIMATION DE LA DÉPENSE CALORIQUE POUR LA COURSE À PIED

ACTIVITÉ	INTENSITÉ	DÉPENSE ÉNERGÉTIQUE (METS)	CALORIES DÉPENSÉES PAR HEURE D'ACTIVITÉ		
			FEMME DE 55 KG	FEMME DE 70 KG	FEMME DE 90 KG
Course*/marche	Faible (* Moins de 10 minutes de course)	6,0	330	420	540
Course à pied	Faible (8,5 minutes/km)	7,0	385	490	630
Course à pied	Faible (7,5 minutes/km)	8,0	440	560	720
Course à pied	Modérée (6,25 minutes/km)	10,0	550	700	900
Course à pied	Modérée (5,30 minutes/km)	11,5	633	805	1035
Course à pied	Élevée (4,35 minutes/km)	14,0	770	980	1260
Course à pied	Élevée (3,75 minutes/km)	16,0	880	1120	1440
Course à pied	Élevée (cross-country)	9,0	495	630	810

LA COMPÉTITION

Bon nombre de sportives ou d'athlètes continuent la course à pied pendant leur grossesse, dans le but de retrouver la forme rapidement après l'accouchement et d'être à nouveau compétitives. Bien que ce ne soit pas recommandé pour la majorité des femmes, certaines athlètes prennent même part à des courses « amicales » pendant leur grossesse. Les athlètes ont d'ailleurs souvent accès à des professionnels de l'entraînement qui les encadrent pendant leur grossesse.

S'il y a un événement de course auquel vous souhaitez participer, parlez-en avec votre médecin. Si vous n'avez jamais couru la distance proposée, même si vous courez de façon régulière, il serait plus sage de ne pas courir ou de vous contenter de courir une distance à laquelle vous êtes habituée. Dans tous les cas, ne prenez pas part à un événement sportif par temps chaud et humide.

Capsule maman

COURIR LE MARATHON ENCEINTE DE SIX MOIS !

« J'ai couru pendant toute ma grossesse. Avant d'être enceinte, je courais de 100 à 120 km par semaine. Lorsque je suis tombée enceinte, j'ai diminué à environ 80 km par semaine.

« Lorsque j'étais enceinte de six mois, j'ai fait le marathon de Boston, avec le consentement de mon médecin. Je me suis fixé comme règles de toujours garder un rythme où je pouvais parler, et de rester bien hydratée. C'était mon 30e marathon.

« J'ai accouché à la date prévue d'une petite fille en santé de 53 cm (21 po) et 2,77 kg (6 lb et 11 oz). L'accouchement a été rapide et sans complications. »

– *Kathi Enderes, 38 ans, mère de deux enfants*

LES ACTIVITÉS HIVERNALES

LA RAQUETTE

La raquette est une belle activité à pratiquer pendant la grossesse, si vous en avez l'habitude. La raquette sollicite plus les muscles des jambes, des fesses et de l'intérieur des cuisses (muscles adducteurs) que la marche, à cause du poids des raquettes. Il est possible de faire de la raquette jusqu'à la veille de votre accouchement, si votre condition le permet et si vous vous sentez à l'aise. Si vous n'avez jamais fait de raquette, priorisez un terrain plat pour éviter les risques de chute ou optez pour la marche.

L'ÉQUIPEMENT

Les raquettes : Choisissez des raquettes en fonction de votre poids, de leur flottabilité, de leur forme, de l'usage que vous comptez en faire et des terrains où vous irez le plus souvent. Informez-vous sur les modèles pour femmes (coût : $$ à $$$, vous pouvez aussi en louer dans les boutiques spécialisées ou en trouver des usagées).

Les guêtres : Les guêtres offrent une protection contre la neige et les débris. Elles sont utiles pour certains types de terrains et lors de conditions neigeuses (coût : $ à $$$).

ESTIMATION DE LA DÉPENSE CALORIQUE POUR LA RAQUETTE

ACTIVITÉ	INTENSITÉ	DÉPENSE ÉNERGÉTIQUE (METS)	CALORIES DÉPENSÉES PAR HEURE D'ACTIVITÉ		
			FEMME DE 55 KG	FEMME DE 70 KG	FEMME DE 90 KG
Raquette à neige	Modérée (5,6 km/h)	6,0	330	420	540

LE SKI DE FOND

Le ski de fond est un excellent exercice cardiovasculaire à pratiquer pendant la grossesse pour les femmes de tout niveau. Vous pouvez poursuivre le ski de fond classique, la technique en pas de patin ou le ski hors piste tant que vous vous sentez confortable et en contrôle. Le ski de fond n'occasionne qu'un faible impact sur les articulations et, comme il comporte peu de risques de chute en terrain plat, il peut même être pratiqué par des débutantes. Faites quand même attention aux pistes escarpées avec descentes glacées si vous êtes moins habituée. Préconisez des trajets que vous connaissez et soyez vigilante si vous pratiquez le hors-piste ! Certains parcs offrent des pistes de ski de fond avec accès gratuit pour tous. Renseignez-vous.

L'ÉQUIPEMENT

Si vous souhaitez faire l'achat de skis de fond, il serait mieux d'attendre après votre grossesse, lorsque vous vous serez débarrassée de votre surplus de poids, puisque la cambrure – la capacité du ski à résister à votre poids – est un élément très important à considérer lors de l'achat d'une paire de skis de fond. En attendant, il est possible de louer un équipement dans tous les centres de ski de fond si vous n'en possédez pas.

ESTIMATION DE LA DÉPENSE CALORIQUE POUR LE SKI DE FOND

ACTIVITÉ	INTENSITÉ	DÉPENSE ÉNERGÉTIQUE (METS)	CALORIES DÉPENSÉES PAR HEURE D'ACTIVITÉ		
			FEMME DE 55 KG	FEMME DE 70 KG	FEMME DE 90 KG
Ski de fond	Faible	7,0	385	790	630
Ski de fond	Modérée	8,0	440	560	720
Ski de fond	Élevée	9,0	495	630	810

Capsule maman

AU JOUR LE JOUR

« Je fais du ski alpin depuis l'âge de cinq ans. J'ai passé tous les week-ends de ma jeunesse à skier et j'ai enseigné le ski quand j'étais adolescente. J'ai décidé de continuer à skier quand je suis tombée enceinte, j'y allais au jour le jour, selon mes sensations. Il y a des jours où j'étais plus nerveuse que d'autres, alors je skiais lentement. Au troisième trimestre, je me sentais encore bien, j'y allais tôt le matin en évitant les pistes glacées ou avec des bosses. J'ai fait ma dernière sortie en ski à 38 semaines et j'ai accouché à 39 semaines et demie d'un garçon de 3,5 kg (7,9 lb). »

– Lisanne, 33 ans, première grossesse

LE SKI ALPIN

Les femmes qui skient régulièrement peuvent continuer en respectant leurs limites et en surveillant leur vitesse, la difficulté des pistes et les conditions de neige. Si vous n'êtes pas à l'aise dans la poudreuse, dans les conditions de neige glacée ou dans la neige collante du printemps, abstenez-vous ! Gardez toujours un œil sur les autres skieurs ou planchistes et soyez vigilante, car le ski alpin comporte des risques de chute. Si vous souhaitez skier en altitude, consultez votre médecin. Si vous êtes débutante, le ski alpin n'est pas une activité à essayer enceinte.

LES ACTIVITÉS AQUATIQUES

La natation, l'aquaforme et l'aquajogging sont des activités idéales pour la femme enceinte pendant les trois trimestres. Dès les premières semaines de la grossesse, il est possible d'entreprendre un programme de natation ou de poursuivre son programme d'entraînement.

Les activités aquatiques devraient être de grands moments de détente, puisqu'elles n'engendrent aucun impact sur les articulations. La natation est un exercice cardiorespiratoire et musculaire qui fait travailler tous les muscles du corps. Comme la résistance de l'eau augmente aussi la difficulté de l'exercice, il est important de respecter les zones d'intensité recommandées pour les femmes enceintes.

Les sports aquatiques permettent un bon contrôle de la température corporelle. De plus, ils sont d'excellentes solutions de rechange pour les femmes qui choisissent de délaisser les sports avec impacts ou les sports avec risques de chute.

L'activité physique dans l'eau peut aussi être bénéfique pour les femmes souffrant d'œdème (rétention d'eau), puisqu'elle active la circulation sanguine, de même que pour les femmes souffrant de nausées en début de grossesse ou de diabète gestationnel.

LA NATATION

LES PARTICULARITÉS PENDANT LA GROSSESSE

Si vous vous sentez lourde, enflée, et que vous avez des douleurs au dos ou au bassin, la nage est tout à fait adaptée pour vous. Dans l'eau, l'état d'apesanteur vous permettra de bouger à votre guise sans ressentir de douleur.

Au troisième trimestre, par contre, les efforts déployés pour nager sont plus grands. Il y a plus de poids à traîner et les rondeurs causent davantage de résistance, ce qui donne l'impression que les bras travaillent plus qu'avant la grossesse. Pour épargner vos bras et vous aider à vous propulser, essayez les palmes !

Les quatre styles de nage (crawl, brasse, papillon, dos) peuvent être continués tout au long de la grossesse. Pour les nageuses moins expérimentées, la nage sur le dos ou le papillon seront difficiles à cause de l'étirement des abdominaux. Le crawl et la brasse sont alors à prioriser.

Si vous débutez au crawl, il est possible que vous soyez essoufflée lors de vos premiers entraînements. L'augmentation du volume sanguin dû à la grossesse augmente l'effort que doit fournir le cœur pour combler les besoins en oxygène. Il y a aussi la contrainte de respirer à toutes les deux, trois ou quatre tractions, mais le corps et le système cardiorespiratoire s'habitueront lentement à ce rythme.

L'ÉQUIPEMENT

Le maillot : Vous pouvez porter votre maillot standard aux premier et deuxième trimestres. Au troisième trimestre, vous pouvez acheter un maillot de maternité, un maillot standard d'une ou deux tailles de plus, ou porter un maillot deux pièces sport (coût : $ à $$$).

La planche : La planche permet d'isoler les battements de jambes. Selon la position des mains à l'avant, au milieu ou à l'arrière de la planche, vous pouvez travailler votre respiration (la tête sous l'eau) ou le gainage (coût : $, ou empruntez-la gratuitement à la piscine municipale).

La bouée (*pull boy*) : Placée entre les cuisses ou au niveau des chevilles ou des genoux, la bouée permet de travailler le haut du corps, soit les bras, la poitrine et les épaules (coût : $, ou empruntez-la gratuitement à la piscine municipale).

Les plaquettes : Placées contre les mains, les plaquettes créent une pression supplémentaire lors des mouvements de bras afin de renforcer les muscles des bras (coût : $, ou empruntez-les gratuitement à la piscine municipale).

Les palmes : Les palmes créent une pression supplémentaire lors des mouvements de jambes afin de renforcer les muscles des jambes (coût : $ à $$$, ou empruntez-les gratuitement à la piscine municipale).

L'ENTRAÎNEMENT DE NATATION

On néglige trop souvent l'importance de la variété dans la pratique d'une activité physique, et ce, particulièrement en natation où, contrairement au vélo ou à la course à pied, on ne voit pas défiler sous ses yeux les magnifiques paysages extérieurs. La nage en piscine nous contraint à accumuler les allers-retours entre deux murs. C'est pourquoi il est important de diversifier les séances d'entraînement au maximum afin de profiter pleinement de cette expérience sportive, de conserver l'intérêt sur une longue période, et ainsi de bénéficier des bienfaits de ce sport aussi complet qu'efficace pour celles qui désirent maintenir une bonne santé physique.

♀ L'ENTRAÎNEMENT DE NATATION POUR LA DÉBUTANTE

Vous pouvez commencer à nager en tout temps. Prenez d'abord contact avec l'eau tout en vous amusant. Allez-y graduellement, en faisant quelques longueurs. Apprenez à respirer en nageant. Faites des pauses au besoin. Nagez moins vite pour commencer et respirez à toutes les deux tractions, puis, quand votre respiration devient plus régulière, à toutes les trois tractions. Utilisez aussi la planche pour faire des longueurs de battements de jambes.

Au début, faites 10, 20 ou 30 longueurs et ajoutez des longueurs à chaque entraînement, selon votre énergie. Lorsque vous êtes plus à l'aise, consultez la section pour la femme active qui suit et adaptez les entraînements à votre condition. Par exemple, coupez-les de moitié si vous les trouvez trop difficiles, ou faites plus de longueurs dans le style de nage que vous préférez. Ces exemples peuvent vous donner de bonnes idées pour varier les entraînements, et surtout avoir du plaisir dans l'eau durant toute votre grossesse.

L'ENTRAÎNEMENT DE NATATION POUR LA FEMME ACTIVE

Si vous nagez à l'occasion et que vous êtes à l'aise de nager pendant au moins 30 minutes, voici quelques exemples d'entraînements de 1000 à 1500 mètres, d'une durée de 30 à 50 minutes.

ENTRAÎNEMENT 1

Durée : De 30 à 40 minutes **Distance totale parcourue :** 1000 m

SECTION DE L'ENTRAÎNEMENT	DISTANCE DU SEGMENT	STYLE DE NAGE
Échauffement (250 m)	150 m	Crawl, respiration à toutes les trois tractions (des deux côtés). Prendre 5 secondes de repos entre chaque 25 m au besoin.
	50 m	Jambes avec planche (25 m crawl et 25 m brasse). Prendre 5 secondes de repos après 25 m au besoin.
	50 m	Crawl avec bouée entre les jambes
Série 1 (250 m)	5 X 50 m	Crawl avec un départ à toutes les 2 minutes. Si vous parcourez les 50 m en 1 min 15, vous bénéficiez de 45 secondes de repos.
Série 2 (300 m)	200 m	Crawl avec les palmes
	100 m	Avec planche et palmes. Alterner 25 m crawl puis 25 m papillon. Prendre 30 secondes de repos au besoin.
Série 3 (200 m)	200 m	Alterner 25 m brasse lentement puis 25 m crawl lentement.

ENTRAÎNEMENT 2

Durée : Environ 30 minutes **Distance totale parcourue :** 1000 m

SECTION DE L'ENTRAÎNEMENT	DISTANCE DU SEGMENT	STYLE DE NAGE
Série 1 (1000 m)		Pendant 30 minutes, effectuer le plus de longueurs possible en évitant de prendre de longues pauses. Au bout de 15 minutes, utiliser les palmes et reprendre en boucle la séquence suivante :
	100 m	Crawl
	50 m	Avec planche, jambes seulement
	50 m	Brasse
	100 m	Crawl ou brasse avec bouée entre les jambes

ENTRAÎNEMENT 3

Durée : Environ 45 minutes **Distance totale parcourue :** 1400 m

SECTION DE L'ENTRAÎNEMENT	DISTANCE DU SEGMENT	STYLE DE NAGE
Échauffement (300 m)	100 m	Crawl, respiration à toutes les deux tractions (50 m à gauche, 50 m à droite)
	100 m	Crawl, respiration à toutes les trois tractions (bilatérales)
	100 m	Crawl, respiration à toutes les quatre tractions (50 m à gauche, 50 m à droite)
Série 1 (400 m)		Avec les palmes, répéter 2 fois la séquence suivante :
	50 m	Crawl à basse intensité suivi de 15 secondes de repos
	50 m	Avec planche, jambe seulement a intensité progressive suivi de 30 secondes de repos
	100 m	Crawl à basse intensité
Série 2 (700 m)	300 m	Crawl avec bouée et plaquettes à basse intensité. Accélérer légèrement à toutes les 4e 25 m de chacun des 100 m.
	400 m	Crawl ou brasse

ENTRAÎNEMENT 4

Durée : Environ 45 minutes **Distance totale parcourue :** 1500 m

SECTION DE L'ENTRAÎNEMENT	DISTANCE DU SEGMENT	STYLE DE NAGE
Échauffement (900 m)		Répéter la séquence suivante 2 fois et prendre 30 secondes de repos entre chaque séquence :
	100 m	Crawl
	50 m	Battements de jambes style au choix
	100 m	Dos
	50 m	Avec bouée (bras seulement) style au choix
	100 m	Brasse
	50 m	Style au choix avec bouée
Série 1 (400 m)		Répéter 8 fois la séquence suivante :
	25 m	Dos très lentement suivi de 15 secondes de repos
	25 m	Crawl plus rapide suivi de 15 secondes de repos
Série 2 (200 m)	200 m	Crawl avec palmes

 L'ENTRAÎNEMENT DE NATATION POUR LA SPORTIVE

Si vous êtes sportive, vous pouvez nager autant que vous voulez en écoutant votre corps et en vous reposant quand vous êtes fatiguée. Il est important de prendre au moins une à deux journées de repos par semaine. Les entraînements présentés ici comprennent les quatre styles de nage. S'il devient difficile de nager le papillon ou le dos, remplacez-les par la brasse ou le crawl.

ENTRAÎNEMENT 1

Durée : De 1 h 15 à 1 h 45 **Distance totale parcourue :** 2850 m

SECTION DE L'ENTRAÎNEMENT	DISTANCE DU SEGMENT	STYLE DE NAGE
Échauffement (1050 m)		Répéter la séquence suivante 3 fois en prenant une 1 minute de repos entre chaque séquence.
	50 m	Crawl, respiration à toutes les trois tractions
	50 m	Crawl (25 m bras droit puis 25 m bras gauche avec les poings fermés), l'autre bras reste à l'avant.
	50 m	Jambes sans planche sur le côté (25 m de chaque côté)
	150 m	Dos (une traction bras gauche, une traction bras droit, 2-2, 3-3…)
	50 m	Brasse, respiration à toutes les deux tractions
Série 1 (600 m)		Répéter 4 fois la séquence suivante :
	50 m	Jambes seulement avec planche (25 m vite puis 25 m lent). Prendre 15 secondes de repos.
	100 m	Crawl. Prendre 15 secondes de repos.
Série 2 (900 m)	12 x 75 m	Avec la bouée, bras seulement, répéter 12 fois la séquence suivante : 50 m brasse lentement puis 25 m crawl rapide
Série 3 (300 m) avec palmes	4 x 50 m	Dos (les deux bras en même temps, si possible)
	50 m	Papillon sur le dos, jambes seulement
	50 m	Battements de jambes crawl rapide (avec planche).

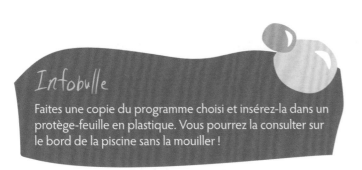

Infobulle

Faites une copie du programme choisi et insérez-la dans un protège-feuille en plastique. Vous pourrez la consulter sur le bord de la piscine sans la mouiller !

ENTRAÎNEMENT 2

Durée : De 1 h 15 à 1 h 45 **Distance totale parcourue :** 3100 m

SECTION DE L'ENTRAÎNEMENT	DISTANCE DU SEGMENT	STYLE DE NAGE
Échauffement (800 m)	400 m	Crawl
	400 m	Crawl avec palmes
Série 1 (800 m)		Répéter 2 fois la séquence suivante :
	100 m	Battements de jambes sans planche, style au choix
	100 m	Crawl
	100 m	Dos, les 2 bras en même temps
	100 m	Brasse rapide
Série 2 (600 m)		Avec les palmes, répéter 2 fois la séquence suivante :
	50 m	Crawl
	25 m	Jambes seulement sans planche. Prendre 15 secondes de repos
	3 x 75 m	25 m dos, 25 m jambes sans planche, 25 m crawl. Prendre 30 secondes de repos entre chaque séquence.
Série 3 (900 m)		Répéter 3 fois la séquence suivante
	150 m	Crawl
	100 m	Dos (25 m facile puis 25 m modéré)
	50 m	Brasse

ENTRAÎNEMENT 3

Durée : De 1 h 15 à 1 h 45 **Distance totale parcourue :** 3100 m

SECTION DE L'ENTRAÎNEMENT	DISTANCE DU SEGMENT	STYLE DE NAGE
Échauffement (1000 m)		Faire 40 longueurs sans arrêt à basse intensité
		Au dos : Toutes les longueurs multiples de 3
		Brasse : Toutes les longueurs multiples de 4
		Jambes seulement sans planche : Toutes les longueurs multiples de 5
		Crawl: Toutes les longueurs qui ne sont pas multiples de 3, 4 ou 5 • Ex.: La longueur 12 est un multiple de 3 et de 4. On choisit alors entre le dos ou la brasse.
Série 1 (900 m)		Répéter 3 fois la séquence suivante (option : utiliser les palmes pour la 3e séquence) :
	100 m	50 m battements de jambes au choix et 50 m nage au choix. Mettre l'accent sur un bon battement de jambes. Prendre 30 secondes de repos.
	100 m	50 m nage au choix et 50 m battements de jambes au choix, rapide. Prendre 30 secondes de repos.
	100 m	Jambes seulement, le 1er et le dernier 25 m sont plus rapides. Prendre 2 minutes de repos.
Série 2 (1000 m)	5 x 200 m	Avec une bouée entre les jambes, 50 m crawl, 50 m dos, 50 m brasse, 50 m crawl et prendre 1 min 30 s de repos.
Série 3 (200 m)	200 m	Nage au choix à basse intensité

ESTIMATION DE LA DÉPENSE CALORIQUE POUR LA NATATION

ACTIVITÉ	INTENSITÉ DE L'ACTIVITÉ PENDANT 1 HEURE	DÉPENSE ÉNERGÉTIQUE (METS)	CALORIES DÉPENSÉES PAR HEURE D'ACTIVITÉ		
			FEMME DE 55 KG	FEMME DE 70 KG	FEMME DE 90 KG
Natation - sans longueurs	Faible à modérée	6,0	330	420	540
Natation – brasse	Modérée	10,0	550	700	900
Natation – dos	Modérée	7,0	385	490	630
Natation – papillon	Modérée	11,00	605	770	990
Natation – crawl	Modérée	8,0	440	560	720
Natation – crawl	Élevée	10,0	550	700	900

L'AQUAJOGGING

La course à pied dans l'eau se pratique en eau profonde, avec ou sans ceinture de flottaison ou veste de sauvetage, en position debout, les épaules sont au niveau de l'eau et le mouvement est le même que pour la course à pied. Les pieds ne doivent pas toucher le fond de la piscine.

Si vous êtes inconfortable avec une ceinture de flottaison, faites ces exercices en eau moins profonde, où vous avez pied. Marchez dans l'eau en balançant naturellement les bras. Marchez de côté, à reculons ou vers l'avant pour varier les mouvements. Vous pouvez faire des séances de 10 minutes à 1 heure, selon votre condition physique !

La course à pied dans l'eau est un bon exercice cardiovasculaire qui sollicite et renforce tous les muscles du haut du corps, du tronc et des jambes. Elle constitue une bonne alternative à la course à pied. Le fait de courir dans l'eau réduit les impacts sur les os et articulations des jambes. Certains athlètes s'entraînent d'ailleurs dans l'eau pour récupérer après une blessure. Vous pouvez faire ces exercices en groupe, avec une amie ou avec votre conjoint.

ESTIMATION DE LA DÉPENSE CALORIQUE SELON L'ACTIVITÉ AQUATIQUE

ACTIVITÉ	INTENSITÉ DE L'ACTIVITÉ PENDANT 1 HEURE	DÉPENSE ÉNERGÉTIQUE (METS)	CALORIES DÉPENSÉES PAR HEURE D'ACTIVITÉ		
			FEMME DE 55 KG	FEMME DE 70 KG	FEMME DE 90 KG
Aquaforme	Modérée	4,0	220	280	360
Aquajogging	Modérée	8,0	440	560	720

LES ACTIVITÉS CYCLISTES

LE VÉLO, LE VÉLO STATIONNAIRE ET LE SPINNING[MC]

Le vélo est un excellent moyen de garder la forme ou de se remettre à l'activité physique. Au premier trimestre, vous pouvez pédaler sans que votre ventre ne vous gêne, situation qui change au fil des mois. Au deuxième trimestre, la position change graduellement et au troisième trimestre, il peut être difficile pour certaines femmes de pédaler.

Le vélo, le vélo stationnaire ou le spinning sont des activités qui sollicitent fortement les capacités respiratoire et musculaire. Par contre, elles n'occasionnent pas d'impacts et le poids corporel est supporté la plupart du temps, ce qui épargne les genoux, les chevilles et les hanches. Ces activités sont excellentes pour soulager les troubles de rétention d'eau ou la sensation de lourdeur dans les jambes, puisque leur pratique active la circulation sanguine.

LES PARTICULARITÉS PENDANT LA GROSSESSE

La pratique du vélo à l'extérieur, que ce soit pour l'entraînement ou les déplacements, comporte des risques de chute. L'option la plus sûre est de s'entraîner sur un vélo stationnaire ou un vélo de spinning. Si vous choisissez de rouler à l'extérieur, empruntez des trajets sécuritaires et faites preuve de vigilance.

Les cours de spinning peuvent parfois être très exigeants. Faites des pauses au besoin ou diminuez l'intensité de l'effort ; vous devriez être en mesure de maintenir une conversation. Les salles de spinning sont souvent petites et mal aérées, et l'on y transpire beaucoup. Buvez avant, pendant et après votre cours de spinning, à raison d'un demi à un litre d'eau par heure.

Les courses et les randonnées cyclistes en groupe ne sont pas recommandées à cause des risques de chutes. Il est aussi difficile de pédaler à l'intensité adéquate où il est possible de soutenir une conversation.

Le vélo de montagne n'est pas recommandé pour les débutantes. Comme tous les sports comportant des risques de chute, seules les femmes expérimentées peuvent poursuivre l'entraînement, selon leur aisance sur le vélo, en empruntant des sentiers dont le degré de difficulté est moins élevé que lors des entraînements d'avant la grossesse.

L'avis de l'entraîneur

« Pour apprécier vos randonnées sur deux roues, il est impératif que vous soyez à l'aise sur votre monture. Consultez un expert au besoin pour avoir une bonne position sur votre vélo. Sachez aussi qu'il est presque certain que vous devrez adapter votre position au cours de votre grossesse.

« Aux deuxième et troisième trimestres, il est normal de ressentir un inconfort sur votre selle, puisque le corps et le centre de gravité changent, et que le ventre devient proéminent. Il se peut que vous pédaliez avec les jambes plus écartées et les genoux légèrement tournés vers l'extérieur. En tout temps, la selle doit être parfaitement horizontale et non inclinée vers l'avant, ce qui peut occasionner des douleurs aux bras. Vous pouvez aussi ajuster la hauteur du guidon. Si vous faites encore du vélo au troisième trimestre, vous devrez probablement monter votre guidon. »

– Dominique Perras et Mathieu Toulouse, ex-cyclistes professionnels et entraîneurs PNCE niveau 3

L'ÉQUIPEMENT

Le vélo hybride : Il a de larges pneus sans crampons et un guidon droit et relevé. Ce type de vélo est idéal pour se promener en ville. Il convient pour les femmes enceintes, car la position est plus relevée, donc plus confortable avec un ventre (coût : $$ à $$$).

Le vélo de route : Il a un guidon courbé et des pneus plus minces. Il offre deux choix de positionnement des mains : en haut près de la potence, appuyées sur les manettes de frein, ou en bas du guidon. Par contre, la position en bas du guidon n'est pas confortable avec un ventre (coût : $$ à $$$$).

Le vélo de montagne : Il a des pneus larges avec crampons, parfois avec suspension avant et arrière. Ce vélo est utile pour faire des sentiers. La position est assez relevée, similaire à celle du vélo hybride. Si vous faites de la route et que vous préférez la position plus droite d'un vélo de montagne, mieux vaut acheter un vélo hybride (coût : $$ à $$$$).

Le cuissard de vélo : Si vous faites du vélo à l'occasion pour de courts déplacements, il n'est pas nécessaire d'investir dans un cuissard de vélo. Cependant, un cuissard de qualité est un bon investissement si vous roulez régulièrement. Le cuissard est muni d'un chamois, un coussin pour les fesses. Les modèles avec bretelles sont confortables pendant la grossesse, puisqu'ils n'ont pas d'élastique serrant la taille (coût : $$ à $$$).

Le casque : Pour toutes les sorties sur la route ou en montagne, le casque doit être bien ajusté, c'est-à-dire à 1 cm au-dessus des sourcils (ne pas mettre le casque de façon à avoir le front dégagé), les courroies doivent être serrées et former un triangle dont la pointe arrive juste en dessous des oreilles (coût : $$ à $$$).

Les souliers de vélo : Si vous avez des souliers de vélo, il n'est pas anormal de se sentir à l'étroit dans ceux-ci lors du deuxième ou troisième trimestre à cause de la rétention d'eau et de l'œdème (coût : $$ à $$$).

La selle : Une bonne selle fera en sorte que vos ischions (les os à la base des fesses) soient bien supportés. Il faut faire attention en arrêtant votre choix, parce que plusieurs selles offertes sur le marché ont été pensées pour les hommes, qui ont le bassin plus étroit et donc les ischions plus rapprochés que les femmes. Les femmes seront souvent plus à l'aise sur une selle dont la partie arrière est un peu plus large. Il faut cependant éviter de choisir une selle tellement large qu'elle causera des frictions lors du coup de pédale, ce qui serait une source certaine d'inconfort à l'usage. N'hésitez pas à essayer plusieurs selles avant d'en acheter une (coût : $ à $$$).

Capsule maman

ALLER TRAVAILLER EN VÉLO

« Lors de mes deux grossesses, j'ai fait du vélo jusqu'à 30 semaines. J'allais travailler en vélo. Je faisais 30 minutes matin et soir, ce qui m'assurait de faire une heure d'exercice par jour. J'étais très prudente sur les pistes cyclables et sur les routes, et au fil des semaines j'ai ralenti mon rythme.

« À partir de la 31e semaine, comme je n'étais plus à l'aise sur mon vélo de route pendant de plus longues distances, j'ai utilisé mon vélo de montagne. »

– Magalie, mère de deux enfants de deux et quatre ans

👤 L'ENTRAÎNEMENT DE VÉLO POUR LA DÉBUTANTE

Vous pouvez faire des balades en vélo ou commencer des exercices d'intensité faible à modérée sur un vélo stationnaire. Allez-y graduellement avec des séances de 15 à 30 minutes et faites une à trois séances par semaine, en vous assurant de prendre une journée de repos après votre journée d'entraînement.

Sur un vélo stationnaire, commencez par un entraînement de 15 minutes, puis ajoutez deux minutes tous les deux jours, pour atteindre un total de 30 minutes de vélo.

Lorsque vous êtes en mesure de faire 30 minutes sans arrêt, consultez la section pour la femme active et la sportive qui suit.

🚶🏃 L'ENTRAÎNEMENT DE VÉLO POUR LA FEMME ACTIVE ET LA SPORTIVE

Vous pouvez faire des entraînements avec des intervalles à intensité modérée (changement de rythme) après une bonne phase d'échauffement d'au moins dix minutes. Comme les entraînements sur un vélo stationnaire peuvent parfois paraître longs, en incluant des intervalles vous varierez vos entraînements, qui seront moins monotones, et maintiendrez ou améliorerez votre forme. Voici quelques idées d'entraînements d'une durée de 20 à 35 minutes.

ENTRAÎNEMENT 1

INTERVALLES SPRINT 20 minutes

DURÉE	SECTION D'ENTRAÎNEMENT	INTENSITÉ	RÉPÉTITION DE LA SÉRIE
5 minutes	Échauffement*	2-3	
5 minutes	Effort léger	3-4	
30 secondes	Effort soutenu	6-7	6
30 secondes	Repos actif	2-3	
4 minutes	Retour au calme*	2	

* Pédalez avec peu de résistance.

ENTRAÎNEMENT 2

INTERVALLES MOYENS 25 minutes

DURÉE	SECTION D'ENTRAÎNEMENT	INTENSITÉ	RÉPÉTITION DE LA SÉRIE
5 minutes	Échauffement*	2-3	
5 minutes	Effort léger	3-4	
1 minute	Effort soutenu	6-7	5
1 minute	Repos actif*	2-3	

* Pédalez avec peu de résistance.

ENTRAÎNEMENT 3

INTERVALLES LONGS 30 minutes

DURÉE	SECTION D'ENTRAÎNEMENT	INTENSITÉ	RÉPÉTITION DE LA SÉRIE
5 minutes	Échauffement*	2-3	
2 minutes	Effort soutenu	6-7	3
4 minutes	Repos actif*	2-3	
7 minutes	Retour au calme**	2	

* Pédalez avec peu de résistance.
** Pédalez sans résistance.

ENTRAÎNEMENT 4

EXERCICE DE RÉSISTANCE MUSCULAIRE 35 minutes

DURÉE	SECTION D'ENTRAÎNEMENT	INTENSITÉ	RÉPÉTITION DE LA SÉRIE
10 minutes	Échauffement	2-3	
5 minutes	Effort constant*	4-5	
10 minutes	Repos actif	2-3	
5 minutes	Effort constant*	4-5	
10 minutes	Retour au calme**	2	

* Restez en deçà de 150 pulsations/min. L'effort doit être davantage musculaire que cardiovasculaire.
** Pédalez sans résistance.

Infobulle

EFFORT ET INTERVALLES

L'effort approprié pour les intervalles est celui qui vous permet d'être aussi forte au dernier intervalle qu'au premier.

Les gens ont souvent tendance à trop forcer durant les premiers intervalles. Si vous êtes trop fatiguée après quelques intervalles et que vous n'arrivez pas à les finir, il est mieux de passer à la phase de récupération.

L'ENTRAÎNEMENT DE VÉLO POUR LA FEMME SPORTIVE

Vous faites déjà du vélo de route, de montagne ou des entraînements plus spécifiques sur votre vélo stationnaire ? Continuez vos entraînements en réduisant l'intensité et la durée, selon votre niveau de fatigue. Soyez prudente si vous poursuivez votre entraînement de vélo de route ou de montagne à l'extérieur. En tout temps, assurez-vous de respecter vos limites et d'être bien hydratée.

ENTRAÎNEMENT 1

LA MONTÉE 45 minutes

DURÉE	EXERCICE	INTENSITÉ	RÉPÉTITION DE LA SÉRIE
15 minutes	Échauffement	2-3	
15 minutes	Effort constant*	4-5	
15 minutes	Repos actif	2-3	

* Restez en deçà de 150 pulsations/min. L'effort doit être davantage musculaire que cardiovasculaire.

ENTRAÎNEMENT 2

INTERVALLES EN DEUX TEMPS 55 minutes

DURÉE	EXERCICE	INTENSITÉ	RÉPÉTITION DE LA SÉRIE
10 minutes	Échauffement	2-3	
30 secondes	Effort soutenu	6-7	5
1 min 30 s	Repos actif	2-3	
15 minutes	Repos actif	2-3	
30 secondes	Effort soutenu	6-7	5
1 min 30 s	Repos actif	2-3	
10 minutes	Retour au calme	2-3	

ESTIMATION DE LA DÉPENSE CALORIQUE POUR LE VÉLO

ACTIVITÉ	INTENSITÉ	DÉPENSE ÉNERGÉTIQUE (METS)	CALORIES DÉPENSÉES PAR HEURE D'ACTIVITÉ		
			FEMME DE 55 KG	FEMME DE 70 KG	FEMME DE 90 KG
Vélo	Faible 16 km/h	5,0	275	350	450
Vélo	Faible à modérée 20 km/h	6,0	330	420	540
Vélo	Modérée 25 km/h	10,0	550	700	900
Vélo	Modérée 30 km/h	11,0	605	770	990
Vélo	Élevée 40 km/h	12,0	660	840	1080
Vélo	Très élevée	16,0	880	1120	1440
Vélo stationnaire	Très faible (50 watts)	3,0	165	210	270
Vélo stationnaire	Faible (100 watts)	5,5	303	385	495
Vélo stationnaire	Modérée (150 watts)	7,0	385	490	630
Vélo stationnaire	Élevée (200 watts et +)	11,0	605	770	990

L'avis du médecin

« La danse aérobique est un exercice approprié pour les femmes enceintes. Si votre grossesse se déroule bien, sans saignements, vous pouvez débuter dès les premières semaines. Il n'est pas nécessaire d'attendre votre première visite chez le médecin, mais informez-le de vos activités lors de votre première rencontre. »

– Pascale Desautels, gynécologue obstétricienne

LES ACTIVITÉS INTÉRIEURES

LA DANSE AÉROBIQUE

La danse aérobique est une activité appropriée et sécuritaire pendant toute la grossesse. C'est un excellent exercice cardiovasculaire et musculaire que vous pouvez faire seule ou en groupe. Il existe de nombreux DVD d'entraînement de danse aérobique et de renforcement musculaire qui sont peu coûteux et qui peuvent être très utiles pour vous permettre de bouger dans le confort de votre salon, par temps froid ou pluvieux. Vous pouvez continuer à pratiquer le step ou la danse aérobique avec sauts si vous êtes habituée, mais assurez-vous de respecter le niveau d'intensité prescrit pour les femmes enceintes, soit celui qui vous permet de soutenir une conversation.

LES PARTICULARITÉS PENDANT LA GROSSESSE

Les débutantes devraient faire attention aux mouvements rapides et latéraux, puisqu'il peut y avoir un risque de chute pour celles qui ne sont pas habituées de se déplacer ainsi. Si vous faites partie d'un groupe de danse aérobique régulier, avisez votre professeur, qui saura trouver des solutions de rechange à certains mouvements. La salle de cours peut vite devenir un sauna ! Assurez-vous de rester bien hydratée en ayant toujours une bouteille d'eau à votre portée.

ESTIMATION DE LA DÉPENSE CALORIQUE POUR LA DANSE AÉROBIQUE

ACTIVITÉ	INTENSITÉ	DÉPENSE ÉNERGÉTIQUE (METS)	CALORIES DÉPENSÉES PAR HEURE D'ACTIVITÉ		
			FEMME DE 55 KG	FEMME DE 70 KG	FEMME DE 90 KG
Danse aérobique	Modérée	6,5	358	455	585
Danse aérobique sans impacts	Faible à modérée	5,0	275	350	450
Danse aérobique avec impacts	Modérée à élevée	7,0	385	490	630
Danse aérobique avec step de 15 à 20 cm (6 à 8 po)	Modérée	8,5	468	595	765
Danse aérobique avec step de 25 à 30 cm (10 à 12 po)	Modérée	10,0	550	700	900
Donner un cours de danse aérobique	Modérée	6,0	330	420	540

LA DANSE

La danse est une excellente activité cardiovasculaire pendant toute la grossesse. Elle est sécuritaire pour les femmes qui ont l'habitude d'en faire. Les femmes actives qui dansaient de façon régulière avant leur grossesse peuvent continuer à le faire, tout en respectant leurs limites et en adaptant certains mouvements au fil de la grossesse. Si vous êtes moins à l'aise avec les sauts, trouvez un mouvement pour les remplacer.

Il existe de nombreux cours de danse prénatale pour les femmes enceintes : danse méditative, danse du ventre version prénatale, danse prénatale orientale, danse pour préparer le corps à l'accouchement, ou zumba. Cette dernière danse est de plus en plus populaire et est recommandée pendant la grossesse. Respectez vos limites et assurez-vous de bien vous hydrater pendant et après le cours.

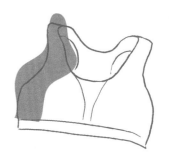

ESTIMATION DE LA DÉPENSE CALORIQUE POUR LA DANSE

ACTIVITÉ	INTENSITÉ	DÉPENSE ÉNERGÉTIQUE (METS)	CALORIES DÉPENSÉES PAR HEURE D'ACTIVITÉ		
			FEMME DE 55 KG	FEMME DE 70 KG	FEMME DE 90 KG
Danse disco, folk, carrée, en ligne, polka, country	Faible à modérée	3,0	165	210	270
Danse grecque, flamenco, du ventre, swing	Modérée	4,5	248	315	405
Danse ballet, moderne, jazz, tap, twist	Faible à modérée	4,8	264	336	432

LES APPAREILS D'ENTRAÎNEMENT CARDIOVASCULAIRE

L'elliptique, le tapis roulant, le vélo stationnaire, le Stairmaster et le rameur sont des appareils appropriés et sécuritaires pendant la grossesse, puisqu'ils n'engendrent que de faibles impacts au niveau articulaire, qu'ils comportent de faibles risques de chute et procurent un bon entraînement cardiovasculaire. Toutefois, les recommandations pour le tapis roulant sont les mêmes que pour la course à pied. Si vous n'en avez pas fait régulièrement avant la grossesse, il n'est pas recommandé de commencer pendant celle-ci (voir à la page 113). Comme la course à pied, le tapis roulant comporte des risques de chute.

Au troisième trimestre, surveillez votre posture sur chacune des machines et portez une attention particulière à votre dos. Si vous êtes trop penchée vers l'avant, vous pouvez ressentir des douleurs dans le bas du dos.

Les femmes qui veulent poursuivre ou commencer un entraînement avec des appareils de musculation devraient être suivies par un kinésiologue ou autre spécialiste de l'entraînement à cause des risques de blessure en cas de mauvaise utilisation des appareils. Certains appareils sont intéressants, mais ils ne sont pas indispensables. Les élastiques, les petits poids et les ballons sont aussi des outils très efficaces pour la musculation.

ESTIMATION DE LA DÉPENSE CALORIQUE SELON L'APPAREIL D'ENTRAÎNEMENT

ACTIVITÉ	INTENSITÉ	DÉPENSE ÉNERGÉTIQUE (METS)	CALORIES DÉPENSÉES PAR HEURE D'ACTIVITÉ		
			FEMME DE 55 KG	FEMME DE 70 KG	FEMME DE 90 KG
Elliptique, tapis roulant	Modérée	9,0	495	630	810
Rameur	Faible (50 watts)	3,5	192	245	315
Rameur	Modérée (100 watts)	7,0	385	490	630
Rameur	Élevée (150 watts)	8,5	467	595	765
Rameur	Très élevée (200 watts)	12,0	660	840	1080
Machine ski	Modérée	7,0	385	490	630

L'ENTRAÎNEMENT EN MUSCULATION

Pendant la grossesse, il est recommandé de combiner les exercices cardio-vasculaires et les exercices de musculation. L'entraînement avec des poids et haltères ne comporte aucun risque si ceux-ci ne sont pas trop lourds.

En plus de tonifier les muscles et d'accroître la flexibilité, la musculation peut grandement aider en matière de posture et prévenir certains maux dus au changement postural. La douleur la plus fréquente pendant la grossesse est celle ressentie au bas du dos. Selon les différentes études, on peut estimer qu'une femme sur deux ressentira des douleurs au dos pendant la grossesse, surtout au troisième trimestre. Si vous commencez à renforcer les muscles du tronc, de la paroi abdominale, du plancher pelvien et du bas du dos dès le premier trimestre, vous pouvez réduire les risques de douleurs au dos en fin de grossesse et même les risques d'incontinence urinaire après la grossesse.

LES PRÉCAUTIONS PENDANT LA GROSSESSE

Il n'est pas recommandé de s'entraîner en force pendant la grossesse. Priorisez un plus grand nombre de répétitions, par exemple de 10 à 15, avec des poids légers (1 à 2 kg ou 2 à 5 lb). Il faut aussi éviter de bloquer la respiration (manœuvre de Valsava) quand vous faites des exercices de musculation.

La plupart des exercices de musculation que vous faisiez avant d'être enceinte peuvent être poursuivis pendant la grossesse. Il y a cependant des précautions à prendre avec certains d'entre eux. Pour les exercices d'abduc-

Infobulle

LA RÉPÉTITION MAXIMALE
La répétition maximale (rm) représente la charge maximale que l'on peut soulever pour arriver à un épuisement complet à 15 répétitions.

tion et d'adduction des jambes, la région lombaire doit rester bien appuyée. Ne les faites pas si vous souffrez de lordose lombaire anormale (courbure prononcée dans le bas du dos souvent causée par l'augmentation du poids au niveau de l'abdomen, qui fait basculer le bassin vers l'avant).

Les exercices en position couchée sur le ventre, quant à eux, sont à proscrire à partir du quatrième ou cinquième mois.

Évitez de soulever des charges lourdes : Les charges lourdes peuvent exercer une tension trop importante sur les muscles et les ligaments, surtout si vous avez une lordose lombaire prononcée.

L'ÉQUIPEMENT

Plusieurs exercices de musculation ne nécessitent aucun accessoire. Inutile de tout acheter si vous n'avez pas ces équipements à la maison.

Les haltères : Idéaux pour la musculation à la maison, les haltères sont offerts en néoprène ou en métal, en différentes couleurs, et sont ajustables (coût : environ 1 S/lb). Si vous n'avez pas de petits haltères, vous pouvez aussi utiliser des boîtes de conserve !

Les poids aux chevilles : Ces poids s'attachent aux chevilles à l'aide d'une bande de Velcro et sont idéaux pour faire travailler les muscles du bas du corps avec un peu plus d'intensité. Vous pouvez en mettre deux sur la même jambe pour augmenter l'intensité (coût : S à SS).

L'élastique : L'élastique est un accessoire très utile pour les exercices de musculation. Le niveau de résistance des élastiques est déterminé par un code de couleur (coût : S à SS).

LES EXERCICES APPROPRIÉS PENDANT LA GROSSESSE

Vous trouverez dans cette section des exercices pour le plancher pelvien, pour le bas du corps, pour les abdominaux (tronc) et pour le haut du corps. Si vous n'avez pas le temps de faire des exercices pour chaque groupe musculaire, priorisez ceux pour le plancher pelvien.

Consultez le tableau de la page 143 avec les exercices spécifiques suggérés pour chaque niveau. Le nombre de séries et de répétitions recommandé varie selon votre niveau. Vous pouvez augmenter la charge de 1 à 2 kg (2 à 5 lb) ou la durée des répétitions.

Vous pouvez faire tous ces exercices tout au long de votre grossesse, sauf si vous ressentez un inconfort en les faisant ou en cas de contre-indication médicale, mais ne travaillez pas les mêmes régions musculaires deux jours de suite. Prenez une journée de repos pour récupérer, vous aurez de meilleurs résultats !

Recommandations

LES EXERCICES POUR LES ABDOMINAUX

- À partir du cinquième mois de grossesse, il n'est pas recommandé de faire certains exercices de renforcement musculaire, particulièrement quand la cage thoracique est comprimée, comme de longues séries de redressements assis sur le dos, sur une longue période de temps. Dans cette position, il y a un risque de comprimer la **veine cave** avec le poids du fœtus, ce qui peut occasionner de **l'hypotension** chez la mère, donc une chute de la tension artérielle.

- Il n'est pas recommandé de poursuivre les exercices pour les abdominaux si vous constatez un écart des grands droits. Pour plus d'information sur la diastase (post-partum), voir à la page 175.

LES EXERCICES PC

Consultez les exercice
Ces mêmes exercices
partum. Ces exercices
lombaire. Idéalement, i
muscles dans les dernie
pelvien régulièrement,
urinaire ou de prolapsu

Les exercices suivants pc
corps peuvent être faits   ...uns acces-
soires. Ils sont simples et ....res pour la femme enceinte qui ne présente pas de contre-indication médicale. Si vous n'êtes pas à l'aise avec un
exercice, remplacez-le par un autre.

Infobulle

Consultez le programme d'entraînement suggéré à la page 143.

LES EXERCICES POUR LE BAS DU CORPS

EXERCICE 1

L'EXTENSION DE LA JAMBE
Exécution : Prenez appui sur les coudes et les genoux. Pous-
sez un talon vers l'arrière et faites une extension complète
de la jambe, puis revenez en position initiale.
Région sollicitée : Fessiers

VARIANTE

DÉBUTANTE > INTERMÉDIAIRE > AVANCÉE >

Faites l'exercice avec le genou arrière plié à 90 degrés.
Vous pouvez aussi ajouter des poids aux chevilles pour plus
d'intensité.

EXERCICE 2

LE SUMO SQUAT

Exécution : Debout avec un poids dans les mains à la hauteur du bassin, écartez les jambes. Gardez le dos bien droit, gainez l'abdomen et, en inspirant, fléchissez les genoux à un angle de 90 degrés. Sortez les fesses et basculez le bassin vers l'avant, comme si vous vous assoyiez sur une chaise. Maintenez la position 2 ou 3 secondes et remontez en expirant. Augmentez le degré de difficulté en faisant la flexion et la remontée plus lentement.

Régions sollicitées : Quadriceps, ischio-jambiers, muscles lombaires et abdominaux, grands fessiers

VARIANTE

DÉBUTANTE INTERMÉDIAIRE > AVANCÉE >

Utilisez des élastiques sous les pieds. Vous pouvez régler la longueur des bandes élastiques pour augmenter ou diminuer l'intensité de l'exercice. Vous pouvez aussi utiliser un ballon au mur.

LES CISEAUX DE JAMBES

Exécution : En position debout, attachez un élastique aux pieds écartés à la largeur du bassin. Faites une élévation latérale d'une jambe (abduction), les orteils pointés vers l'intérieur, pour le travail du moyen fessier. Ramenez la jambe à la largeur du bassin et refaites l'exercice avec l'autre jambe.

Régions sollicitées : Abducteurs (grands fessiers, moyens fessiers et tenseurs du fascia lata), quadriceps et muscles lombaires.

VARIANTE

DÉBUTANTE > INTERMÉDIAIRE > AVANCÉE >

Vous pouvez faire cet exercice avec des poids attachés aux chevilles. Il est alors préférable de vous allonger sur le côté.

LA FENTE AVANT

Exécution : En position debout, le dos droit, faites un pas en avant. Sans dépasser les orteils, fléchissez le genou avant, puis revenez en position debout en poussant avec la jambe avant. Vous pouvez mettre les mains aux hanches ou prendre appui sur une chaise à côté de vous pour plus de stabilité.

Régions sollicitées : Quadriceps, grands fessiers, ischio-jambiers et muscles lombaires, qui sont indirectement sollicités comme stabilisateurs.

VARIANTE

INTERMÉDIAIRE > AVANCÉE >

Prenez des poids dans les mains pour augmenter la difficulté.

LES EXERCICES POUR LES ABDOMINAUX

Les exercices pour les abdominaux sont recommandés et même importants pour les femmes enceintes. En faisant des exercices régulièrement, vous diminuez les risques de souffrir de maux de dos et favorisez une bonne posture. Le fait de développer les obliques et les transverses de la gaine abdominale vous aidera lors de la phase d'expulsion, au moment de l'accouchement.

Pour un renforcement efficace, il faut solliciter les muscles abdominaux dans cet ordre (du plus profond au plus superficiel) :

1. les transverses de l'abdomen, muscles les plus profonds qui servent de gaine ;
2. les obliques internes et externes, situés de chaque côté des grands droits de l'abdomen ;
3. les grands droits de l'abdomen, qui relient le sternum et le pubis.

Il est recommandé d'adopter différentes positions, selon le stade de votre grossesse. Au lieu de faire des exercices pour les abdominaux en position couchée, favorisez les positions assises ou debout.

L'avis de la sage-femme

« Les abdominaux doivent rester fermes, mais surtout souples durant la grossesse. Des abdominaux trop contractés créent un stress sur la ligne blanche et peuvent augmenter le risque d'une diastase des grands droits. Il deviendra de plus en plus important au cours de la grossesse de trouver un équilibre permettant aux abdominaux d'être assez forts pour maintenir une bonne posture et protéger le dos, et en même temps d'être assez souples pour se laisser étirer par la grossesse. »

– *Mélanie Chevarie, sage-femme et professeur de yoga*

EXERCICE 5

LA TABLE EN ÉQUILIBRE

Exécution : Avec les genoux sous les hanches et les poignets alignés avec les épaules, gardez le dos droit et contractez les abdominaux. Allongez un bras vers l'avant et tendez la jambe opposée. Respirez profondément. La tête doit rester dans le prolongement de la colonne vertébrale. Maintenez la position pendant deux ou trois secondes ou plus, de chaque côté.

Régions sollicitées : Grands fessiers, ischio-jambiers et muscles dorsaux lombaires, deltoïdes postérieurs. Si le genou est au sol, les abdominaux ne sont pas sollicités.

VARIANTE

INTERMÉDIAIRE > AVANCÉE >

Pour augmenter le niveau de difficulté, faites l'exercice avec un élastique attaché à la main et au pied, tendus.

LA PLANCHE

Exécution : Placez-vous en appui sur les genoux ou les orteils et sur les avant-bras. Les coudes doivent être directement sous les épaules. Contractez les abdominaux et gardez le dos droit. Faites basculer le bassin vers l'avant pour éviter une lordose lombaire prononcée.

Plus vous avancez dans la grossesse, plus vous travaillez avec le poids du corps et plus cet exercice sera difficile à faire. Plus le ventre s'arrondit au troisième trimestre, plus vous risquez d'avoir une lordose en le faisant. Soyez consciente de votre position et accentuez la bascule avant du bassin.

Régions sollicitées : Grands droits de l'abdomen, transverses et muscles stabilisateurs du tronc

L'ÉLÉVATION DES JAMBES

Exécution : Couchez-vous sur le dos. Contractez les muscles pelviens en serrant les fesses et les muscles abdominaux. Fléchissez les genoux à 45 et 90 degrés, puis dépliez les genoux lentement, tout en gardant le dos collé au sol. Cet exercice peut convenir au troisième trimestre s'il est exécuté pendant une courte période de temps.

Régions sollicitées : Grands droits de l'abdomen et transverses

VARIANTE

INTERMÉDIAIRE ⟩ AVANCÉE ⟩

Pour plus d'intensité, mettez un ballon entre vos jambes. Vous pouvez jouer avec l'angle de flexion des genoux ou la durée des répétitions, en prenant par exemple 3 secondes pour élever les jambes et 2 secondes pour les fléchir.

EXERCICE 8

LA ROTATION DU TRONC

Exécution : En position debout, attachez le centre d'un élastique (sur une poignée de porte, une rampe d'escalier, un poteau, etc.), ou demandez à votre conjoint de le tenir. En tirant sur les deux extrémités de l'élastique, formez un triangle, et faites une rotation du tronc, tout en gardant le bassin et les genoux bien stables. Inspirez en tirant, puis expirez et revenez.

Régions sollicitées : Obliques internes et externes, grands droits de l'abdomen

VARIANTE

INTERMÉDIAIRE ⟩ AVANCÉE ⟩

Choisissez un élastique avec plus ou moins de résistance, pour varier le niveau de difficulté. Vous pouvez aussi vous placer plus loin de votre point d'attache pour augmenter la tension de l'élastique.

LES EXERCICES POUR LE HAUT DU CORPS
EXERCICE 9

LE RAMEUR ASSIS

Exécution : Assise, avec les jambes légèrement fléchies, l'élastique contournant vos pieds, tirez sur celui-ci en inspirant, en gardant les coudes élevés, la poitrine sortie et le dos cambré, puis expirez en revenant à la position de départ.

Régions sollicitées : Rhomboïdes, trapèzes, infra-épineux, petits et grands ronds, grands dorsaux, biceps et deltoïdes postérieurs

VARIANTE

INTERMÉDIAIRE ⟩ AVANCÉE ⟩

Choisissez un élastique avec plus ou moins de résistance pour varier le niveau de difficulté. Vous pouvez aussi enrouler l'élastique autour de vos pieds pour en réduire la longueur et augmenter la tension.

EXERCICE 10

LES POMPES

Exécution : En appui sur les genoux (débutante et intermédiaire) ou les orteils (avancée) et sur les mains (un peu plus écartées que la largeur des épaules), fléchissez les coudes en gardant le tronc bien stable. Gardez le dos bien droit et gainez la sangle abdominale. Ne sortez pas les fesses.

Régions sollicitées : Pectoraux, triceps, deltoïdes antérieurs, muscles abdominaux et muscles stabilisateurs du tronc

VARIANTE

DÉBUTANTE >

Si les pompes traditionnelles au sol sont trop difficiles ou que vous avez des douleurs au dos, particulièrement aux deuxième et troisième trimestres, optez pour les pompes debout en appui au mur. Elles sont plus faciles et sollicitent les mêmes groupes musculaires, les stabilisateurs du tronc en moins.

L'avis du médecin

« Aux deuxième et troisième trimestres, les pompes peuvent ajouter un stress au niveau du dos. Cet exercice n'est pas à proscrire, mais si vous ressentez une douleur dans le dos, faites les pompes debout face à un mur. »

*– Dr Pascale Desautels,
gynécologue-obstétricienne*

EXERCICE 11

LE RAMEUR DEBOUT

Exécution : En position debout, le dos bien droit, mettez l'élastique sous un pied (ou les deux pieds pour augmenter le niveau de difficulté). Tirez les coudes vers le haut en inspirant et expirez en revenant à la position de départ. Les mains doivent toujours rester plus basses que les coudes ; faites attention de ne pas casser les poignets.

Régions sollicitées : Deltoïdes, trapèzes et biceps

VARIANTE

INTERMÉDIAIRE > AVANCÉE >

Faites l'exercice avec les pieds rapprochés ou écartés, pour varier le niveau de difficulté.

PROGRAMME D'ENTRAÎNEMENT SUGGÉRÉ

NIVEAU	ENTRAÎNEMENT SUGGÉRÉ
Débutant	1 ou 2 séries de 12 répétitions avec une faible charge (15 rm*) Jour 1 : 11 exercices (1 à 11) Jour 2 : Repos Jour 3 : 11 exercices (1 à 11) Jour 4 : Repos Jour 5 : 11 exercices (1 à 11) Jour 6 : Repos Jour 7 : Repos
Intermédiaire	Poursuivre les exercices de musculation auxquels vous êtes habituée ou commencez de nouveaux exercices. Faites 2 ou 3 séries de 12 répétitions pour chaque exercice avec une charge modérée (15 rm). Jour 1 : Haut du corps + tronc (5 à 11) Jour 2 : Repos Jour 3 : Bas du corps (1 à 4) Jour 4 : Repos Jour 5 : Haut du corps + tronc (5 à 11) Jour 6 : Repos Jour 7 : Bas du corps (1 à 4)
Avancé	Poursuivre les exercices de musculation auxquels vous êtes habituée ou commencez de nouveaux exercices. Exécutez 2 à 4 séries de 12 répétitions avec une charge modérée (15 rm). Jour 1 : Haut du corps + tronc (5 à 11) Jour 2 : Repos Jour 3 : Bas du corps (1 à 4) Jour 4 : Repos Jour 5 : Haut du corps + tronc (5 à 11) Jour 6 : Repos Jour 7 : Bas du corps (1 à 4)

*rm = répétition maximale

ESTIMATION DE LA DÉPENSE CALORIQUE SELON L'EXERCICE

EXERCICE	INTENSITÉ	DÉPENSE ÉNERGÉTIQUE (METS)	CALORIES DÉPENSÉES PAR HEURE D'ACTIVITÉ		
			FEMME DE 55 KG	FEMME DE 70 KG	FEMME DE 90 KG
Conditionnement physique à la maison	Faible	3,5	193	245	315
Exercices avec poids libres	Élevée	6,0	330	420	540
Pompes, redressements assis, jumping jack	Élevée	8,0	440	560	720

LE YOGA

Le yoga est centré sur la respiration et les postures, qui peuvent être adaptées aux différents stades de la grossesse. Le yoga est idéal durant la grossesse et il est possible de commencer à tout moment, que vous ayez déjà pratiqué cette activité ou non. Plusieurs de ces techniques pourront être utilisées durant l'accouchement et la période postnatale. Vous pouvez d'ailleurs faire du yoga avec votre conjoint, pour l'aider à être plus serein lors de l'accouchement. Le yoga augmente ou permet de maintenir la flexibilité. Il tonifie les muscles tout en épargnant les articulations et prépare le corps à l'accouchement avec des positions qui augmentent la mobilité du bassin. De plus, sa pratique régulière aide à se sentir calme, alerte et concentrée.

Respectez votre rythme et vos limites. Si vous vous retrouvez à bout de souffle, par exemple, vous avez probablement dépassé vos limites. La pratique du yoga encourage à ressentir le corps, mais si vous avez des douleurs, vous êtes allée trop loin. Les débutantes peuvent joindre une classe d'une durée de 60 minutes et faire des pauses au besoin. Celles qui faisaient du yoga avant la grossesse peuvent faire des séances de 45 à 90 minutes. Pratiquer quotidiennement, ne serait-ce que 15 minutes par jour, permet de garder une constance et aide à rester centrée.

L'ÉQUIPEMENT

L'équipement nécessaire se compose de vêtements confortables, d'une courroie (coût : $ ou vous pouvez utiliser la ceinture de votre robe de chambre), de deux blocs de yoga (coût : $ à $$), d'un tapis de yoga (coût : $ à $$$), d'une chaise stable (coût : $) et d'un ballon de gymnastique (coût : $ à $$).

LES PARTICULARITÉS PENDANT LA GROSSESSE

LE PREMIER TRIMESTRE (SEMAINES 4 À 12)

Si vous souffrez de nausées, de problèmes digestifs ou de fatigue, optez pour une pratique plus douce, avec des postures sans inversion. N'oubliez pas de prendre un temps de repos à la fin de vos exercices en terminant avec des postures de récupération et de détente, et en incluant, si vous le souhaitez, une séance de méditation à la fin de votre programme. De plus, les postures sur le dos, à ce stade-ci, sont sans réelles contre-indications.

Les postures indiquées au premier trimestre :

- La plupart des postures en position debout qui ne demandent pas de rotation prononcée (celle du triangle inversé, guerrier 2, la pyramide).
- Les postures assises qui impliquent une rotation, comme le *Bharadvajasana*. Elles détendent le bas du dos et donnent de la souplesse à la colonne vertébrale et aux muscles qui s'y attachent, tout en massant les organes internes.
- Les postures de récupération, comme la posture de l'enfant, la posture genoux-pectoraux, la posture de la déesse ou celle des jambes au mur.
- Les postures de relaxation.

Les postures contre-indiquées au premier trimestre :

Les postures qui engagent intensément la paroi abdominale, comme celle du bateau, doivent être faites avec modération, pour éviter de trop comprimer les organes.

LE DEUXIÈME TRIMESTRE (SEMAINES 13 À 27)

Une pratique plus intense peut être appropriée durant cette période si vous aviez réduit vos séances au premier trimestre en raison de la fatigue ou des nausées. En ce sens, le seul fait d'augmenter la durée des séances peut faire la différence.

Après la 20e semaine, si vous ressentez un malaise en position couchée sur le dos (étourdissements, nausées), il est recommandé de garder un angle de la tête de 20 degrés (mettre un coussin sous la tête). Si vous ne ressentez aucun malaise à être couchée sur le dos, ou le côté gauche, ces postures ne sont pas contre-indiquées.

Les postures d'équilibre devraient être faites près d'un mur ou d'un point d'appui, pour diminuer les risques de chutes, qui augmentent lorsque le centre de gravité se déplace, au deuxième trimestre.

Les rotations profondes deviennent très vite inconfortables durant la grossesse. Elles compriment l'abdomen et donnent la sensation d'écraser le bébé, bien que ce ne soit pas nécessairement le cas. Respectez vos sensations et allez-y en douceur.

L'avis de la sage-femme

« Le yoga prénatal est excellent pour les femmes enceintes, quel que soit leur niveau, et il peut être initié à tout moment de la grossesse. Globalement, la pratique de certaines postures yogiques, au-delà du tonus qu'elles apportent, relaxera les régions de votre corps sollicitées durant la grossesse (jambes, buste, torse) et renforcera les zones qui seront très sollicitées durant l'accouchement, comme le bassin et le périnée. À cet effet, vous pourrez continuer de pratiquer plusieurs postures après l'accouchement pour renforcer des régions de votre corps ou en rééduquer d'autres, tel le périnée. Les exercices de respiration et de relaxation peuvent aussi vous être utiles pendant le travail de l'accouchement. »

– *Mélanie Chevarie, sage-femme et professeur de yoga*

LE BÉBÉ PEUT-IL SE RETOURNER LORS DE POSTURES INVERSÉES AU TROISIÈME TRIMESTRE ?

L'utérus et les organes internes encouragent habituellement le bébé à prendre position la tête vers le bas en fin de grossesse. Cependant, il arrive parfois que la forme de l'utérus ou qu'une disposition quelconque indispose le bébé, ne lui permettant pas, ou difficilement, de se retourner. Pour certaines femmes, le bébé peut avoir uniquement besoin d'un peu d'« encouragement » pour se retourner. Si le bébé a toujours les fesses en bas après la 36e semaine, il est tout à fait indiqué de faire des postures où le bassin est plus haut que les épaules (la meilleure est la posture du chiot qui s'étire, *Uttana Shishosana*, mais toutes les postures inversées dégagent le bébé dans le bassin, lui permettant de se retourner plus aisément). Lorsque vous faites la posture du chiot qui s'étire, commencez graduellement en maintenant la posture quelques minutes jusqu'à atteindre 30 minutes pour aider à faire se retourner le bébé. Si le bébé est dans la bonne position, c'est-à-dire la tête en bas et les fesses en haut, il n'y a peu de risque qu'il se retourne, puisque tout le corps de la mère et du bébé sont faits pour favoriser l'alignement du bébé la tête vers le bas.

Les postures indiquées au deuxième trimestre :

- Les ouvertures du cœur dans lesquelles les hanches sont supportées, à genoux ou à quatre pattes, contribuent à maintenir la mobilité de la colonne vertébrale.
- Les postures de la face de vache et de la prière inversée aident à supporter la lourdeur des seins.
- Les postures qui encouragent la circulation dans les jambes, comme la posture de la déesse, la posture du héros, ou l'étirement des jambes en position couchée et ses variantes.

Les postures contre-indiquées au deuxième trimestre :

- Les inversions complètes, si vous souffrez de nausées, et les transitions rapides d'une posture à une autre, qui peuvent entraîner des chutes de pression au deuxième trimestre.

LE TROISIÈME TRIMESTRE (SEMAINES 28 À 40)

Au troisième trimestre, il est recommandé de reprendre un rythme plus lent et plus introspectif ; le corps change et le centre de gravité se déplace. Plusieurs postures deviennent de moins en moins faciles à faire. Le souffle est plus court et le taux d'énergie moins élevé. Si vous vous sentez très fatiguée, réduisez la durée et l'intensité de vos séances, sans tout arrêter.

Il s'agit d'un bon moment pour pratiquer vos techniques de respiration en vue de l'accouchement, comme la respiration en trois parties, *Dirga Pranayama* (voir à la page 154).

Les postures indiquées au troisième trimestre :

- Les postures pour aider la circulation sanguine, comme la posture des jambes sur le mur ou la posture de la déesse.
- Les postures à demi inversées, comme la posture du chien la tête vers le bas, et surtout les postures rapprochant les genoux et les pectoraux, comme celle du chiot qui s'étire, sont recommandées.
- Les postures d'ouverture des hanches, si le bassin est stable, aident à préparer à la position de l'accouchement.
- Les postures de détente supportée, les techniques de respiration douces, comme la respiration en trois parties, *Durga Pranayama*, la respiration alternée d'une narine à l'autre, *Nadi Shodana,* ou le *Sitali* (*cooling breath*).

Les postures contre-indiquées au troisième trimestre :

- Les torsions profondes, les flexions avant profondes, les flexions arrière, comme la roue complète, si vous ne les pratiquiez pas avant.
- Les inversions (en cas de fatigue, de troubles gastriques et de nausées).
- La technique de respiration *Kapalabhati*, et toutes les techniques de respiration qui augmentent la chaleur corporelle, comme le *Breath of fire*, ne sont pas recommandées.

ESTIMATION DE LA DÉPENSE CALORIQUE POUR LE YOGA

ACTIVITÉ	INTENSITÉ	DÉPENSE ÉNERGÉTIQUE (METS)	CALORIES DÉPENSÉES PAR HEURE D'ACTIVITÉ		
			FEMME DE 55 KG	FEMME DE 70 KG	FEMME DE 90 KG
Yoga	Faible	2,5	138	175	225
Yoga	Modérée	4,0	220	280	360
Yoga	Élevée	6,0	330	420	540
Étirements	Faible à modérée	2,5	138	175	225

QUELQUES EXERCICES DE YOGA PRÉNATAL

POSTURE 1

L'ENFANT

Cette posture de relaxation doit être confortable et vous permettre de vous détendre. Si ce n'est pas le cas, changez pour une autre qui vous conviendra mieux.

Exécution : Appuyez le front sur le tapis ou sur un bloc de yoga et allongez les bras vers l'avant. Écartez les genoux pour laisser de la place à l'abdomen. Les fessiers devraient être aussi près des talons que possible. Inspirez et expirez profondément.

Durée : Maintenez la position le temps de 5 respirations.

Cette posture de relaxation doit être confortable et vous permettre de vous détendre. Si ce n'est pas le cas, changez pour une autre qui vous conviendra mieux.

Exécution : Appuyez le haut du corps et la tête sur un oreiller, la tête tournée d'un côté. Montez les fesses, inspirez et expirez profondément.

Durée : Maintenez la position de 20 à 30 secondes et refaites la même chose en tournant la tête de l'autre côté.

POSTURE 2

VARIATION CHIEN-CHAT SUR CHAISE
Cette posture dénoue la colonne vertébrale et lui redonne de la flexibilité.

Exécution : Assise sur une chaise stable, assurez-vous d'être confortable et d'avoir les pieds par terre. Agrippez le dossier de la chaise et inspirez en ouvrant les épaules et la cage thoracique. Laissez la cage thoracique monter vers le ciel, les omoplates glisser vers les reins et le dos se cambrer.

Expirez et arrondissez le dos pour amener le bassin en rétroversion. Les omoplates s'écartent et le menton se dirige vers la poitrine.

Durée : Faites ces deux mouvements à 5 reprises.

POSTURE 3

EXTENSION LATÉRALE DE LA COLONNE VERTÉBRALE

Cette posture dénoue la colonne vertébrale et lui redonne de la flexibilité. Elle dégage la cage thoracique, crée de l'espace pour les organes internes et aide à mieux respirer.

Exécution : Assise sur une chaise stable, posez le coude gauche sur le dossier de la chaise. Inspirez et allongez l'autre bras vers le haut et dirigez-le vers la gauche (le bras doit rester aligné avec la tête).

Durée : Maintenez la position le temps de 5 respirations, puis faites la même chose de l'autre côté.

POSTURE 4

ROTATION DE LA COLONNE

Cette posture dénoue la colonne vertébrale, masse les organes internes et aide au transit intestinal.

Exécution : Assise sur une chaise stable, inspirez et allongez la colonne vertébrale. Expirez et commencez à tourner le nombril, la cage thoracique, les épaules, le menton et les yeux vers la droite. En tout temps, le sommet de la tête et le coccyx doivent rester alignés.

Durée : Maintenez la position le temps de 5 respirations, puis faites la même chose de l'autre côté.

POSTURE 5

LE *JANU SIRSANA*

Exécution : Assoyez-vous avec les deux fesses confortablement ancrées au sol. Écartez les cuisses et portez un pied à l'intérieur de la cuisse opposée.

Formez un point avec les mains et faites des cercles en les initiant dans la direction de la jambe allongée.

Durée : Faites l'exercice 5 fois, puis changez de côté.

Infobulle

Si vous ne pouvez pas garder le dos droit lorsque vous êtes assise au sol, placez un coussin sous les fessiers.

POSTURE 6

GRAND ANGLE, EN POSITION ASSISE

Exécution : Assise avec les deux fessiers confortablement ancrés au sol, ou sur un bloc ou un coussin si vous manquez de flexibilité, écartez les jambes et pointez vos orteils vers le plafond. Les jambes ne sont pas passives, leurs muscles sont bien activés. À partir des hanches, faites une flexion avant.

Il est préférable d'aller moins loin que d'arrondir le dos.

Durée : Maintenez la position le temps de 5 respirations.

POSTURE 7

GRAND ANGLE, EXTENSION LATÉRALE

Exécution : Déposez la main sur la cuisse, la jambe ou la cheville et allongez l'autre bras vers le haut en longeant l'oreille.

Durée : Maintenez la position le temps de 5 respirations, puis faites la même chose de l'autre côté.

VARIANTE A

Allongez la colonne vertébrale et commencez une torsion vers la droite. Le crâne doit être aligné directement au-dessus du coccyx. Votre bras gauche est droit et le dos de votre main est à l'intérieur de votre cuisse.

Durée : Maintenez la position le temps de 5 respirations profondes, puis faites la même chose de l'autre côté.

POSTURE 8

LA TORTUE

Exécution : Joignez les pieds et roulez le dos jusqu'à porter la tête aux pieds ou sur un coussin (ou bloc).

Durée : Respirez profondément et maintenez la position le temps de 5 respirations.

POSTURE 9

L'ÉTIREMENT DES JAMBES, EN POSITION COUCHÉE

En plus d'étirer et de stimuler la circulation au niveau des jambes et de l'attachement au bassin, ces mouvements sont excellents pour soulager les douleurs sacro-iliaques, dont le pincement du nerf sciatique. Cette posture peut se faire sur le dos si vous êtes confortable dans cette position.

Exécution : En position semi-assise, appuyez votre dos sur un coussin ferme. Pliez les genoux en évitant de cambrer le dos.

Durée : Maintenez la position le temps de 5 respirations, puis faites la même chose de l'autre côté.

VARIANTE A

Exécution : Placez la courroie sous le pied gauche et tenez-en les deux bouts dans la main gauche. Ouvrez doucement la jambe vers le sol. Prenez 5 respirations puis reprenez la position de départ.

Le bassin doit être soutenu tout au long du mouvement. Si votre dos a tendance à se décoller du coussin, vous allez probablement trop loin dans le mouvement. Ramenez donc légèrement la jambe vers le centre. Faites la même chose de l'autre côté.

Durée : 5 respirations de chaque côté.

Exécution : La courroie sous le pied gauche, tenez-en les deux bouts dans la main droite et portez la jambe en direction opposée. Maintenez la position le temps de 5 respirations, revenez au centre, replacez les pieds au sol, puis faites la même chose de l'autre côté.

POSTURE 10

LA FACE DE VACHE

En plus d'étirer la ceinture scapulaire, cette posture est excellente pour soulager la lourdeur des seins.

Exécution : Assoyez-vous avec les talons sous les fesses. Levez le bras droit et pliez le coude derrière la tête, pour que votre main pende vers votre omoplate.

Déposez la main gauche sur le coude droit pour l'aider à descendre plus bas vers le dos. Relaxez les épaules.

Durée : Maintenez la position le temps de 5 respirations, puis faites la même chose de l'autre côté.

VARIANTE

Exécution : Amenez le bras gauche derrière le dos et tentez d'agripper votre main droite. Si vous manquez de flexibilité, aidez-vous d'une courroie. Si vous utilisez une courroie, essayez de remonter la main en la suivant, jusqu'à joindre les mains ensemble.

Durée : Maintenez la position le temps de 5 respirations, puis faites la même chose de l'autre côté.

POSTURE 11

LA FILLE DE PRIÈRE

Vous pouvez profiter de cette posture pour faire vos exercices du périnée, puisqu'elle est excellente pour favoriser l'ouverture du bassin et étirer le périnée. Si vous souffrez d'incontinence urinaire, placez un support sous les fesses ou ne faites pas cette posture. Faites plutôt les exercices de renforcement du périnée dans une position inclinée ou couchée. Cette posture améliore la flexibilité des hanches, des genoux et des chevilles.

Exécution : En position accroupie, sur les talons, joignez les mains ensemble, avec les coudes au-dessus des genoux. Vérifiez que vos rotules pointent dans la même direction que les orteils. Si vos talons ne touchent pas le sol, mettez une couverture sous les talons pour vous soutenir. Cette posture ne devrait pas engendrer de douleurs aux genoux.

Durée : Maintenez la position le temps de 5 respirations profondes.

POSTURE 12

LES JAMBES SUR LE MUR

Cette posture est excellente pour soulager l'œdème, de même que la lourdeur des jambes. La variante permet d'aller chercher un étirement au niveau du bassin et des jambes.

Exécution : En position couchée, approchez les fesses le plus près possible du mur. Laissez votre dos se détendre sur le plancher. Si vous manquez de flexibilité, placez un coussin sous vos fesses.

Écartez les bras, l'intérieur des mains vers le haut, détendez les épaules et tout le corps. Respirez profondément 5 fois, puis respirez naturellement en vous détendant.

VARIANTE

Pliez les genoux et écartez-les du mur en joignant les pieds.

LA RESPIRATION EN TROIS PARTIES (*DIRGA PRANAYAMA*)

Cet exercice de respiration peut être fait en tout temps pendant la grossesse, pendant le travail de l'accouchement et durant la période post-partum. Cependant, quand vient le temps de pousser lors de l'accouchement, les femmes devraient écouter leurs sensations et suivre leur intuition.

Bien que cet exercice respiratoire se fasse traditionnellement assis avec les jambes croisées, vous pouvez le faire dans la position qui vous convient, sur une chaise, dans votre bain ou dans votre lit, avant de dormir. Si vous êtes confortable sur le dos, profitez du contact avec le sol pour ressentir votre respiration dans votre dos.

Portez votre attention sur le moment présent. Détendez-vous. Cet exercice augmente la capacité respiratoire et l'apport en oxygène lors de chaque respiration.

Exécution :

1. Dans une position où vous pouvez vous relaxer complètement, fermez les yeux.

2. Respirez profondément par les narines.

3. Placez vos mains sur votre ventre pour mieux sentir le mouvement de la respiration.

4. Expirez aussi profondément que vous avez inspiré.

5. Après quelques respirations, remplissez d'air votre bas-ventre, puis continuez en inspirant plus profondément pour remplir également la cage thoracique.

6. À l'expiration, videz l'air de la cage thoracique puis du ventre complètement. Vous pouvez placer une main sur le ventre et l'autre sur la cage thoracique pour vous aider à contrôler la respiration.

7. Pour les prochaines respirations, remplissez premièrement le ventre, la cage thoracique et le haut de la poitrine, jusqu'aux clavicules.

8. À l'expiration, videz la poitrine, la cage thoracique puis le ventre.

9. Respirez ainsi en trois temps, pendant quelques minutes.

Lorsque vous maîtriserez bien cette technique de respiration en trois temps, vous pourrez commencer directement à l'étape 8. La respiration deviendra fluide et apaisante.

LA RESPIRATION D'UNE NARINE À L'AUTRE (*NADI SODHANA*)

Cet exercice de respiration calme et procure un sentiment de détente. Il peut être fait en tout temps, pendant la grossesse et la période post-partum. Il est idéal pendant les périodes de stress, d'anxiété et aussi pour réduire les épisodes d'insomnie.

Exécution :

1. Assoyez-vous dans une position confortable.

2. Utilisez la main droite et pliez l'index et le majeur vers la paume de la main, laissant ainsi le pouce, l'annulaire et l'auriculaire pour exécuter les mouvements de la respiration. Cette position de la main se nomme *Vishnu Mudra*.

3. Portez votre pouce vers le côté droit de votre nez, et l'index et l'auriculaire vers la gauche.

4. Fermez délicatement la narine droite avec votre pouce.

5. Inspirez par la narine gauche.

6. Fermez la narine gauche avec l'index et l'auriculaire.

7. Ouvrez la narine droite et expirez par cette narine.

8. Inspirez par la narine droite.

9. Fermez la narine droite avec le pouce.

10. Ouvrez la narine gauche et expirez par cette narine.

11. Inspirez par la narine gauche.

12. Refaites les étapes 6 à 11 pendant quelques minutes.

Capsule maman

LE YOGA À MON RYTHME

« J'ai commencé à faire du yoga il y a un an. Je me suis inscrite à un cours de yoga prénatal et j'adore cette activité. Je ne suis pas très sportive, mais j'aime beaucoup le yoga, car je peux faire les exercices à mon rythme. J'en fais deux soirs par semaine et il m'arrive de faire quelques exercices le soir à la maison en écoutant la télévision, surtout des postures de relaxation. Ça me fait beaucoup de bien. Mon emploi est assez stressant et le yoga m'aide à faire descendre mon niveau de stress. »

– Joanie, 29 ans, enceinte de six mois

LES EXERCICES SUR UN BALLON D'ENTRAÎNEMENT

Le ballon est un accessoire très utile pour faire des exercices de musculation, d'étirement et de relaxation. Il aide à mobiliser les muscles stabilisateurs du tronc (à condition de les solliciter directement), et peut ainsi aider à améliorer la posture.

Il permet de diversifier les entraînements et de faire une panoplie d'exercices préparatoires pour l'accouchement, en groupe ou dans le confort de votre salon. Pendant la grossesse, le ballon peut aussi soulager les douleurs lombaires ou au bassin. Les exercices avec le ballon peuvent être faits tout au long de la grossesse.

TRUCS ET CONSEILS

• Si vous n'êtes pas habituée, faites attention de ne pas tomber. Commencez par des exercices simples et ajoutez-en au fur et à mesure que votre équilibre s'améliore.

• Assurez-vous d'avoir suffisamment d'espace pour effectuer les exercices.

• Choisissez des vêtements qui adhèrent bien à la surface du ballon et des souliers avec une semelle antidérapante (souliers de course).

• Si vous êtes débutante, demandez à quelqu'un de vous aider pour les exercices plus difficiles.

L'ÉQUIPEMENT

Assurez-vous que le ballon convient à votre taille. Lorsque vous êtes assise sur le ballon, vos jambes doivent former un angle de 90 degrés. Si possible, choisissez un ballon anti-éclatement (coût : de 25 à 70 $).

VOTRE TAILLE	BALLON (DIAMÈTRE)
140 à 153 cm (47 à 50 po)	45 cm
154 à 168 cm (51 à 56 po)	55 cm
169 à 185 cm (57 à 61 po)	65 cm
186 à 203 cm (62 à 68 po)	75 cm

LES EXERCICES AVEC BALLON

Il existe une panoplie d'exercices avec ballon. Les cinq exercices suivants peuvent être faits tout au long de la grossesse et surtout durant la phase de travail lors de l'accouchement. Plusieurs hôpitaux possèdent des ballons dans les chambres d'accouchement, mais vous pouvez apporter le vôtre.

EXERCICE 1

LA BASCULE DU BASSIN ASSISE SUR LE BALLON

Cet exercice est excellent pour la musculature du bassin. Il a pour but d'augmenter la flexibilité générale du bassin pour faciliter l'engagement du bébé dans la cavité pelvienne pendant le travail de l'accouchement. De plus, il assouplit le périnée afin de prévenir les déchirures ou une éventuelle épisiotomie.

Exécution : Assoyez-vous sur le ballon, le dos droit, les pieds au sol et les mains sur les hanches. Contractez les muscles pelviens et gainez l'abdomen. Détendez-vous.

Redressez le bassin tranquillement en roulant sur le ballon. Faites ensuite basculer le bassin vers l'arrière, jusqu'à ce que le ballon roule sous vos fesses. Inspirez et expirez lentement tout en faisant les rotations.

Durée : Aussi longtemps que vous le désirez.

EXERCICE 2

LA RELAXATION SUR BALLON

Exécution : À genoux devant le ballon, serrez-le avec vos bras et appuyez votre ventre dessus, puis inspirez et expirez profondément. La position adoptée dépendra de la grosseur de votre ventre et de votre niveau de confort. Votre partenaire peut vous masser le dos pendant que vous êtes en appui sur le ballon. Cet exercice peut aussi être fait sur un gros coussin ou un sofa.

Durée : Aussi longtemps que vous le désirez.

EXERCICE 3

L'ÉTIREMENT DORSAL AVEC LE PARTENAIRE

Exécution : Alors que votre partenaire est assis sur le ballon avec les jambes écartées, tournez-lui le dos et laissez-le vous prendre sous les bras (aux aisselles). Accroupissez-vous tout en restant en appui sur vos jambes. Vos fesses ne doivent pas toucher le sol. Cet exercice procure une sensation d'étirement et de relaxation au niveau du dos, et il peut être fait pendant la phase de travail pour aider à faire descendre le bébé.

Durée : Aussi longtemps que vous le désirez.

DOS AU MUR AVEC LE PARTENAIRE

Exécution : Alors que votre partenaire est dos au mur, appuyé sur le ballon, tournez-lui le dos et laissez-le vous prendre dans ses bras.

Votre partenaire doit fléchir les genoux puis se relever, en faisant rouler le ballon dans son dos. Suivez son mouvement et détendez-vous.

Durée : Aussi longtemps que vous le désirez.

RELAXATION AVEC LE PARTENAIRE

Exécution : Assoyez-vous sur le ballon. Votre partenaire doit être debout, en face de vous.
Entourez les hanches de votre partenaire avec vos bras et laissez-vous bercer. Votre partenaire peut faire de légers mouvements latéraux. Détendez-vous.

Durée : Aussi longtemps que vous le désirez.

Capsule maman

DIMINUER GRADUELLEMENT

« Je joue au tennis depuis l'âge de trois ans. J'ai joué au niveau national, puis je suis devenue entraîneur.

« Pendant le premier trimestre de ma grossesse, j'ai continué à donner des cours de tennis à temps plein. Je ne me sentais pas incommodée et ne ressentais pas le besoin de me reposer.

« Durant les deux trimestres suivants, j'ai joué moins souvent, en réduisant l'intensité, mais j'ai plutôt fait d'autres activités cardiovasculaires, comme l'aqua-maman et la marche chaque jour. »

– Catherine Gauthier-Platz, mère d'une fille d'un an et demi

LES AUTRES SPORTS

LES SPORTS DE RAQUETTE

La femme active qui pratiquait le tennis, le badminton ou tout autre sport de raquette avant sa grossesse peut continuer à le faire pendant celle-ci, dans la mesure où elle est à l'aise pour effectuer des déplacements latéraux qui peuvent entraîner une chute. Ces sports engendrent des impacts sur les articulations et les ligaments, et peuvent ne plus convenir aux deuxième et troisième trimestres de la grossesse.

L'ESCALADE

Certaines femmes actives adeptes de l'escalade font le choix de poursuivre cette activité pendant la grossesse. Si vous voyez des grimpeuses enceintes munies d'un harnais spécial sur les parois intérieures ou extérieures, c'est qu'elles sont expérimentées et connaissent bien leurs limites. Si vous n'avez jamais fait d'escalade ou que vous ne maîtrisez pas ce sport, ne vous aventurez pas sur une paroi d'escalade !

L'avis du médecin

« L'escalade peut être pratiquée tout au long de la grossesse, pourvu qu'elle soit adaptée aux capacités de chacune, que le risque de chute ou de coups à l'abdomen soit réduit et que l'intensité soit régulièrement réévaluée tout au long de la grossesse. La présence de douleur, de contractions ou de fatigue devrait faire réfléchir sur l'intensité de l'exercice pratiqué. Il faut aussi bien s'échauffer et incorporer des exercices d'étirement. »

– Dr Catherine Brunel-Guitton

ESTIMATION DE LA DÉPENSE CALORIQUE POUR LES SPORTS DE RAQUETTE ET L'ESCALADE

ACTIVITÉ	INTENSITÉ	DÉPENSE ÉNERGÉTIQUE (METS)	CALORIES DÉPENSÉES PAR HEURE D'ACTIVITÉ		
			FEMME DE 55 KG	FEMME DE 70 KG	FEMME DE 90 KG
Badminton social simple ou double	Faible à modérée	4,5	247	315	405
Badminton compétitif	Modérée à élevée	7,0	385	490	630
Racquetball	Faible à modérée	7,0	385	490	630
Racquetball compétitif	Modérée à élevée	10,0	550	700	900
Squash	Modérée à élevée	12,0	660	840	1080
Tennis de table, ping-pong	Modérée	4,0	220	280	360
Tennis double	Modérée	5,0	275	350	450
Tennis simple	Modérée	8,0	440	560	720
Escalade	Modérée à élevée	11,0	605	770	990
Escalade et rappel	Modérée à élevée	8,0	440	560	720

CHAPITRE 7

Le retour à la maison : retrouver la forme

Ça y est, bébé est là ! Vous êtes de retour à la maison et vous vous remettez tranquillement de l'accouchement. Vous essayez tant bien que mal d'accumuler les heures de sommeil et votre corps s'adapte à ce nouveau changement de rythme. Vous n'êtes pas au meilleur de votre forme ? C'est tout à fait normal ! Vous aurez besoin de plusieurs semaines et du soutien de vos proches pour reprendre le dessus et permettre à votre corps de se remettre naturellement.

L'ALLAITEMENT

Les experts internationaux s'entendent sur le fait que l'allaitement au sein constitue la meilleure façon d'offrir au nouveau-né le maximum de nutriments, mais aussi une protection immunitaire grâce à l'apport d'anticorps qu'aucune préparation ne peut lui offrir.

L'ALLAITEMENT ET L'APPORT ÉNERGÉTIQUE

Pour les mères qui allaitent, les réserves de gras qui se sont accumulées durant la grossesse commencent à diminuer environ 15 jours après l'accouchement et sont essentiels à l'allaitement. L'allaitement peut contribuer à faciliter la perte de poids par l'augmentation de la dépense en énergie qui y est liée, estimée à 675 kcal (2824 kJ) par jour pour les six premiers mois. On recommande donc une prise additionnelle moyenne de 500 kcal (2100 kJ) par jour. Il faut également ajouter à cela les besoins pour l'activité physique.

CALCULEZ VOTRE DÉPENSE ÉNERGÉTIQUE ESTIMÉE (DEE)

Étape 1: Métabolisme de repos	x	Étape 2: Facteur d'activité	+	Étape 3: Besoins pour l'allaitement	=	DEE
kcal	x		+	500 kcal (2100 kJ)	=	

Au besoin, revoyez la grille de calcul (à la page 44) pour bien évaluer vos besoins en énergie durant cette période, en prenant soin de remplacer la valeur énergétique additionnelle recommandée par trimestre par une valeur de 500 kcal (2100 kJ) pour l'allaitement. Les femmes ayant pris plus de poids que prévu peuvent ajouter un peu plus d'activité physique en maintenant un apport énergétique plus élevé de 300 à 500 kcal par jour.

Ce n'est pas le temps de suivre un régime sévère. Une restriction en énergie, soit moins de 1500 kcal par jour, peut affecter la quantité de lait maternel, et potentiellement la croissance du bébé. La restriction calorique met en circulation les graisses et les toxines accumulées. De plus, vous risquez de manquer de nutriments d'importance capitale pour vous et votre bébé en éliminant certains aliments. Par exemple, si vous réduisez les produits céréaliers, ce sont les vitamines du groupe B, les fibres, le fer et les glucides qui manqueront à votre alimentation. Soyez patiente, la plupart des femmes retrouvent leur poids dans l'année après l'accouchement. Donnez la priorité aux nutriments, au repos et à une activité physique en fonction de votre forme physique. Ces premières semaines doivent servir à refaire vos forces et vos réserves d'éléments nutritifs puisque l'allaitement et votre nouvelle vie de mère demandent une adaptation, et donc du temps et de l'énergie.

VOUS AVEZ FAIM?

Lors de l'allaitement, vous perdez du liquide par le lait maternel, vous risquez donc de vous déshydrater, surtout si vous allaitez en été. Il est important de vous hydrater d'abord lorsque vous avez faim, car il est possible que la faim cache une soif. Cependant, il est normal que vous ayez plus souvent faim, puisque votre dépense énergétique est plus grande.

Voici quelques idées de collations à favoriser selon votre goût du jour:

- des céréales froides mélangées avec des fruits séchés;
- des biscuits Graham;
- une galette de riz avec du miel ou de la confiture;
- un yogourt aux fruits ou à la vanille;
- une barre de céréales;
- une petite boîte de raisins secs;

- une brochette de fruits et de fromage ;
- un sorbet au citron ;
- des tranches de pommes avec du fromage ou du beurre d'amandes ;
- des barres de fruits séchés ;
- de la compote de fruits et un biscuit sec ;
- du fromage cottage et une nectarine ;
- des pruneaux déshydratés ;
- des fèves de soya grillées et rôties ;
- une galette de riz avec une trempette ;
- des craquelins riches en fibres ;
- des fèves de soya edamame avec un peu de sel ;
- du jus de légumes, des légumes avec de l'houmous ou du tzatziki ;
- un petit bol de soupe poulet et nouilles ;
- des noix et des graines avec des fruits séchés (ils sont d'ailleurs d'excellentes collations à avoir en tout temps avec vous).

Pour ce qui est des aliments à éviter, il n'y en a aucun. Sachez que le goût de votre lait peut changer selon ce que vous mangez. Votre bébé découvre de nouveaux goûts **à travers** le lait maternel et il est possible qu'il vous fasse savoir ce qu'il n'aime pas ! Si vous voyez qu'il est incommodé par un aliment, arrêtez de le consommer et réessayez après quelques jours.

VOUS AVEZ SOIF ?

Buvez d'abord de l'eau ou aromatisez votre eau de fruits frais. Buvez de l'eau pétillante pour varier, accompagnée de gingembre et de citron, qui sont très désaltérants. Un grand verre de lait ou de boisson de soya enrichie vous permet, comme à votre bébé, de faire le plein de nutriments pendant l'allaitement. Ajoutez-y des fruits pour une collation qui vous sustentera jusqu'au prochain boire.

L'ALCOOL

Des études ont démontré que les bébés boivent moins de lait lorsqu'il contient des traces d'alcool. L'alcool que vous buvez prend de 30 à 60 minutes avant de se retrouver dans le lait maternel, si vous êtes à jeun. Ce délai augmente lorsque l'alcool est consommé pendant le repas. Si vous buvez un verre de vin ou de bière, il faut idéalement prévoir un délai de deux heures avant le prochain boire. Certaines mamans préfèrent ne pas courir de risque et donner du lait tiré préalablement lorsqu'elles prennent un verre d'alcool. Sachez qu'une bouteille de bière de 350 ml et un verre de vin de 150 ml (5 oz) contiennent la même quantité d'alcool.

LA CAFÉINE

Une très petite quantité de la caféine du café et des aliments contenant de la caféine se retrouve dans le lait maternel. Malgré tout, il ne faut pas oublier que la caféine agit sur la capacité d'absorption du fer. Si vous êtes active et que vous avez perdu beaucoup de sang lors de l'accouchement, vous devez maximiser l'absorption du fer que vous consommez. Votre consommation ne devrait pas dépasser l'équivalent d'un ou deux cafés par jour.

L'ALLAITEMENT ET LES ALLERGIES ALIMENTAIRES

Il semble que l'allaitement permette de diminuer les risques d'allergies alimentaires chez l'enfant qui est allaité exclusivement jusqu'à quatre à six mois. Un bébé est considéré comme à risque s'il y a un historique familial d'allergies alimentaires. L'élimination d'aliments lors de l'allaitement n'a par contre pas démontré une réduction des possibilités d'allergies alimentaires chez l'enfant à risque. Quoi qu'il en soit, le Comité de Nutrition de la Société française de Pédiatrie et l'American Academy of Pediatrics recommandent aux femmes de familles à risque d'éviter les arachides pendant la période d'allaitement.

L'ALLAITEMENT ET L'ACTIVITÉ PHYSIQUE

Le fait d'allaiter ne vous empêchera pas d'être active, bien au contraire. Vous pouvez aller partout avec votre bébé, et vous n'avez pas à apporter de bouteilles ! Vous pouvez aussi profiter de ce moment pour faire des exercices de plancher pelvien ou de respiration. Comme vous aurez à allaiter toutes les deux ou trois heures, c'est un bon moment pour y penser.

L'exercice physique à intensité modérée pendant l'allaitement n'affecte pas la quantité ou la composition du lait, ni la croissance de l'enfant. La fréquence et l'intensité des exercices ne devraient pas nuire à votre capacité d'allaiter votre enfant. Bien que l'exercice en soi n'affecte pas défavorablement la production ni la composition du lait, certaines études ont démontré qu'il y a plus d'acide lactique dans le lait des femmes qui font de l'exercice de façon très intense, mais pas chez celles qui en font modérément.

La question de savoir si une augmentation de courte durée de l'acide lactique rend le lait moins agréable pour le nourrisson fait actuellement l'objet de controverses. Si vous constatez que votre bébé ne se nourrit pas aussi bien après vos exercices physiques modérés ou intenses, essayez de le nourrir juste avant. Vous ressentirez ainsi moins de malaises aux seins durant l'exercice. Vous pouvez aussi attendre une heure après l'exercice avant d'allaiter, ou encore extraire le lait avant l'exercice pour l'utiliser après.

LE *BABY BLUES*

Plus d'une femme sur dix souffre d'une forme de dépression après la naissance de son enfant. La période post-partum est le moment où vous êtes le plus à risque de souffrir du *baby blues* et d'avoir des trous de mémoire. L'exercice et les oméga-3 forment une bonne équipe, puisqu'ils permettent tous deux de réduire les symptômes de dépression post-partum. Les études ont démontré que les femmes modérément actives affichent, six mois après l'accouchement, un meilleur bien-être psychologique et acceptent mieux leur nouveau rôle de mère que les femmes sédentaires. Quant aux oméga-3, ils semblent aider à diminuer les symptômes de dépression. Le poisson au menu et même un supplément peuvent être indiqués. Ne soyez pas gênée de parler de vos états d'âme à votre médecin. Nombre de femmes attendent trop longtemps avant d'aller chercher de l'aide.

LA REPRISE DE L'ACTIVITÉ PHYSIQUE

Les femmes ont tout intérêt à commencer des activités cardiovasculaires le plus rapidement possible après l'accouchement, quand leur condition physique et psychologique le permet. La reprise de l'activité physique après l'accouchement varie d'une femme à l'autre – quelques jours, quelques semaines ou quelques mois – mais elle doit être progressive. Soyez à l'écoute des signes de fatigue que vous envoie votre corps, mais sachez qu'un peu d'activité physique sera bénéfique, au niveau tant physique que psychologique !

Le plus difficile est d'intégrer une nouvelle routine qui laisse la place au bébé et à l'activité physique. Choisissez votre période d'exercice physique en fonction de la routine de votre bébé. Par exemple, lorsque l'enfant vient d'être nourri ou qu'il s'apprête à faire une sieste, vous savez que vous avez une période de temps pour vous. Après quelque temps, il devient aussi très simple de s'entraîner avec bébé en le manipulant doucement. Quel bébé n'aime pas mettre le nez dehors ? Les mamans sportives sont catégoriques : elles ont besoin de pratiquer une activité physique pour se sentir bien dans leur corps, pour avoir du temps pour elles et être entièrement disponibles par la suite pour leurs petits amours.

La pratique régulière d'une activité physique pendant la période post-partum atténue la fatigue causée par le manque de sommeil, le stress lié aux soins à prodiguer au nouveau-né et les autres contraintes familiales. Elle diminue les risques de dépression en aidant à conserver une image positive de soi-même et à retrouver plus rapidement sa silhouette et son poids d'avant la grossesse.

L'ACTIVITÉ PHYSIQUE APRÈS L'ACCOUCHEMENT

Selon la Société des obstétriciens et gynécologues du Canada (SOGC), la nouvelle maman peut reprendre ou continuer l'activité physique après l'accouchement en adaptant celle-ci à son mode d'accouchement et à son état de fatigue. Certaines femmes devront réduire l'intensité de leurs exercices ou la durée de chaque séance en raison de la fatigue qui accompagne l'accouchement et les soins au nouveau-né.

L'avis du médecin

« Après un accouchement vaginal ou une césarienne, l'utérus doit reprendre sa taille d'avant la grossesse. L'utérus retrouve sa taille assez rapidement, parfois en deux ou trois semaines, et au maximum en quatre ou cinq semaines. L'activité physique peut être reprise même si l'utérus n'a pas retrouvé sa taille normale. Il est plus important de se soucier du tonus du plancher pelvien.

« Il se peut que vous ressentiez des douleurs ou que vous ayez des saignements pendant quelques jours. Ceux-ci ne sont pas une contre-indication à l'exercice physique. Toutefois, s'ils sont très abondants, il est préférable d'attendre avant de reprendre l'activité physique. »

– Dr Pascale Desautels, gynécologue-obstétricienne

L'activité physique accélère la récupération après l'accouchement en facilitant la rééducation du périnée. Elle diminue les risques de descente d'organe, de douleurs au dos et au bassin et d'incontinence urinaire (dans une proportion de 50 %). Elle permet aussi de promouvoir un mode de vie sain auprès des membres de la famille et de rencontrer d'autres femmes dans la même situation.

LA REMISE EN FORME APRÈS L'ACCOUCHEMENT

Cette section a été conçue pour vous expliquer en détail les étapes de la remise en forme après un accouchement vaginal ou par césarienne. Le respect de chacune des étapes, dans l'ordre, est important. Dans un premier temps, il faut miser sur la rééducation des muscles de l'abdomen et du plancher pelvien, qui ont été étirés, puis passer à une remise en forme générale permettant, entre autres, de retrouver sa silhouette. Vous trouverez la marche à suivre et les recommandations concernant les exercices de rééducation des muscles pelviens, des muscles abdominaux (transverses et grands droits) et des muscles du tronc, ainsi que des idées d'exercices cardiovasculaires à faire avec votre bébé qui vous permettront de retrouver graduellement la forme : marche, jogging, entraînement avec poussette, vélo, ski de fond, etc.

Les femmes qui ont subi une césarienne peuvent augmenter graduellement leurs activités aérobiques et musculaires, selon le degré d'inconfort ressenti et d'autres facteurs de complications, comme l'anémie ou l'infection de la plaie. N'hésitez pas à poser des questions à votre médecin concernant votre condition, la reprise de vos activités et les autres sujets qui vous préoccupent.

LES CONTRE-INDICATIONS

Si vous avez l'un des symptômes suivants après l'accouchement : des saignements très abondants (nécessitant une serviette sanitaire à l'heure), la sensation désagréable de ne pas avoir vidé votre vessie complètement, des fuites d'urine importantes deux mois après avoir accouché, un prolapsus (descente d'organe), des douleurs intenses dans le bas du dos ou au bassin, des douleurs intenses à la suite d'une déchirure ou d'une épisiotomie (incision vaginale pour faciliter le passage du bébé) lors de l'accouchement, ou toute autre douleur prononcée ressentie lors d'une activité quotidienne, d'un exercice physique ou autre, consultez votre médecin avant de reprendre l'exercice physique.

PAR OÙ COMMENCER ?

Avant de penser à se lancer dans une activité physique, il faut rééduquer le corps. Les muscles pelviens et abdominaux ont été étirés et doivent retrouver leur tonus d'avant la grossesse. Les tableaux suivants expliquent les étapes et indiquent l'ordre dans lequel elles doivent être exécutées.

LA RÉÉDUCATION APRÈS L'ACCOUCHEMENT ÉTAPE PAR ÉTAPE

EXERCICES DE RENFORCEMENT	EFFETS	À QUEL MOMENT LES FAIRE ?	PAGE
1. Exercices spécifiques pour le plancher pelvien	Préviennent l'incontinence urinaire et la descente d'organe, entre autres, en rééduquant les muscles qui ont été grandement sollicités et étirés pendant la grossesse et lors de l'accouchement.	Dès les premiers jours après l'accouchement (vaginal ou par césarienne).	172
2. Exercices spécifiques pour les abdominaux transverses	Aplatissent le ventre en refermant la sangle abdominale.	1 à 4 semaines après l'accouchement, s'il n'y a pas de diastase*.	173
3. Exercices spécifiques pour les grands droits	Rapprochent les grands droits qui peuvent avoir été étirés pendant la grossesse.	1 ou 2 semaines après l'accouchement, s'il y a diastase*.	174
4. Exercices spécifiques pour les muscles stabilisateurs du tronc	Amènent un aplatissement du ventre et améliorent la posture en stabilisant le centre du corps.	2 ou 3 semaines après l'accouchement.	177
5. Exercices de renforcement musculaire général (bas du corps, tronc, haut du corps)	Aident à retrouver la silhouette d'avant la grossesse.	Après 4 à 6 semaines, s'il n'y a pas de diastase*.	177

* La diastase est un écart de plus d'un ou deux doigts entre les grands droits de l'abdomen après l'accouchement.

LES ACTIVITÉS CARDIOVASCULAIRES APRÈS L'ACCOUCHEMENT ÉTAPE PAR ÉTAPE

LES ACTIVITÉS CARDIOVASCULAIRES	EFFETS	À QUEL MOMENT LES FAIRE ?	PAGE
1. Activités sans impacts (marche d'un bon pas, cardio-poussette, vélo, patin, yoga)	Permettent de retrouver la forme, améliorent la capacité cardiovasculaire, aident à retrouver la silhouette d'avant la grossesse et à se sentir bien dans sa peau, alors que les muscles pelviens sont encore faibles.	Après 2 à 6 semaines.	186
2. Activités avec impacts (jogging, danse aérobique avec sauts, etc.)	Permettent de retrouver la forme, améliorent la capacité cardiovasculaire, aident à retrouver la silhouette d'avant la grossesse et à se sentir bien dans sa peau lorsque les muscles pelviens ont retrouvé leur tonus.	Après 4 à 8 semaines, s'il n'y a pas d'incontinence urinaire.	190

À QUEL MOMENT DOIT-ON RECOMMENCER L'ENTRAÎNEMENT ?

La reprise des exercices de rééducation et de l'activité physique varie si vous avez eu une césarienne ou un accouchement vaginal. Consultez les recommandations, selon votre type d'accouchement, dans le tableau de la page ci-contre. Vous pouvez retarder la reprise de l'activité physique selon votre condition : fatigue, douleur, etc.

APRÈS UN ACCOUCHEMENT VAGINAL

Si l'accouchement s'est bien déroulé, sans aucune complication, vous pouvez recommencer les exercices du plancher pelvien quelques jours après l'accouchement et ensuite enchaîner avec les exercices pour le renforcement des abdominaux profonds – les transverses – dans les jours suivant l'accouchement. Une ou deux semaines après l'accouchement, il est possible de faire des exercices physiques sans impacts comme la marche, de courtes sorties à vélo, le patin ou le ski de fond, en augmentant graduellement la durée et l'intensité au fil des semaines.

Lorsque les muscles n'ont pas été bien rééduqués, la reprise des activités physiques intenses avec impacts, comme le jogging ou la danse aérobique avec sauts, peu de temps après l'accouchement peut entraîner certains problèmes, tels l'incontinence urinaire, une lourdeur dans le bassin ou – le problème le plus important – un prolapsus (descente d'organe, voir à la page 171).

APRÈS UNE CÉSARIENNE

Après une césarienne, le temps de récupération est plus long. Soyez prudente dans vos mouvements durant les premiers jours pour ne pas faire pression sur la cicatrice. Appuyez-vous sur vos deux mains pour vous redresser.

Commencez par les exercices pour le plancher pelvien quelques jours après l'accouchement et ajoutez les exercices pour les abdominaux profonds six à huit semaines après l'accouchement. Il est important de progresser lentement, selon le niveau de douleur ressenti. Consultez le tableau des exercices recommandés (ci-contre) pour faciliter la guérison des muscles.

Dans les premières semaines après l'accouchement, il est recommandé de ne pas porter de charges trop lourdes ou de solliciter la paroi abdominale pendant environ six semaines. Il est important d'attendre au moins six à huit semaines pour les exercices cardiovasculaires, puisqu'il est difficile de ne pas solliciter les abdominaux en les faisant.

La femme qui souhaite reprendre une activité physique avec impacts, comme le jogging, la danse aérobique avec sauts, la danse, etc., doit pouvoir évaluer sa condition. Était-elle en bonne forme physique avant la grossesse ? Pratiquait-elle cette activité régulièrement, c'est-à-dire au minimum trois fois par semaine ? A-t-elle une bonne force au niveau du plancher pelvien après la grossesse ? Souffre-t-elle d'incontinence urinaire ?

La reprise de la compétition chez la sportive ou l'athlète variera d'une femme à l'autre. Le médecin et les autres spécialistes qui la suivent sauront évaluer sa condition et la conseiller dans la reprise de l'entraînement de haut niveau et de la compétition.

LES EXERCICES RECOMMANDÉS SELON LE TYPE D'ACCOUCHEMENT

PÉRIODE	ACCOUCHEMENT VAGINAL SANS COMPLICATIONS	CÉSARIENNE
Dans les 2 semaines suivant l'accouchement	→ Commencez les exercices des muscles du plancher pelvien en deçà du seuil de la douleur si vous avez eu des points de suture (déchirure ou épisiotomie, voir aux pages 166 et 182). → Marchez un peu (il n'y a pas de programme à ce stade).	→ Faites les exercices pour les muscles du plancher pelvien en deçà du seuil de la douleur. → Marchez un peu (après 1 semaine).
Après 2 à 3 semaines	→ Continuez les exercices pour les muscles du plancher pelvien (voir à la page 172). → Commencez seulement les exercices pour les abdominaux transverses et les muscles stabilisateurs (voir aux pages 173 et 177). → Faites les exercices spécifiques pour les grands droits (seulement s'il y a diastase). → Reprenez les activités cardiovasculaires à faibles impacts comme la marche, les randonnées à vélo ou le vélo stationnaire, la nage en piscine privée (évitez la piscine publique à ce stade-ci ; le col n'étant pas complètement refermé avant 4 semaines, il peut y avoir un risque d'infection), le patin à glace ou à roues alignées, le yoga (en s'assurant du tonus du plancher pelvien). → Les sports avec impacts sont à éviter à ce stade-ci.	→ Continuez les exercices pour les muscles du plancher pelvien (voir à la page 172). → Marchez un peu.
Après 4 semaines	→ Les femmes actives qui ont une bonne forme physique, une bonne force au niveau du plancher pelvien, et qui ne souffrent pas d'incontinence, peuvent reprendre les activités avec impacts : danse aérobique, course à pied (voir à la page 190), etc. → La natation en piscine publique, ou dans un lac, est permise. → Reprenez les exercices de renforcement musculaire si vous avez fait ceux pour la rééducation du périnée et les transverses (voir aux pages 172 et 173).	→ Commencez les exercices de renforcement légers pour les transverses et les muscles stabilisateurs en deçà du seuil de la douleur s'il n'y a aucune diastase des grands droits. Il faut s'assurer d'une guérison au niveau de l'écart des grands droits pour éviter les hernies. Arrêtez les exercices s'ils vous causent une douleur à la cicatrice.
Après 6 semaines	→ Reprenez les activités physiques courantes s'il n'y a aucune contre-indication. → Poursuivez les exercices pour les muscles du plancher pelvien.	→ Reprenez graduellement les exercices de renforcement musculaire légers s'il n'y a aucune douleur ; haut du corps, bas du corps et abdominaux, transverses et grands droits (voir à partir de la page 173). → Faites des exercices cardiovasculaires légers sans trop d'intensité s'il n'y a aucune douleur. → Nagez en piscine privée (on trouve des bactéries dans les piscines publiques ; il y a donc risque d'infection).
Après 8 semaines	→ Poursuivez les exercices de renforcement musculaire et les activités cardiovasculaires.	→ Faites des exercices cardiovasculaires modérés : jogging, vélo, ski de fond, danse aérobique, etc. Écoutez votre corps.

LES EXERCICES DE RÉÉDUCATION

- Exercices pour les muscles du plancher pelvien.
- Exercices pour les transverses (muscles abdominaux profonds).
- Exercices spécifiques dans le cas d'une diastase des grands droits.
- Exercices pour le renforcement du tronc.

PREMIÈRE ÉTAPE : LES MUSCLES DU PLANCHER PELVIEN

Le plancher pelvien, ou périnée, est un ensemble de muscles, de liga-ments et de membranes dont le rôle est de soutenir les organes du petit bassin : le rectum, le vagin, la vessie et l'utérus. Le poids du bébé pendant la grossesse et le passage du bébé à la naissance affaiblissent le périnée. Les problèmes qui s'ensuivent sont les fuites urinaires ou le prolapsus (descente d'organe). Des douleurs peuvent aussi survenir lors des rela-tions sexuelles. La rééducation du plancher pelvien permet la plupart du temps de remédier à ces problèmes ou d'aider à les prévenir. Toutes les femmes devraient faire ces exercices. La rééducation pelvienne est parti-culièrement importante chez celles qui ont eu un accouchement naturel ou celles qui ont poussé ou ont eu un travail avant la césarienne.

Il n'est pas anormal d'avoir quelques fuites d'urine dans les jours ou les se-maines suivant l'accouchement quand vous toussez, éternuez ou faites un effort. Par contre, si les pertes d'urine persistent deux mois après l'accou-chement, il faut consulter votre médecin ou un spécialiste en rééducation pelvienne. Il serait plus sage d'attendre avant de commencer les sports avec impacts, qui exercent une pression supplémentaire sur le périnée.

QUAND COMMENCER LES EXERCICES ?

La rééducation du périnée devrait débuter quelques jours après l'accou-chement. Au début, faites les exercices en position assise ou couchée. Attendez quelques jours avant de les faire en position debout (sauf l'exer-cice du verrouillage) pour éviter d'exiger de trop grands efforts d'une musculature faible ou endommagée.

L'exercice du stop-pipi, qui consiste à tenter d'interrompre le jet d'urine avant d'avoir complètement vidé la vessie, permet de vérifier la force des muscles pelviens. **Attention, vous pouvez faire l'exercice pour tester vos capacités une ou deux fois après l'accouchement, mais ce n'est pas un exercice de rééducation à faire de façon régulière.** Si l'on fait l'exercice du stop-pipi à répétition, un message contradictoire est envoyé au cerveau, qui ne sait plus s'il doit vider la vessie ou non. Le fait de ne pas vider complètement la vessie dans les jours suivant l'accouchement peut occasionner des risques d'infection urinaire.

Si vous avez des incertitudes quant à la musculature de votre plancher pelvien, parlez-en à votre médecin. Vous pouvez aussi consulter un physiothérapeute ou spécialiste en rééducation pelvienne.

LES EXERCICES DE RÉÉDUCATION DU PLANCHER PELVIEN

Ces exercices de rééducation pelvienne sont essentiels ! Il faut les faire chaque jour, à raison de plusieurs fois par jour, si possible. Les exercices doivent être faits à cette fréquence tant et aussi longtemps que les muscles du plancher pelvien n'ont pas retrouvé leur tonus. Si vous faites les exercices adéquatement, vous devriez voir une augmentation de la force de vos muscles pelviens après deux semaines, selon les dommages au périnée et la force des muscles avant l'accouchement.

Comme tous les autres muscles du corps, si on ne les exerce pas, les muscles du périnée perdent de leur force et de leur capacité de contraction. Contracter le périnée, c'est un peu comme essayer à la fois de retenir un gaz et un jet d'urine ; il faut ensuite doucement tirer la contraction vers le haut. Il ne faut jamais bloquer la respiration lors de l'effort ni se servir des fessiers ou des abdominaux pour effectuer la contraction. De l'extérieur, un observateur ne devrait percevoir aucun mouvement, ni au niveau des fesses ni au niveau du ventre.

Certaines femmes font une inversion de commande. Au lieu de contracter les muscles pelviens en tirant vers le haut, elles poussent vers le bas. La façon la plus simple d'évaluer si vous faites la contraction correctement est d'insérer les doigts dans le vagin lors de la contraction. Si vos doigts sont tirés vers l'intérieur, c'est que vous contractez adéquatement.

L'exercice du verrouillage est primordial. Choisissez-en un, deux ou trois parmi les autres exercices et faites-les environ trois fois par jour. Il vaut mieux en faire seulement quelques-uns que de ne pas en faire du tout !

Une fois la rééducation terminée, choisissez l'exercice que vous aimez le plus et continuez à le faire de façon régulière, à raison d'une série de dix répétitions trois fois par semaine pour le reste de votre vie !

Infobulle

LE PROLAPSUS

À l'occasion, certaines femmes peuvent souffrir de prolapsus, soit un affaissement de la vessie, du rectum ou de l'utérus. Les descentes de vessie et de rectum sont les plus communes. Une petite boule de tissu mou peut alors apparaître à l'entrée du vagin ou du rectum. Dans les cas de prolapsus, l'exercice du verrouillage est primordial pour diminuer la sensation de pesanteur. Si vous pensez souffrir de prolapsus, consultez un médecin ou un physiothérapeute en rééducation pelvienne. Les sports avec impacts demandant des efforts importants sont à proscrire.

Infobulle

HYPERTONICITÉ DES MUSCLES PELVIENS

Certaines femmes, sportives ou athlètes, présentent une hypertonicité des muscles pelviens. Les femmes avec des vessies hyperactives ont aussi le plancher pelvien trop tonique, c'est-à-dire qu'elles ne relâchent pas assez le plancher pelvien. Un physiothérapeute en rééducation pelvienne vous conseillera des exercices spécifiques.

EXERCICE 1

LE VERROUILLAGE

Cet exercice primordial de rééducation, qui consiste à contracter les muscles pelviens juste avant de faire un effort, devrait faire partie de votre routine quotidienne de maintien de la force du périnée.

Exécution : Une seconde avant de tousser, d'éternuer, de prendre votre bébé, de lever le banc de bébé, de soulever des sacs d'épicerie, de soulever vos autres enfants, etc., pensez à contracter les muscles pelviens et maintenez la contraction tant que dure l'effort, puis relâchez. Quelle que soit la force des muscles pelviens, cette contraction devrait se faire de façon systématique. Vous pouvez faire l'exercice du verrouillage juste avant et pendant l'effort, chaque fois que vous faites un effort, dans n'importe quelle position.

EXERCICE 2

LA CONTRACTION MAXIMALE

Exécution : Contractez au maximum les muscles pelviens pendant 5 à 10 secondes, puis reposez-vous 10 secondes. Le repos entre chaque contraction est essentiel pour apprendre à relâcher les muscles.

Durée : 3 séries de 10 répétitions, 3 fois par jour.

EXERCICE 3

L'ASCENSEUR (contraction en 3 paliers)

Cet exercice de proprioception permet de mieux localiser le muscle et de sentir à quel niveau se produit la contraction, selon les différents paliers.

Exécution : 1. Contractez légèrement les muscles pelviens pendant 1 ou 2 secondes puis, sans relâcher, augmentez la force de la contraction et maintenez-la encore 1 ou 2 secondes.

2. Toujours sans relâcher, contractez les muscles au maximum tout en étant capable de parler et de respirer librement et maintenez la contraction pendant 1 ou 2 secondes.

3. Répétez les 3 paliers dans l'ordre inverse, de façon à relâcher les muscles graduellement, en 3 paliers.

Durée : 3 séries de 10 répétitions, 3 fois par jour.

EXERCICE 4

LES CONTRACTIONS À LA SECONDE

Exécution : Contractez les muscles pelviens pendant 1 seconde, relâchez pendant 1 seconde et recommencez. Faites l'exercice en boucle 10 fois en tout. Pour aider le verrouillage des muscles pelviens, relâchez complètement entre chaque contraction.

Durée : 3 séries de 10 répétitions, 3 fois par jour.

Capsule maman

DES EXERCICES PRATIQUES

« Les exercices pour le plancher pelvien sont les plus simples à réaliser puisque je peux les faire en tout temps. Debout en m'occupant de la lessive ou en lavant la vaisselle, assise en allaitant ou en jouant avec mes enfants, et même en faisant l'épicerie ! »

- Marie-Maude, mère d'Éloi (quatre semaines) et d'Olivier (deux ans)

DEUXIÈME ÉTAPE :
LES ABDOMINAUX PROFONDS – LES TRANSVERSES
DE L'ABDOMEN

Pourquoi renforcer les transverses ? Les transverses sont les muscles profonds de l'abdomen et les principaux muscles stabilisateurs du tronc. Ils servent de gaine et soutiennent les viscères par leurs attaches à la colonne lombaire.

Les transverses doivent être travaillés avant les grands droits pour renforcer la ceinture lombaire, refermer la diastase, éviter d'affaiblir le plancher pelvien et réduire le risque de blessure.

QUAND COMMENCER LES EXERCICES ?

Vous pouvez commencer les exercices quelques jours après l'accouchement, après avoir fait ceux pour le plancher pelvien. Choisissez l'un de ces exercices (en commençant par le niveau débutante) ou faites les trois plusieurs fois par jour. L'important est de faire au moins un exercice une fois par jour, si possible.

LES EXERCICES DE RENFORCEMENT DES ABDOMINAUX PROFONDS

Lors de ces exercices, contractez toujours le plancher pelvien. Si vous perdez de l'urine quand vous faites des exercices, c'est signe que votre plancher pelvien n'est pas assez fort ou, au contraire, qu'il force trop.

EXERCICE 5

LE VENTRE DUR

Exécution : En position couchée sur le dos, les genoux pliés (c'est mieux que les jambes allongées), rentrez le ventre en le contractant très doucement, soit à environ 5 % de votre maximum (un peu comme si on tapait sur votre ventre et que vous le contractiez pour vous protéger).

Durée : Maintenez la contraction de 10 à 20 secondes. Relâchez puis répétez 10 fois. Faites l'exercice 1 à 3 fois par jour.

EXERCICE 6

VENTRE RENTRÉ

Exécution : Prenez position à quatre pattes, le dos bien droit et contractez les muscles pelviens. Rentrez doucement le ventre, comme pour plaquer le nombril à la colonne vertébrale. La contraction, d'une intensité d'environ 10 à 15 % d'une contraction maximale, se fait au-dessus du pubis. Vous devez être capable de parler.

Durée : 10 répétitions, 1 à 3 fois par jour.

LA PLANCHE SEMI-INCLINÉE

Cette variante de la planche est plus facile à faire que la planche au sol et elle n'est pas trop difficile pour les bras. Elle est donc adaptée pour toutes les femmes.

Exécution : Prenez appui avec les bras sur le comptoir de la cuisine, une table ou une rampe de galerie. (Plus la position est basse, plus l'exercice est difficile. Commencez donc dans une position moins penchée, puis augmentez la difficulté à mesure que votre force augmente.) Ressentez la contraction juste au-dessus du pubis.

Durée : Maintenez la position 30 secondes. Faites 10 répétitions, 1 à 3 fois par jour.

TROISIÈME ÉTAPE :
LES MUSCLES ABDOMINAUX — LES GRANDS DROITS

Les abdominaux sont formés d'un groupe de quatre muscles différents : les grands droits, les grands obliques, les petits obliques et les transverses. Ces muscles permettent au corps d'effectuer des mouvements de rotation et d'inclinaison. Ils jouent un rôle très important dans l'équilibre du bassin et de la posture.

Les abdominaux sont très étirés pendant la grossesse. Au-delà de l'apparence esthétique, des muscles forts aideront, entre autres, à réduire les risques de maux de dos et les douleurs articulaires qui peuvent survenir après la grossesse.

QUAND COMMENCER LES EXERCICES ?

Lorsqu'ils sont repris trop tôt, les exercices sollicitant les grands droits peuvent aggraver la diastase, engendrer des problèmes de perte d'urine ou des maux de dos. Avant de penser à retrouver un ventre plat, assurez-vous que votre périnée a retrouvé son tonus – environ quatre à six semaines après l'accouchement si les exercices de rééducation ont été faits régulièrement et que l'écart entre les grands droits (diastase) est d'un à deux centimètres ou moins.

Avant d'entreprendre des exercices de redressements assis ou tout autre exercice sollicitant les muscles abdominaux, il est important de vérifier si vous avez un écart entre les grands droits.

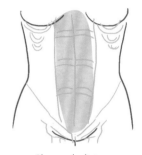

Absence de diastase
(aucun écart entre les grands droits)

VÉRIFIER LA PRÉSENCE DE DIASTASE

1. Allongée sur le dos, les genoux fléchis et les pieds à plat au sol, identifiez sur votre abdomen l'endroit situé à deux largeurs de doigt au-dessus du nombril. C'est à cet endroit que doit être évaluée la présence de diastase.

2. Pour engager les grands droits, levez la tête du sol afin de toucher le menton au sternum, comme si vous vous apprêtiez à effectuer un redressement assis.

3. Avec la paume de la main dirigée vers votre visage, appuyez doucement du bout des doigts. Si les doigts s'enfoncent sans difficulté, c'est qu'il y a écart entre les grands droits. Cet écart peut atteindre une dizaine de centimètres. Lorsque l'écart entre les deux bandes musculaires est de la largeur de plus de deux doigts, ou si la situation ne s'est pas améliorée après 12 semaines, votre médecin pourra vous diriger vers un professionnel en rééducation.

Si vous avez eu une césarienne, les mêmes recommandations s'appliquent. Le test de séparation des grands droits en soulevant la tête peut être fait dans les premières semaines après l'accouchement.

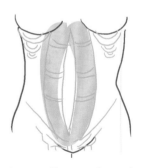

Diastase où l'écart entre les grands droits correspond à la largeur d'environ deux doigts.

Si l'écart est d'un ou deux doigts, une fois que vous aurez fait les exercices pour le plancher pelvien, commencez les exercices pour les transverses et les muscles stabilisateurs, puis passez aux exercices pour les grands droits.

Si l'écart est de deux doigts, il est recommandé de faire des exercices spécifiques pour corriger la situation avant d'entamer les exercices pour les transverses. Faites régulièrement les exercices pour le plancher pelvien.

Si l'écart est de trois doigts, la situation est à corriger. Vous devez faire l'exercice spécifique qui suit pour le corriger avant de faire des exercices pour les transverses.

Si l'écart est de quatre doigts et plus, l'écart est significatif et exige un avis professionnel. Consultez votre médecin ou autre professionnel qui évaluera votre condition pour voir si d'autres exercices spécifiques ou le port d'une ceinture élastique sont nécessaires.

....

EXERCICE SPÉCIFIQUE POUR L'ÉCART DES GRANDS DROITS

Exécution : En position couchée, les genoux fléchis, enroulez une écharpe ou un drap autour de votre ventre et croisez-en les deux extrémités, comme pour faire un nœud. Serrez l'écharpe en tirant ses extrémités vers le haut et vers les côtés à un angle de 45 degrés, et touchez le sternum du menton. Seule la tête est soulevée.

PAS DE REDRESSEMENTS ASSIS POUR UN VENTRE PLAT !
Les exercices pour les grands droits (comme les redressements assis ou les crunchs) n'amènent pas l'aplatissement du ventre. Il est primordial de travailler d'abord les transverses et les muscles stabilisateurs (voir aux pages 173 et 177).

Si vous constatez un écart entre vos grands droits de trois doigts et plus, vos muscles abdominaux sont encore trop faibles (trop étirés) et ne pourront pas garder votre ventre plat lorsque vous ferez des redressements assis. Cette situation occasionnera une pression sur les grands droits, qui s'écarteront encore plus, et votre ventre se gonflera pendant vos exercices. Ainsi, au lieu de renforcer vos muscles abdominaux, l'inverse se produira et votre ventre s'arrondira.

QUATRIÈME ÉTAPE :
LE RENFORCEMENT DU TRONC

Les exercices de renforcement des muscles du tronc (abdominaux, droits, obliques, transverses, dorsaux, pectoraux, intercostaux) permettent d'affermir la sangle abdominale, d'améliorer la posture et de réduire les risques de souffrir de douleurs au bas du dos et au cou. Votre posture sera d'autant plus importante comme nouvelle maman, puisque vous porterez votre bébé pendant de nombreux mois, et ce, parfois dans des positions instables.

QUAND COMMENCER LES EXERCICES ?

Vous pouvez commencer ces exercices quand vous maîtrisez la contraction des muscles pelviens et avez fait une progression dans les exercices pour les muscles transverses, si vous n'avez pas d'incontinence urinaire ni de diastase.

Après une césarienne, il est recommandé d'attendre un minimum de six à huit semaines avant de solliciter la paroi abdominale, et d'entreprendre ces exercices seulement lorsque la douleur abdominale ou à la cicatrice s'estompe.

LES EXERCICES DE RENFORCEMENT DU TRONC

Tous ces exercices peuvent être faits avec bébé, avec ou sans tapis de sol. Vous pouvez en choisir un seul ou tous les faire, dans l'ordre que vous préférez. Commencez par le niveau « débutante » et augmentez la difficulté au fil des entraînements. S'il est trop difficile de compléter une série ou d'en faire plus qu'une, faites ce que vous pouvez ! Le but est aussi de s'amuser.

> **PROGRAMME SUGGÉRÉ**
>
> DÉBUTANTE >
>
> 1 série de 8 à 10 répétitions de chaque exercice.
>
> INTERMÉDIAIRE >
>
> 1 ou 2 séries de 8 à 10 répétitions de chaque exercice
>
> AVANCÉE >
>
> 2 ou 3 séries de 8 à 10 répétitions de chaque exercice, en essayant des variantes plus difficiles

---

EXERCICE 8

DÉBUTANTE > INTERMÉDIAIRE > AVANCÉE >

LE PONT

Exécution : Sur le dos, les pieds à plat au sol et les genoux formant un angle de 90 degrés, les bras allongés le long du corps. Contractez les muscles du plancher pelvien, relevez les hanches et le bassin, et décollez le dos du sol. Gardez le dos droit. Votre corps doit former une ligne droite, des épaules aux genoux. Serrez les fesses et contractez les muscles abdominaux. En mettant votre bébé sur vos hanches, vous augmentez le degré de difficulté.

Durée : Maintenez la position de 10 à 30 secondes, puis relâchez.

VARIANTE A

INTERMÉDIAIRE ᐳ AVANCÉE ᐳ

LE PONT SUR LA POINTE DES PIEDS

Exécution : En position du pont, élevez le talon droit et tenez la position pendant 10 à 30 secondes. Redescendez le talon puis refaites l'exercice en levant le talon gauche. Vous pouvez aussi lever les deux talons.

VARIANTE B

INTERMÉDIAIRE ᐳ AVANCÉE ᐳ

LE PONT SUR UNE JAMBE

Exécution : Une fois en position du pont, élevez une jambe dans le prolongement du corps en maintenant les deux cuisses parallèles. Votre jambe doit former une ligne droite avec les épaules et les genoux. Attention de ne pas descendre les fesses et de bien contracter les muscles pelviens.

Durée : Maintenez la position de 10 à 30 secondes, redescendez votre jambe puis relâchez. Faites ensuite l'exercice avec l'autre jambe.

EXERCICE 9

INTERMÉDIAIRE ᐳ AVANCÉE ᐳ

LA PLANCHE DORSALE AVEC BALLON

Exécution : Couchée sur le dos, avec les pieds sur le ballon et les bras le long du corps, soulevez les fesses jusqu'à ce que votre corps soit en ligne droite.

Durée : Maintenez la position de 10 à 30 secondes.

VARIANTE

AVANCÉE ᐳ

Pour augmenter le niveau de difficulté, élevez une jambe et tenez la position pendant 10 à 20 secondes.

DÉBUTANTE ❯ INTERMÉDIAIRE ❯ AVANCÉE ❯

LA TABLE EN ÉQUILIBRE

Exécution : En position quadrupède, les mains à la largeur des hanches. Contractez bien les muscles pelviens ainsi que les abdominaux. Élevez le bras gauche et la jambe droite dans le prolongement du dos, qui doit rester bien droit.

Durée : Maintenez la position 10 secondes, relâchez puis refaites l'exercice avec les bras et la jambe opposés.

VARIANTE A

INTERMÉDIAIRE ❯ AVANCÉE ❯

LA TABLE EN ÉQUILIBRE AVEC TAPIS DE YOGA

Placez un tapis de yoga roulé ou une « nouille » de piscine sous le genou au sol. Cette situation entraîne une instabilité et l'exercice sera plus difficile.

EXERCICE 11

INTERMÉDIAIRE ❯ AVANCÉE ❯

LA PLANCHE VENTRALE AVEC UNE CHAISE

Exécution : Collez le dossier d'une chaise au mur. Sur la pointe des pieds, prenez appui sur la chaise avec vos coudes. Contractez les muscles pelviens, les abdominaux et rentrez les fesses. Votre corps doit former une ligne droite.

Durée : Maintenez la position de 10 à 30 secondes.

VARIANTE A

INTERMÉDIAIRE ❯ AVANCÉE ❯

LA PLANCHE VENTRALE SUR LES COUDES
OU LES MAINS

Prenez appui sur les coudes et la pointe de vos pieds.

Maintenez la position de 10 à 30 secondes. Augmentez le temps de contraction pour élever le niveau de difficulté.

VARIANTE B

INTERMÉDIAIRE ❯ AVANCÉE ❯

LA DEMI-PLANCHE AVEC BALLON

Exécution : Prenez appui sur le ballon en y déposant les avant-bras et gardez l'équilibre sur les genoux. Contractez l'abdomen et rentrez les fesses.

Durée : Maintenez la position de 10 à 30 secondes.

EXERCICE 12

DÉBUTANTE ＞ INTERMÉDIAIRE ＞ AVANCÉE ＞

LA PLANCHE LATÉRALE

Exécution : Allongez-vous sur le côté droit, appuyez votre avant-bras et le côté du pied au sol. Soulevez le corps avec l'avant-bras de façon qu'il forme un angle de 90 degrés. Prenez appui sur la main le bras tendu pour augmenter le niveau de difficulté.

Durée : Maintenez la position de 10 à 30 secondes, puis relâchez et refaites l'exercice du côté gauche.

EXERCICE 13

DÉBUTANTE ＞ INTERMÉDIAIRE ＞ AVANCÉE ＞

LE SUPERHÉROS ASYMÉTRIQUE

Exécution : Couchée sur le ventre, allongez les bras devant vous. Élevez simultanément du sol, d'environ 3 cm, la tête, le bras droit et la jambe gauche.

Durée : Maintenez la position pendant 3 secondes, puis refaites l'exercice avec le bras gauche et la jambe droite.

INTERMÉDIAIRE ❯ AVANCÉE ❯

LE SUPERHÉROS

Exécution : Élevez simultanément les bras et les jambes en maintenant les épaules détendues. Si vous avez toujours un petit ventre après l'accouchement, cet exercice peut être inconfortable.

Durée : Maintenez la position de 3 à 5 secondes et relâchez.

EXERCICE 14

DÉBUTANTE ❯ INTERMÉDIAIRE ❯ AVANCÉE ❯

LE SQUAT

Exécution : Le dos droit, les pieds à plat au sol, descendez pour former un angle de 90 degrés avec les jambes, comme si vous alliez vous asseoir sur une chaise. Les genoux doivent être bien en ligne avec les orteils. Faire cet exercice avec les genoux orientés vers l'intérieur peut occasionner des douleurs.

Durée : Maintenez la position de 10 à 30 secondes, puis relâchez.

VARIANTE A

INTERMÉDIAIRE ❯ AVANCÉE ❯

LE SQUAT AVEC DES HALTÈRES

Exécution : Faites cet exercice avec de petits haltères de 1 à 2,25 kilos (2 à 5 lb) dans les mains, ou même avec votre bébé !

Durée : Maintenez la position de 10 à 30 secondes, puis relâchez.

VARIANTE B

INTERMÉDIAIRE ❯ AVANCÉE ❯

LE SQUAT AVEC UN BALLON

Exécution : Placez un ballon entre votre dos et le mur.

Durée : Maintenez la position de 10 à 30 secondes, puis relâchez.

LES MAUX APRÈS L'ACCOUCHEMENT, DES RAISONS POUR ÉVITER L'EXERCICE ?

Après l'accouchement, il n'est pas improbable que vous souffriez d'un ou de plusieurs malaises qui vous incommodent dans vos activités quotidiennes : douleurs aux seins, au vagin, au dos, au bassin, à la cicatrice de la césarienne, hémorroïdes, incontinence urinaire ou maux de tête.

Est-ce que ces maux sont un frein à la reprise de l'activité physique ? Pas nécessairement. En adaptant leur choix d'activités, leur durée et leur intensité, la plupart des femmes peuvent être actives.

LES POINTS DE SUTURE

Si vous avez eu des points de suture, il n'est pas nécessaire d'attendre la cicatrisation complète de ceux-ci avant de commencer les exercices pour le plancher pelvien. Les exercices doivent être faits en deçà du seuil de la douleur, selon le niveau de confort.

Attendez d'avoir cicatrisé ou d'être confortable avant de recommencer les exercices qui vous incommodent. Évitez aussi de nager dans une piscine publique ou un lac pendant quatre semaines.

LES HÉMORROÏDES

Plusieurs femmes peuvent souffrir d'hémorroïdes après l'accouchement. Une pression excessive et répétée sur les veines anales ou rectales serait la cause de ce trouble. Il est possible de reprendre vos activités physiques en deçà du seuil de la douleur. Par contre, oubliez les activités prolongées en position assise, comme le vélo !

L'ANÉMIE

Si vous faites de l'anémie, vous pouvez recommencer vos activités physiques en portant une attention particulière à votre niveau de fatigue et en limitant leur intensité. Vous vous sentirez probablement plus fatiguée, plus essouf-flée. Priorisez une alimentation riche en fer et vérifiez avec votre médecin si des suppléments de fer pourraient être indiqués (voir à la page 73).

LES DOULEURS DANS LE BAS DU DOS ET AU BASSIN

Les douleurs au dos sont la plupart du temps reliées à la faiblesse des muscles abdominaux, qui ont été très étirés pendant la grossesse. En cas de douleurs au dos, il est donc important de travailler les muscles transverses.

Une faiblesse et un relâchement des muscles pelviens peuvent entraî-ner des douleurs au creux du bassin. Les exercices de renforcement des muscles pelviens sont fortement recommandés pour renforcer la mus-culature et stabiliser l'articulation sacro-iliaque. Si la douleur persiste, un professionnel en rééducation saura vous conseiller.

LA CONSTIPATION

Vous n'êtes pas constipée si vous allez à la selle au moins une fois tous les trois jours et que la consistance est assez molle pour que vous n'ayez pas à pousser chaque fois. Dans la première semaine après l'accouchement, il faut prévenir la constipation pour éviter d'endommager les muscles du plancher pelvien et de causer ou d'aggraver un prolapsus ou des hémorroïdes. Priorisez une alimentation riche en fibres (voir à la page 31) et buvez beaucoup d'eau pour éviter d'être constipée. Prenez des bains chauds pour détendre les muscles. Les exercices physiques légers ainsi que les exercices pour le périnée faits chaque jour sont bénéfiques pour améliorer le transit intestinal et la circulation sanguine.

Une fois que vous aurez terminé la phase de rééducation après l'accou-chement, vous aurez certainement le goût de réintégrer l'activité physique à votre quotidien, que ce soit pour retrouver la forme, perdre votre poids de grossesse ou socialiser avec d'autres mamans. Consultez le chapitre suivant pour des idées et programmes d'entraînement pour la remise en forme, toujours avec votre enfant !

CHAPITRE 8

Bouger à deux

Hiver comme été, les occasions de bouger sont nombreuses lorsqu'on est maman. Ce chapitre a été conçu pour vous guider dans la reprise d'activités cardiovasculaires après un accouchement vaginal ou par césarienne. Toutes les activités proposées peuvent se faire avec votre bébé. Consultez aussi les recommandations qui s'appliquent à votre enfant pour son confort et sa sécurité.

On insiste beaucoup sur la routine du nouveau-né, qui consiste à dormir, à se nourrir, puis à traverser une période d'éveil. Pourquoi ne pas prévoir tout de suite une phase d'entraînement pour maman adaptée à la routine quotidienne de bébé ? Par exemple, chaque matin, ou l'après-midi, prévoyez une plage d'entraînement d'environ 30 minutes à une heure (ou plus), que vous consacrerez à l'exercice. Bébé pourra certainement profiter de cette plage d'exercice destinée à sa maman pour faire un petit roupillon !

Par contre, si vous avez des saignements abondants (plus d'une serviette à l'heure), des sensations désagréables au niveau de la vessie, des fuites d'urine importantes deux mois après avoir accouché, un prolapsus, des douleurs intenses au dos, au bassin ou tout autre type de douleur, il serait plus sage de ne pas poursuivre vos activités physiques.

LE SOMMEIL ET L'ENTRAÎNEMENT

Fait inévitable, quand on est une nouvelle maman, on doit composer avec le manque de sommeil ! Les cycles de sommeil de la nouvelle maman sont chamboulés et, après la naissance d'un enfant, elle doit souvent attendre plusieurs mois avant d'avoir une nuit de sommeil complète.

Les nouvelles mamans sont nombreuses à dire : « Je suis trop fatiguée pour m'entraîner ! » Le manque de sommeil a une incidence négative sur le niveau énergétique global, sur la récupération et la régénération, ce qui, dans certains cas, peut avoir une influence sur l'excédent de gras corporel.

Les sportives et les athlètes qui s'entraînent beaucoup peuvent aussi ressentir les effets négatifs du manque de sommeil et de repos sur leur entraînement et leurs performances.

Si vous manquez de sommeil, un entraînement d'environ 30 minutes est idéal pour vous redonner de l'énergie. Par contre, les longs entraînements qui durent au-delà d'une heure peuvent augmenter votre niveau de fatigue et nuire à votre récupération. Soyez à l'écoute de votre corps.

Infobulle

LA SIESTE
Si possible, essayez de faire une sieste pendant la journée lorsque bébé dort. Une courte sieste de 20 à 30 minutes maximum est idéale pour récupérer d'une légère fatigue. Évitez les siestes de 45 à 75 minutes qui interrompent le sommeil profond. Une longue sieste d'environ 90 minutes couvrira un cycle complet et permettra de récupérer d'une plus grande fatigue ou d'un manque de sommeil nocturne.

Pendant la période post-partum, il vous faut apprendre à évaluer votre capacité de récupérer d'un entraînement plus ou moins long et ajuster vos entraînements en conséquence.

LES ACTIVITÉS PÉDESTRES

Après l'accouchement, la marche est l'activité idéale à faire avec votre bébé. Vous pouvez commencer à marcher dès que vous en aurez envie si vous avez eu un accouchement sans complications et que vous vous sentez prête. Commencez graduellement par de courtes marches et soyez à l'écoute des signaux de fatigue ou de douleur que vous envoie votre corps. La marche est une activité sécuritaire avec un très faible impact sur le corps de la nouvelle maman. Que vous ayez eu un accouchement vaginal ou une césarienne, la marche sera la première activité que vous entreprendrez. Apprenez à contracter les muscles du plancher pelvien pendant que vous marchez. La marche rapide est une excellente alternative à la course à pied dans les premières semaines suivant l'accouchement.

Après une césarienne, vous pouvez faire de courtes marches après une semaine. Par contre, ne faites pas de marche rapide, qui sollicite les muscles abdominaux, avant six à huit semaines.

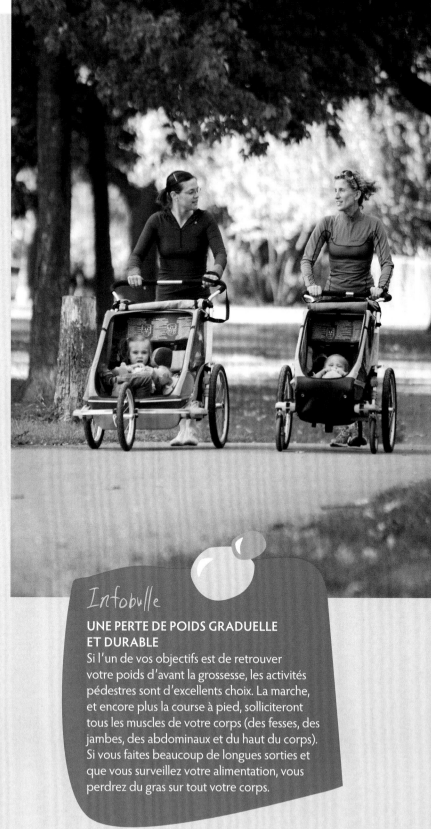

Infobulle

UNE PERTE DE POIDS GRADUELLE ET DURABLE

Si l'un de vos objectifs est de retrouver votre poids d'avant la grossesse, les activités pédestres sont d'excellents choix. La marche, et encore plus la course à pied, solliciteront tous les muscles de votre corps (des fesses, des jambes, des abdominaux et du haut du corps). Si vous faites beaucoup de longues sorties et que vous surveillez votre alimentation, vous perdrez du gras sur tout votre corps.

LA MARCHE AVEC BÉBÉ

De longues marches, d'un bon pas, permettent de brûler des calories et de retrouver la forme. Au fil des jours, allongez vos promenades et augmentez-en l'intensité. Par exemple, vous pouvez commencer par 15 minutes et ajouter 5 minutes à chaque semaine.

UN PROGRAMME DE MARCHE SUR QUATRE SEMAINES POUR LA DÉBUTANTE

SEMAINE	ACTIVITÉ	NOMBRE DE FOIS PAR SEMAINE	DURÉE ET PROGRESSION
1	Marche avec la poussette	2 à 4 fois	15 à 20 minutes, intensité faible
2	Marche avec la poussette	3 ou 4 fois	20 à 25 minutes, intensité faible
3	Marche avec la poussette	3 à 5 fois	20 à 30 minutes, intensité faible à modérée
4	Marche avec la poussette	3 à 6 fois	25 à 40 minutes, intensité faible à modérée

LA MARCHE EN MONTAGNE QUATRE SAISONS

Quand vous aurez retrouvé l'énergie et le goût de partir pour une plus longue promenade, essayez la marche en montagne. Il est possible d'apporter la poussette sur certains sentiers balisés. Si vous avez d'autres enfants, ils adoreront sûrement gambader en montagne. Apportez des graines pour nourrir les oiseaux dans les parcs où c'est permis et des jumelles pour les observer, ainsi qu'un sac à dos avec des collations et des surprises !

La plupart des manufacturiers de sacs porte-bébé recommandent d'attendre que le bébé ait au moins six mois avant d'y asseoir votre enfant. Il existe plusieurs sacs avec différentes caractéristiques pour le confort de maman et de bébé, comme des éléments amovibles – toit, sac de rangement, etc. Le porte-bébé sera aussi pratique pour faire vos courses !

Capsule maman

LA MARCHE EN FAMILLE

« Ce que j'apprécie le plus, surtout l'été, c'est la marche en famille après le souper, pendant 20 à 30 minutes. Le petit est dans sa poussette et les deux autres enfants courent ou nous suivent en vélo. Ils dépensent l'énergie qu'il leur reste avant d'aller prendre leur bain et de se coucher. »

– Mireille, mère de trois enfants de un, trois et six ans

TRUCS ET CONSEILS

- L'été, assurez-vous que votre enfant n'est pas trop exposé au soleil. Plusieurs modèles de porte-bébé comprennent des toits pour protéger le bébé du soleil ou de la pluie.

- L'hiver, assurez-vous que votre enfant est assez habillé. Contrairement à vous, il est immobile et peut prendre froid rapidement. Vous pouvez mettre des compresses chauffantes dans ses bottes et ses mitaines. On les trouve facilement dans les magasins de sport.

L'ENTRAÎNEMENT AVEC UNE POUSSETTE

La période post-partum est un bon moment pour se lier d'amitié avec de nouvelles mamans, et l'entraînement avec poussette est le sport idéal durant cette période, puisqu'il ne comporte aucun saut, mais plutôt de la marche rapide jumelée à des exercices de musculation. Les muscles du plancher pelvien et les stabilisateurs sont travaillés en priorité. Les exercices qui sollicitent directement les grands droits pourront être faits par les femmes qui n'ont pas de diastase des grands droits (voir à la page 175). Les professeurs sont formés et vous conseilleront des exercices selon votre condition physique.

Certaines femmes peuvent vivre des épisodes de dépression post-partum. Joindre un groupe de mamans tout en étant active physiquement peut grandement aider à améliorer l'estime de soi de la nouvelle maman.

👤 Cette activité peut être adaptée à votre condition physique. Si vous êtes débutante ou très fatiguée, vous pouvez y aller à votre rythme et marcher pendant toute la séance en faisant seulement quelques exercices.

🚶🏃🏃 Si vous êtes déjà très en forme, le professeur vous fera travailler plus fort en vous demandant, par exemple, de faire plus de répétitions de certains exercices ou d'en augmenter l'intensité.

Vous pouvez pratiquer cette activité tant que votre bébé accepte de rester dans la poussette. Certaines femmes suivent des cours avec deux enfants : leur nouveau-né et un enfant plus vieux. Si vous êtes déjà maman, il est même possible de suivre un cours de cardio-poussette^MD pendant votre grossesse.

L'hiver, l'entraînement se fait avec un traîneau. Votre enfant devrait être bien protégé du vent et du froid, puisque, contrairement à vous, il ne bouge pas.

Capsule maman

À VOS POUSSETTES !

« J'ai fait du cardio-poussette^MD après mes deux grossesses et j'ai adoré mes cours. J'ai recommencé un peu plus tard après ma deuxième grossesse, soit après quatre mois, car j'ai eu une césarienne et je me sentais très fatiguée. J'ai suivi les cours même l'hiver. J'avais besoin d'être encadrée, car je ne trouvais pas la motivation pour m'entraîner seule. Je ne suis pas très sportive et ça m'a tout pris pour m'inscrire. Je m'y suis fait des amies et nous nous rejoignons en dehors des cours pour faire de longues marches. »

– Annie, 33 ans, mère de deux enfants

LA COURSE À PIED

La plupart des professionnels de la santé recommandent d'attendre environ deux ou trois mois avant de reprendre la course à pied, parfois plus. Une reprise rapide, dans le premier mois après l'accouchement, par exemple, comporte des risques de blessure. Les muscles pelviens subissent un étirement intense durant l'accouchement et ils ont besoin de plusieurs semaines pour reprendre leur tonus et retrouver leur capacité de contraction. La relaxine sécrétée pendant environ six mois après l'accouchement favorise l'assouplissement et la relaxation des ligaments, ce qui peut engendrer des blessures musculosquelettiques. De plus, le bassin n'est pas complètement remis (restabilisé) et la position du corps peut être modifiée, notamment à cause des seins, qui deviennent plus volumineux pour la femme qui allaite. Quel que soit votre niveau, il faut commencer par les exercices pour le périnée, les transverses et les stabilisateurs avant de reprendre la course à pied.

Capsule maman

UNE PETITE PAUSE POUR MIEUX RECOMMENCER

« Je fais de la course à pied depuis l'âge de 13 ans. Je cours de 70 à 80 km par semaine (50 à 60 km pendant la grossesse).

« J'ai recommencé la marche rapide un mois après l'accouchement et le jogging trois mois après l'accouchement. Je ne me sentais pas pressée de reprendre la course à pied, même si mon corps en était capable. Je sentais que j'avais besoin de cette pause. J'ai recommencé avec des exercices de renforcement musculaire pour le plancher pelvien, les abdominaux profond et le tronc. J'ai enchaîné avec la marche rapide, puis j'ai ajouté graduellement la course à pied deux ou trois fois par semaine en faisant des blocs de 30 secondes de course et 5 minutes de marche. J'ai recommencé l'entraînement avec intervalles six mois après l'accouchement. J'avais l'impression de reprendre où j'avais laissé avant la grossesse. »

– *Karine Lefebvre, mère de deux enfants*

La débutante qui n'a jamais fait de course à pied ne devrait pas en faire dans les trois premiers mois suivant l'accouchement. Elle devrait alors commencer par de courtes sorties et toujours amorcer son entraînement de course à pied par une phase d'échauffement pour préparer le corps à l'entraînement, en faisant de la marche rapide pendant cinq minutes, par exemple.

La reprise de l'entraînement devrait être graduelle. Plus l'arrêt est long, plus le retour à la course doit être progressif. Il est recommandé d'alterner la marche et la course pour permettre au système locomoteur de s'adapter progressivement et éviter les blessures. Si la femme se sent bien côté santé cardiovasculaire, elle peut en faire plus dans d'autres sports sans impacts (marche rapide, natation, vélo).

La coureuse expérimentée aura certainement le goût de reprendre la course à pied rapidement et de retrouver les sensations associées à un entraînement intense. Bien que certaines femmes expérimentées recommencent à courir quelques jours après l'accouchement, la patience est de mise pour éviter les risques de blessure.

COURIR AVEC BÉBÉ

Courir avec une poussette spécialement conçue pour le jogging permet de faire de l'activité physique avec son enfant et de travailler à une intensité plus élevée. On estime une augmentation de la dépense énergétique d'environ 15 à 20 % de plus, selon l'intensité de l'entraînement. Il existe des poussettes simples, doubles et même triples pour la course à pied.

Les recommandations d'âge minimum varient selon les fabricants de poussettes de jogging. Certains fabricants recommandent d'attendre que le bébé ait trois mois, d'autres cinq à six mois, lorsqu'il peut se tenir assis seul. Le bébé devrait être en position couchée ou semi-couchée.

Bien que les vibrations ne soient pas néfastes pour le bébé, il est recommandé d'emprunter des sentiers où la surface est plane pour le confort de l'enfant. La plupart des poussettes de jogging pour bébé sont bien conçues, avec un support adéquat pour la tête et le cou du bébé.

Le choix d'une bonne chaussure ne doit pas non plus être pris à la légère. Évitez de courir avec des souliers inadaptés tels des souliers pour la marche en montagne, des souliers de tennis ou des souliers de gymnastique, car vous pourriez vous blesser.

L'avis du médecin

« Il n'est pas anormal d'avoir de légères pertes d'urine dans les huit semaines après l'accouchement. Si c'est le cas, il faut travailler vos muscles du plancher pelvien. Apprenez à faire les exercices pour le plancher pelvien en courant !

« Si l'incontinence persiste deux mois après l'accouchement, il est recommandé de consulter un physiothérapeute en rééducation pelvienne. Cette situation doit être corrigée. »

– Dr Pascale Desautels, gynécologue-obstétricienne, et Karine Roberge, physiothérapeute en rééducation

L'avis du médecin

« Les vibrations légères occasionnées par la course à pied ne causent pas de problèmes au bébé. Les parents doivent porter une attention particulière à la position du bébé pour éviter que celle-ci soit inadéquate. Il peut y avoir obstruction potentielle des voies respiratoires quand l'enfant est à demi assis, puisqu'il n'a pas les muscles suffisamment forts pour contrôler sa tête. »

– Dr Mireille Belzile, médecine sportive

TRUCS ET CONSEILS

- Questionnez le vendeur de souliers sur la posture de votre pied, il vous conseillera sur le bon modèle pour votre type de pied (pronation, supination, pieds arqués, pieds plats).
- Prenez la bonne taille de souliers (choisissez-les en fonction du confort, pas de l'apparence).
- Considérez votre poids, la stabilité et la légèreté du soulier.
- Idéalement, mais ce n'est pas obligatoire, procurez-vous une bonne paire de bas en fibre synthétique élastique (polyester) sans coutures pour éviter les ampoules.

PROGRAMME D'ENTRAÎNEMENT POUR LA DÉBUTANTE

Le processus comprend dix niveaux. Restez au même niveau une semaine complète avant de passer au niveau supérieur. Une séance d'entraînement correspond à six répétitions d'une combinaison de marche et de course totalisant cinq minutes, pour un entraînement de 30 minutes. Faites-le tous les deux jours afin de comptabiliser trois ou quatre séances par semaine.

L'ENTRAÎNEMENT DE BASE D'ENDURANCE AÉROBIQUE POUR UNE REMISE EN FORME PROGRESSIVE À LA COURSE

NIVEAU	RÉPÉTITIONS	MARCHE	COURSE
1	6 fois	4 min 30 s	30 secondes
2	6 fois	4 minutes	1 minute
3	6 fois	3 min 30 s	1 min 30 s
4	6 fois	3 minutes	2 minutes
5	6 fois	2 min 30 s	2 min 30 s
6	6 fois	2 minutes	3 minutes
7	6 fois	1 min 30 s	3 min 30 s
8	6 fois	1 minute	4 minutes
9	6 fois	30 secondes	4 min 30 s
10	6 fois	—	5 minutes

PROGRAMME D'ENTRAÎNEMENT POUR LA FEMME ACTIVE ET LA SPORTIVE

L'objectif est de courir 30 minutes sans arrêt. N'hésitez pas à marcher pendant un entraînement de course à pied si vous en ressentez le besoin. Faire quelques pas ou marcher quelques minutes permet de reconstituer l'énergie pour continuer de courir. Toujours débuter par 5 minutes de réchauffement.

SEMAINE	LUNDI	MARDI	MERCREDI	JEUDI	VENDREDI	SAMEDI	DIMANCHE (OU REPOS OU AUTRE ACTIVITÉ)
1	Repos	15 min.: (2 min. de marche + 1 min. de course) x 5	15 à 30 min. de marche active ou repos	15 min.: (2 min. de marche + 1 min. de course) x 5	Congé	15 min.: (2 min. de marche + 1 min. de course) x 5	20 min.: - (2 min. de marche +1 min. de course) x 6 - 2 min. de marche
2	Repos	15 min.: (2 min. de course + 1 min. de marche) x 5	30 min. de marche active	20 min.: (3 min. de course + 1 min. de marche) x 5	Congé	18 à 20 min.: - (2 min. de course + 1 min. de marche) x 2 - (3 min. de course + 1 min. de marche) x 3	20 à 22 min.: - (4 min. de course + 1 min. de marche) x 5 - 2 min. de marche
3	Repos	20 min.: - (2 min. de course + 1 min. de marche) x 3 - (4 min. de course + 1 min. de marche) x 2	30 min. de marche active	20 min.: (4 min. de course + 1 min. de marche) x 4	Congé	25 min.: - (5 min. de course + 1 min. de marche) x 4 - 1 min. de marche	30 min.: - (6 min. de course + 1 min. de marche) x 4 - 2 min. de marche
4	Repos	30 min.: - (8 min. de course + 1 min. de marche) x 3 - 3 min. de marche ou de course	30 min. de marche active	30 min.: (9 min. de course + 1 min. de marche) x 3	Congé	30 min.: - (10 min. de course + 1 min. de marche) x 2 - 8 min. de course	30 min.: - (11 min. de course + 1 min. de marche) x 2 - 6 min. de course
5	Repos	30 min.: - (12 min. de course + 1 min. de marche) x 2 - 4 min. de course	30 min. de marche active	30 min.: (13 min. de course + 1 min. de marche) x 2 - 2 min. de course	Congé	30 min.: (14 min. de course + 1 min. de marche) x 2	30 min.: - 15 min. de course - 1 min. de marche - 14 min. de course
6	Repos	30 min.: - 16 min. de course - 1 min. de marche - 13 min. de course	30 min. de marche active	30 min.: - 17 min. de course - 1 min. de marche - 12 min. de course	Congé	30 min.: - 18 min. de course - 1 min. de marche - 11 min. de course	30 min.: - 19 min. de course - 1 min. de marche - 10 min. de course
7	Repos	30 min.: - 20 min. de course - 1 min. de marche - 9 min. de course	30 min. de marche active	30 min.: - 22 min. de course - 1 min. de marche - 7 min. de course	Congé	30 min.: - 24 min. de course - 1 min. de marche - 5 min. de course	30 min.: - 26 min. de course - 1 min. de marche - 3 min. de course
8	Repos	30 min.: - 27 min. de course - 1 min. de marche - 2 min. de course	30 min.: - 20 min. de course - 1 min. de marche - 9 min. de course	30 min.: - 28 min. de course - 1 min. de marche - 1 min. de course	Congé	30 min.: - 29 min. de course - 1 min. de marche	30 min. de course

LE VÉLO

La pratique du vélo stationnaire ou à l'extérieur peut être recommencée aussitôt que souhaité pour celles qui ont eu un accouchement naturel. Le vélo n'est pas un sport occasionnant des impacts ; c'est donc l'un des premiers à prioriser après l'accouchement. Les points de suture peuvent parfois occasionner de l'inconfort, mais la zone d'appui sur la selle se situe au niveau des ischions et non du plancher pelvien ; il est donc possible de recommencer à faire de courtes randonnées si vous n'avez pas d'inconfort. Les saignements ne sont pas une contre-indication à la reprise du vélo. Pour les femmes qui ont eu une césarienne, il est recommandé d'attendre de six à huit semaines avant de recommencer, car le vélo sollicite les muscles abdominaux. La reprise du vélo peut alors se faire en deçà du seuil de la douleur.

ROULER AVEC BÉBÉ !

Il existe plusieurs modèles de remorques pour vélo. Les fabricants recommandent d'attendre que l'enfant ait un an avant de faire du vélo avec lui, pour des raisons de sécurité. Avant cet âge, il n'est pas assez développé au niveau du cou et de la colonne vertébrale pour supporter un impact, advenant une collision. De plus, le port du casque est recommandé pour l'enfant. La recommandation est la même pour les sièges de vélo : l'enfant doit avoir au moins un an et toujours porter un casque.

Capsule maman

LA PAUSE PIQUE-NIQUE

« Lors de nos sorties à vélo avec nos deux enfants, mon conjoint et moi planifions un circuit de 1 h 30 avec un arrêt à mi-chemin. Il tire la remorque avec les enfants. On part vers 11 h et on s'arrête vers 12 h pour pique-niquer et jouer dans un parc. On revient vers 14 h, à l'heure de la sieste. »

– Julie, mère de deux enfants

Faire du vélo avec une remorque entraîne une dépense énergétique supplémentaire qui peut varier entre 10 et 20 % selon le poids tiré (un ou deux enfants), la topographie du parcours, les conditions météo et le type de remorque utilisé.

TRUCS ET CONSEILS

- Partez avec le vent de face et revenez avec le vent dans le dos.

- N'oubliez pas votre pompe et une chambre à air de rechange, surtout si vous êtes loin de la maison avec les enfants.

- Ajustez la hauteur de la selle : lorsque la pédale est à son plus bas, votre jambe devrait avoir une légère flexion au niveau du genou. Si vous devez basculer le bassin, c'est parce que vous êtres trop haute.

- La cadence de pédalage est importante, vous vous fatiguerez plus vite si vous mettez un braquet plus élevé. Les jambes devraient faire 90 rotations par minute.

- Pour plus de conseils techniques spécifiques à la pratique du vélo de montagne ou du vélo de route, consultez un professionnel de l'entraînement cycliste.

L'ENTRAÎNEMENT À VÉLO

POUR LA DÉBUTANTE

Reprenez les sorties à vélo à votre rythme, commencez par 15, 20 ou 30 minutes, trois fois par semaine idéalement. Variez les terrains et l'intensité pour avoir du plaisir et diversifier vos sorties. Planifiez des randonnées avec des amis pour vous motiver.

N'oubliez pas de faire vérifier votre position et assurez-vous que votre vélo est en bonne condition : les pneus gonflés, la chaîne huilée, et les freins et les vitesses ajustés.

POUR LA FEMME ACTIVE ET LA SPORTIVE

Voici quelques idées d'entraînements à faire sur un vélo à l'extérieur ou sur un vélo stationnaire pour les femmes qui cherchent à ajouter des périodes plus intenses à leur entraînement.

UN BON ÉCHAUFFEMENT

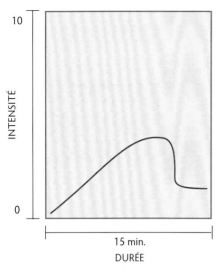

INTENSITÉ — 10 / 0

15 min.

DURÉE

ENTRAÎNEMENT 1

INTERVALLES COURTS

DURÉE		TYPE D'EXERCICE	INTENSITÉ	RÉPÉTITION
15 à 30 minutes		Échauffement	2-3-4	
6 minutes	15 secondes	Effort soutenu*	7-8	2 ou 3 séries, avec 7 minutes de récupération active entre chaque bloc de 6 minutes
	15 secondes	Récupération active**	2	
	30 secondes	Effort soutenu*	7-8	
	30 secondes	Récupération active**	2	
	45 secondes	Effort soutenu*	7-8	
	45 secondes	Récupération active**	2	
	15 secondes	Effort soutenu*	7-8	
	15 secondes	Récupération active**	2	
	30 secondes	Effort soutenu*	7-8	
	30 secondes	Récupération active**	2	
	45 secondes	Effort soutenu*	7-8	
	45 secondes	Récupération active**	2	
10 à 15 minutes		Retour au calme	2	

* Trouvez la vitesse qui vous permettra d'être aussi forte sur le dernier effort soutenu que sur le premier.
** Pédalez sans résistance.

ENTRAÎNEMENT 2

MUSCULATION À VÉLO – SIMULATION D'UNE MONTÉE

DURÉE	TYPE D'EXERCICE	INTENSITÉ
15 minutes	Échauffement	2-3-4
5 minutes	Effort avec une bonne résistance, comme si vous montiez une côte*	5-6
5 minutes	Récupération active**	2-3
5 minutes	Effort avec une bonne résistance, comme si vous montiez une côte*	5-6
15 minutes	Récupération active**	2-3

* Pendant les séquences en force, il faut penser à son coup de pédale, à bien pousser et tirer. Les pulsations ne doivent pas être plus élevées que 75 % de votre maximum – le but est de solliciter les muscles et non le cardio.
** Pédalez avec peu de résistance.

ENTRAÎNEMENT 3

INTERVALLES COURTS SUR VÉLO STATIONNAIRE OU À L'EXTÉRIEUR

DURÉE		TYPE D'EXERCICE	INTENSITÉ	RÉPÉTITION
15 à 30 minutes		Échauffement	2	
6 minutes	30 secondes	Effort*	5-6	1 ou 2 séries, avec 5 minutes de récupération active entre chaque bloc de 6 minutes
	30 secondes	Récupération active**	2-3	
	30 secondes	Effort*	5-6	
	30 secondes	Récupération active**	2-3	
	30 secondes	Effort*	5-6	
	30 secondes	Récupération active**	2-3	
	30 secondes	Effort*	5-6	
	30 secondes	Récupération active**	2-3	
10 à 15 minutes		Retour au calme	2	

* Trouvez la vitesse qui vous permettra d'être aussi forte sur le dernier effort soutenu que sur le premier.
** Pédalez avec peu de résistance.

LE SKI DE FOND ET LA RAQUETTE

Si vous avez eu un accouchement vaginal sans complications, vous pouvez recommencer le ski de fond et la raquette quand vous vous sentez prête et que vous en avez l'énergie. Ces sports sans impacts sont recommandés pendant la période post-partum. Les femmes qui ont eu une césarienne devraient attendre un minimum de six à huit semaines avant de s'y remettre, puisque les muscles abdominaux sont très sollicités, surtout en ski de fond, que ce soit en technique classique ou en pas de patin. La reprise devra alors se faire en deçà du seuil de la douleur.

Pour les débutantes, le ski de fond et la raquette sont d'excellents sports qui font travailler tout le corps. Même les courtes sorties sont très bénéfiques.

Pour les sportives et les athlètes, la reprise des compétitions varie d'une femme à l'autre. Elles peuvent revoir leurs objectifs avec leur médecin et leur entraîneur selon leur condition après l'accouchement et le tonus de leurs muscles pelviens.

SKIER AVEC BÉBÉ !

Les fabricants de traîneaux ou de remorques pour bébés recommandent d'attendre que l'enfant ait six mois avant de l'emmener en ski de fond. Vous pouvez alors tirer un traîneau ou une remorque simple ou double en technique classique ou en pas de patin.

Les femmes qui choisissent de skier avant que le bébé ait six mois doivent surveiller la position de la tête du bébé, ainsi que sa chaleur corporelle. Veillez à ce que le bébé soit bien au chaud lorsque vous pratiquez un sport d'hiver comme le ski de fond, la raquette ou la marche. Les extrémités refroidissent vite.

Si vous êtes débutante et que vous tirez votre bébé dans un traîneau ou une remorque, choisissez des pistes où le terrain est plat et évitez les montées et les descentes trop abruptes où vous risqueriez de tomber. C'est tout un entraînement que de tirer bébé dans une montée !

TRUCS ET CONSEILS

● Lors de votre première sortie de ski de fond, allez-y tranquillement ! Vous risquez d'être courbaturée – surtout si vous tirez un traîneau. Augmentez de façon progressive la durée de vos sorties et la difficulté des parcours.

● Si c'est possible, offrez-vous un cours de ski de fond pour améliorer votre technique. Vous aurez encore plus de plaisir à skier ensuite.

● Si vous ressentez des douleurs musculo-squelettiques ou que vous avez des fuites d'urine lorsque vous faites du ski de fond, parlez-en à votre médecin. Certaines femmes peuvent souffrir d'incontinence urinaire à l'effort ou lorsqu'elles tirent un traîneau ou une remorque en ski de fond. Cette situation n'est pas anormale, mais il faut la corriger en faisant des exercices pour le plancher pelvien (voir à la page 172).

Capsule maman

LA COMPÉTITION

« J'ai repris l'entraînement un mois après l'accouchement, ce qui était peut-être un peu rapide. J'ai gardé une douleur au nerf sciatique pendant plus d'un an après mon accouchement et j'ai dû subir un traitement de prolothérapie. La douleur est complètement disparue deux ans après l'accouchement.

« J'ai retrouvé ma forme d'avant la grossesse un an après la naissance de mon fils. J'ai trouvé difficile de reprendre les compétitions avec le manque de sommeil. Durant la première année, mon mari m'a beaucoup aidée et ma mère voyageait avec moi à toutes mes compétitions. L'année d'après, j'avais une gardienne, du mois d'octobre à avril, qui voyageait avec moi et qui s'occupait de mon fils le soir avant les compétitions et le jour de la compétition. »
– Milaine Thériault, mère de Xavier, sept ans, et triple olympienne en ski de fond

L'avis de la sage-femme

« Il est important de ne pas commencer à faire des exercices abdominaux avant que le plancher pelvien soit tonifié. Si ce n'est pas le cas, une trop grande pression est exercée sur le périnée, ce qui peut engendrer des problèmes d'incontinence urinaire ou, à l'occasion, de descente d'organe. »

– Mélanie Chevarie, sage-femme et professeur de yoga

LE YOGA POSTNATAL

Environ quatre à six semaines après un accouchement vaginal sans complications, vous pouvez faire des activités physiques sans impacts comme le yoga dès que vous vous sentez prête et que vous avez une force adéquate au niveau du plancher pelvien. Certaines femmes actives qui pratiquent le yoga régulièrement peuvent même recommencer à en faire quelques jours après l'accouchement.

Après une césarienne, attendez un minimum de huit semaines, puisqu'il n'est pas recommandé de solliciter la paroi abdominale avant cette période, à moins d'avoir l'accord de votre médecin.

Les saignements légers et les points de suture ne sont pas une contre-indication à la reprise du yoga. Faites les exercices en deçà du seuil de la douleur.

FAIRE DU YOGA AVEC BÉBÉ
Une maman peut joindre un groupe de yoga postnatal environ six semaines après l'accouchement. Il existe plusieurs cours de yoga postnatal. Pour que le cours de yoga postnatal soit une belle expérience pour vous et

votre enfant, essayez de le faire boire avant le cours et non pendant. Cependant, si vous devez nourrir votre enfant pendant la classe, ne vous en faites pas ! Attendez-vous à ce que votre bébé pleure ou crie durant la séance.

Votre but n'est pas de faire une séance de yoga postnatal sans interruption, mais bien de profiter d'un moment hors de la maison en compagnie de votre bébé, entourée de femmes qui vous comprennent et qui vivent une situation semblable à la vôtre. C'est un excellent moyen de socialiser et de se remettre en forme tout en vous recentrant sur vous-même et sur votre bébé.

Si votre bébé est agité ou affamé, la méditation en marchant ou les techniques de respiration en le nourrissant peuvent être bénéfiques.

LES POSTURES DE YOGA AVEC BÉBÉ

POSTURE 1

L'OUVERTURE DES ÉPAULES

Vous pouvez aussi faire cette posture les jambes croisées avec bébé sur les jambes, ou sur une chaise, avec bébé dans un porte-bébé. Elle est excellente pour détendre les épaules, ouvrir la cage thoracique et soulager les seins.

Exécution :

1. À genoux, assise sur vos pieds ou sur un bloc, prenez une courroie et écartez les mains pour pouvoir monter les bras et les passer vers l'arrière sans avoir à plier les coudes.

2. Inspirez et montez les bras au-dessus de la tête.

3. Expirez et passez les bras dans le dos.

4. Inspirez et remontez les bras au-dessus de la tête.

5. Expirez et baissez les bras vers l'avant.

Durée : Faites ce mouvement de va-et-vient avec la respiration à 5 reprises.

POSTURE 2

LE CHIEN ET LE CHAT, AVEC BÉBÉ ENTRE LES « PATTES »

Exécution :

1. Mettez-vous à quatre pattes avec les épaules au-dessus des poignets, les hanches au-dessus des genoux, et pointez les pieds vers l'arrière.

2. Chien : inspirez et retroussez les muscles fessiers vers le haut, roulez les épaules vers l'arrière, en accentuant la courbe lombaire. Faites suivre le mouvement jusqu'à la tête en ramenant les épaules vers l'arrière.

3. Gardez les abdominaux actifs pour ne pas laisser pendre l'abdomen, ce qui causerait une lordose trop prononcée.

4. Gardez les bras droits et faites attention de ne pas créer d'hyperextension au niveau des coudes.

5. Chat : expirez en arrondissant le dos. Ramenez le coccyx entre les jambes et faites suivre le mouvement jusqu'à la tête en l'amenant vers le bas. Expirez et tirez le nombril vers la colonne vertébrale.

Durée : Faire le mouvement à 5 reprises.

VARIANTE

Dans le chat, prenez position sur le bout des doigts.

POSTURE 3

LE CHAT QUI S'ÉTIRE

Exécution :

1. Dans la même position que pour la pose précédente, gardez les hanches à la même hauteur et transférez votre poids sur la main droite tout en prenant soin de créer de l'hyperextension dans votre coude.

2. Inspirez et levez votre bras gauche vers le plafond en gardant le bras et les doigts dans une belle ligne droite. Si votre nuque vous le permet, regardez la base de votre pouce gauche.

Durée : Maintenez la position le temps de 5 respirations de chaque côté.

LE GUERRIER AVEC BÉBÉ

Vous pouvez aussi tenir bébé sur le genou plié ou le mettre dans le porte-bébé.

Exécution :

1. Les pieds à la largeur des hanches, allongez une jambe vers l'arrière en prenant soin de placer le pied complètement sur le sol dans un angle se rapprochant de 30 degrés. Gardez les hanches pointées vers l'avant.

2. Pliez le genou de l'autre jambe à 90 degrés en vous assurant que le genou est au-dessus du pied. Ajustez la jambe arrière pour augmenter ou réduire l'angle du genou avant. Le torse est long et la colonne vertébrale est perpendiculaire au sol. Ne laissez pas le bas du dos se cambrer. Activez les jambes et le périnée.

Durée : Maintenez la position le temps de 5 respirations profondes.

VARIANTE

LE GUERRIER 2

Si vos bras sont libres, effectuez une rotation du bassin de façon que vos pieds, vos hanches et vos épaules soient alignés.

Allongez les bras parallèles au sol, dans le prolongement des épaules.

POSTURE 5

LA CHAISE AVEC BÉBÉ

Vous pouvez tenir votre bébé sur vos genoux ou le mettre dans le porte-bébé.

Exécution : Appuyez votre dos au mur, avancez les pieds et descendez les fessiers jusqu'à ce que les cuisses soient parallèles au sol. Les genoux sont directement au-dessus des talons, à un angle de 90 degrés ou plus si la position à 90 degrés est trop difficile. Le dos doit être en tout temps appuyé au mur.

Durée : Maintenez la position le temps de 5 respirations profondes.

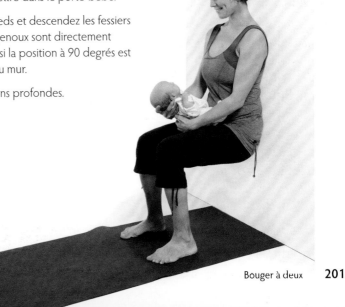

POSTURE 6

L'OUVERTURE DE JAMBE AVEC BÉBÉ

Exécution :

1. Assoyez-vous confortablement. Mettez votre enfant dans le porte-bébé ou entre vos jambes. Si nécessaire, assoyez-vous sur un bloc ou un coussin pour que votre dos soit bien allongé.

2. Gardez les jambes droites et écartez-les le plus possible tout en retroussant les orteils (les muscles de vos jambes doivent être contractés).

3. Portez les mains aussi loin que possible vers l'avant tout en gardant le dos le plus long et droit possible.

Durée : Maintenez la position le temps de 5 respirations profondes en contractant le périnée.

VARIANTE

Exécution :

1. Contractez le périnée puis les abdominaux.

2. Amenez le bras vers le haut sans plier le coude, la main en ligne droite avec le bras. Gardez la tête enlignée avec le bras et regardez votre main, si possible.

Durée : Maintenez la position pendant 5 respirations profondes et refaites la même chose de l'autre côté.

....

POSTURE 7

LA FLEXION DU TRONC AVEC BÉBÉ

Vous pouvez tenir bébé avec les deux avant-bras, le mettre dans le porte-bébé ou le poser par terre devant vous.

Exécution :

1. Prenez position debout, avec les jambes plus écartées que la largeur des hanches, inspirez.

2. Expirez et effectuez une flexion du tronc en gardant le dos bien droit. Si vous avez de la difficulté à garder le dos droit, pliez légèrement les genoux. Vos bras peuvent être tendus comme les ailes d'un avion ou entourer votre bébé.

3. En inspirant, revenez à la position de départ.

Durée : Faites le mouvement à 5 reprises.

LE CORDONNIER AVEC BÉBÉ

Exécution :

1. Assoyez-vous en rapprochant vos pieds le plus possible de vous, selon votre niveau de flexibilité. Au besoin, assoyez-vous sur un coussin ou un bloc. Appuyez la tête de votre bébé sur vos pieds ou sur un petit coussin.

2. Gardez le dos droit et la nuque dans le prolongement du dos. Maintenez la position le temps de 5 respirations profondes.

VARIANTE

Dans la même position, arrondissez le haut du dos, tout en gardant le périnée et les abdominaux contractés.

Les recettes

BARRES DE CÉRÉALES MAISON

(32 barres)

Ces barres sont de parfaites collations, puisqu'elles sont une bonne source d'oméga-3 (dans les graines de lin) et de fibres.

INGRÉDIENTS

2 œufs
60 ml (¼ tasse) d'huile de canola
125 ml (½ tasse) de miel
5 ml (1 c. à thé) de vanille
500 ml (2 tasses) de graines de lin fraîchement moulues
500 ml (2 tasses) de flocons d'avoine
125 ml (½ tasse) de farine de blé entier
60 ml (¼ tasse) de sucre brut
15 ml (1 c. à soupe) de poudre à pâte
1 pincée de sel
60 ml (¼ tasse) de graines de tournesol
60 ml (¼ tasse) de graines de citrouille
60 ml (¼ tasse) d'amandes effilées
125 ml (½ tasse) de canneberges séchées
125 ml (½ tasse) de pépites de chocolat noir

PRÉPARATION

Préchauffer le four à 190 °C (375 °F).

Dans un grand bol, mélanger les œufs, l'huile, le miel et la vanille.

Dans un deuxième bol, mélanger tous les ingrédients secs.

Ajouter les ingrédients secs à la préparation humide et bien mélanger.

Étendre la préparation sur la plaque de cuisson (environ 1,5 cm d'épaisseur).

Cuire pendant 12 à 15 minutes.

Laisser refroidir une heure au réfrigérateur avant de couper en 32 barres.

MACRONUTRIMENTS	PAR PORTION (1 BARRE)
Calories	150
Glucides (g)	20
Fibres (g)	3
Protéines (g)	4
Gras (g)	7
Gras saturé (g)	1

VITAMINES ET MINÉRAUX	PAR PORTION	POURCENTAGE DES BESOINS D'UNE FEMME ENCEINTE (%)
Sodium (mg)	134	
Fer (mg)	1	4
Calcium (mg)	22	2
Magnésium (mg)	45	13
Zinc (mg)	1	9
Acide folique (µg)	5	4
Vitamine B12 (µg)	0	0
Vitamine C (mg)	0	0
Vitamine D (µg)	1	0

BOULES D'ÉNERGIE AUX LÉGUMINEUSES

(25 boules)

Ces boules végétariennes sont une excellente source de fibres, de magnésium et d'acide folique. Elles se conservent bien et peuvent être présentées de plusieurs façons.

INGRÉDIENTS

398 ml (14 oz) de haricots noirs, égouttés et rincés
500 ml (2 tasses) de couscous ou de riz brun (cuit)
125 ml (½ tasse) de farine de blé entier
2,5 ml (½ c. à thé) de poudre à pâte
2,5 ml (½ c. à thé) de sel
5 ml (1 c. à thé) d'origan
5 ml (1 c. à thé) de cumin
1 gousse d'ail émincée
1,25 ml (¼ c. à thé) de poivre fraîchement moulu

PRÉPARATION

Préchauffer le four à 180 °C (350 °F), déposer une feuille de papier parchemin sur la plaque à cuisson.

Placer les haricots noirs dans un grand bol et les écraser grossièrement.

Ajouter le couscous, la farine, la poudre à pâte, le sel, l'origan, le cumin, l'ail et le poivre. Bien mélanger.

Prendre environ 30 ml (2 c. à soupe) du mélange et, avec les mains, le façonner en une boule bien ronde, de la grosseur d'une noix.

Répéter l'opération pour chaque boule et les placer sur la plaque à cuisson.

Cuire au four pendant 30 à 35 minutes, en les retournant à l'occasion, jusqu'à ce qu'elles soient brunes et croustillantes à l'extérieur.

PRÉSENTATIONS SUGGÉRÉES

- Servir avec des pâtes et de la sauce tomate.
- Servir avec des tortillas et de la salsa.
- Servir dans un pita avec des concombres et du yogourt nature.
- Faire de plus grosses boules et les aplatir pour garnir des hamburgers.

MACRONUTRIMENTS	PAR PORTION (5 BOULES)
Calories	237
Glucides (g)	46
Fibres (g)	8
Protéines (g)	12
Gras (g)	1
Gras saturé (g)	0

VITAMINES ET MINÉRAUX	PAR PORTION	POURCENTAGE DES BESOINS D'UNE FEMME ENCEINTE (%)
Sodium (mg)	480	
Fer (mg)	3	11
Calcium (mg)	58	6
Magnésium (mg)	83	24
Zinc (mg)	2	18
Acide folique (µg)	143	24
Vitamine B12 (µg)	0	0
Vitamine C (mg)	0	0
Vitamine D (µg)	0	0

MUFFINS À LA CITROUILLE ET AUX RAISINS

(24 gros muffins)

Ces muffins sont parfaits comme collation ou même comme dessert santé. De plus, ils sont une source de fer. Pour un goût plus sucré, utilisez des brisures de chocolat plutôt que des raisins secs.

INGRÉDIENTS

1 œuf
125 ml (½ tasse) de sucre granulé
125 ml (½ tasse) de sucre brun (cassonade)
125 ml (½ tasse) d'huile de canola
125 ml (½ tasse) de compote de pommes sans sucre
125 ml (½ tasse) de mélasse noire
398 ml (14 oz) de purée de citrouille
500 ml (2 tasses) de farine blanche enrichie
250 ml (1 tasse) de farine de blé
10 ml (2 c. à thé) de bicarbonate de soude
5 ml (1 c. à thé) de poudre à pâte
5 ml (1 c. à thé) de cannelle
250 ml (1 tasse) de raisins secs

PRÉPARATION

Préchauffer le four à 200 °C (400 °F).

Disposer dans les moules à muffins des moules de papier ou de silicone, ou graisser légèrement.

Dans un grand bol, battre l'œuf et les sucres. Ajouter l'huile, la compote de pommes, la mélasse et la purée de citrouille.

Dans un deuxième bol, tamiser ensemble les farines, le bicarbonate de soude, la poudre à pâte et la cannelle.

Ajouter lentement les ingrédients secs à la préparation de citrouille et mélanger légèrement sans trop brasser. Avant que les ingrédients secs ne soient complètement humectés, ajouter les raisins secs.

Répartir le mélange dans les moules à muffins (environ 60 ml [¼ tasse] de mélange par muffin).

Cuire pendant 15 à 20 minutes, jusqu'à ce qu'un cure-dents piqué dans un muffin en ressorte sec.

Laisser refroidir de 2 ou 3 minutes avant de démouler.

Congeler les muffins qui ne sont pas servis immédiatement.

MACRONUTRIMENTS	PAR PORTION (1 MUFFIN)
Calories	176
Glucides (g)	32
Fibres (g)	2
Protéines (g)	2
Gras (g)	5
Gras saturé (g)	0

VITAMINES ET MINÉRAUX	PAR PORTION	POURCENTAGE DES BESOINS D'UNE FEMME ENCEINTE (%)
Sodium (mg)	117,6	
Fer (mg)	2	7
Calcium (mg)	81	8
Magnésium (mg)	32	9
Zinc (mg)	0	0
Acide folique (µg)	23	4
Vitamine B12 (µg)	0	0
Vitamine C (mg)	1	1
Vitamine D (µg)	0	0

MUFFINS AU SON ET AUX DATTES

(18 muffins)

Ces muffins sont peu sucrés, donc parfaits si les desserts et les barres granola vous donnent la nausée. Ils contiennent 5 g de fibres par portion et sont une excellente source de magnésium et une bonne source de fer.

INGRÉDIENTS

1 gros œuf
60 ml (¼ tasse) de margarine, fondue
   (ou d'huile de canola)
500 ml (2 tasses) de lait
30 ml (2 c. à soupe) de vinaigre
125 ml (½ tasse) de mélasse noire
500 ml (2 tasses) de farine de blé entier
375 ml (1 ½ tasse) de son de blé
125 ml (½ tasse) de sucre blanc
10 ml (2 c. à thé) de poudre à pâte
5 ml (1 c. à thé) de bicarbonate de soude
1,25 ml (¼ c. à thé) de sel
250 ml (1 tasse) de dattes hachées

PRÉPARATION

Préchauffer le four à 180 °C (350 °F).

Disposer dans les moules à muffins des moules de papier ou de silicone, ou graisser légèrement.

Dans un grand bol, battre l'œuf, la margarine, le lait, le vinaigre et la mélasse.

Dans un deuxième bol, tamiser ensemble la farine, le son de blé, le sucre, la poudre à pâte, le bicarbonate de soude et le sel.

Ajouter lentement les ingrédients secs à la préparation humide et mélanger quelques fois sans trop brasser. Avant que les ingrédients secs ne soient complètement humectés, ajouter les dattes hachées.

Répartir le mélange dans les moules à muffins (environ 60 ml [¼ tasse] de mélange par muffin).

Cuire pendant 12 à 15 minutes, jusqu'à ce qu'un cure-dents piqué dans un muffin en ressorte sec.

Laisser refroidir de 2 ou 3 minutes avant de démouler.

Congeler les muffins qui ne sont pas servis immédiatement.

MACRONUTRIMENTS	PAR PORTION (1 MUFFIN)
Calories	159
Glucides (g)	33
Fibres (g)	5
Protéines (g)	4
Gras (g)	3
Gras saturé (g)	0

VITAMINES ET MINÉRAUX	PAR PORTION	POURCENTAGE DES BESOINS D'UNE FEMME ENCEINTE (%)
Sodium (mg)	184	
Fer (mg)	3	11
Calcium (mg)	140	14
Magnésium (mg)	75	21
Zinc (mg)	1	9
Acide folique (µg)	12	2
Vitamine B12 (µg)	0	0
Vitamine C (mg)	0	0
Vitamine D (µg)	1	0.2

SMOOTHIE AU GINGEMBRE ANTINAUSÉES

Ce smoothie riche en nutriments peut aider à diminuer les nausées grâce au gingembre qu'il contient. Boire lentement, à petites gorgées, un smoothie par jour, pendant 3 ou 4 jours.

INGRÉDIENTS

250 ml (1 tasse) de baies congelées
250 ml (1 tasse) de boisson de soya enrichi non sucré
125 ml (½ tasse) de glaçons
1 banane
60 ml (¼ tasse) de germe de blé
10 ml (2 c. à thé) de gingembre frais haché
15 ml (1 c. à soupe) de miel
1 pincée de cannelle moulue

PRÉPARATION

Mettre tous les ingrédients dans un mélangeur et broyer. Servir froid.

Pour un smoothie plus liquide, ajoutez 60 à 125 ml (¼ à ½ tasse) d'eau.

MACRO-NUTRIMENTS	PAR PORTION
Calories	390
Glucides (g)	73
Fibres (g)	11
Protéines (g)	15
Gras (g)	8
Gras saturé (g)	1

VITAMINES ET MINÉRAUX	PAR PORTION	POURCENTAGE DES BESOINS D'UNE FEMME ENCEINTE (%)
Sodium (mg)	38	
Fer (mg)	5	18,5
Calcium (mg)	349	35
Magnésium (mg)	173	49
Zinc (mg)	5	45
Acide folique (µg)	143	24
Vitamine B12 (µg)	1	38
Vitamine C (mg)	101	119
Vitamine D (µg)	2	0,3

SMOOTHIE AU BEURRE D'ARACHIDE ET AUX BANANES

Avec 13 g de protéines et 48 g de glucides, cette boisson est idéale après un entraînement. Pour davantage de protéines et de glucides, ajouter 60 ml (¼ tasse) de lait en poudre.

INGRÉDIENTS

250 ml (1 tasse) de lait
125 ml (½ tasse) de glaçons
1 banane
15 ml (1 c. à soupe) de beurre d'arachide
5 ml (1 c. à thé) de miel ou de confiture (facultatif)

PRÉPARATION

Mettre tous les ingrédients dans un mélangeur et broyer. Servir froid.

Pour un smoothie plus liquide, ajouter 60 à 125 ml (¼ à ½ tasse) d'eau.

MACRO-NUTRIMENTS	PAR PORTION
Calories	329
Glucides (g)	48
Fibres (g)	3
Protéines (g)	13
Gras (g)	11
Gras saturé (g)	3

VITAMINES ET MINÉRAUX	PAR PORTION	POURCENTAGE DES BESOINS D'UNE FEMME ENCEINTE (%)
Sodium (mg)	186	
Fer (mg)	1	3,7
Calcium (mg)	310	31
Magnésium (mg)	68	19
Zinc (mg)	1	9
Acide folique (µg)	35	5,8
Vitamine B12 (µg)	1	38
Vitamine C (mg)	13	15
Vitamine D (µg)	2	0,3

DÉLICE TUTTI-FRUTTI PROTÉINÉ

Riche en énergie, en glucides et en protéines, cette recette est très nutritive et parfaite après l'activité physique !

INGRÉDIENTS

250 ml (1 tasse) de lait écrémé, ou 1 %
60 ml (¼ tasse) de lait en poudre
125 ml (½ tasse) de jus de fruits tropicaux
1 banane
15 ml (1 c. à soupe) de sirop d'érable ou de miel

PRÉPARATION

Passer tous les ingrédients au mélangeur. Servir froid.

PARFAIT AU FROMAGE FRAIS ET AU MELON D'ÉTÉ

Source de protéines et faibles en gras, les fromages frais* comme le fromage blanc, la ricotta et le fromage cottage peuvent être consommés avant ou après le repas sans gêner la digestion. Pour optimiser la récupération, il suffit de doubler la quantité suggérée.

INGRÉDIENTS

250 ml (1 tasse) de melon
60 ml (¼ tasse) de fromage frais, comme la ricotta ou le fromage cottage
45 ml (3 c. à soupe) de céréales muesli ou granola faibles en matières grasses
10 ml (2 c. à thé) de sirop d'érable ou de miel

PRÉPARATION

Mélanger tous les ingrédients et déguster !

*Assurez-vous que les fromages sont pasteurisés.

MACRO-NUTRIMENTS	PAR PORTION
Calories	369
Glucides (g)	76
Fibres (g)	2
Protéines (g)	17
Gras (g)	1
Gras saturé (g)	1

VITAMINES ET MINÉRAUX	PAR PORTION	POURCENTAGE DES BESOINS D'UNE FEMME ENCEINTE (%)
Sodium (mg)	228	
Fer (mg)	1	3,7
Calcium (mg)	541	54
Magnésium (mg)	92	26
Zinc (mg)	3	27
Acide folique (µg)	58	9,7
Vitamine B12 (µg)	2	77
Vitamine C (mg)	61	72
Vitamine D (µg)	5	0,8

MACRO-NUTRIMENTS	PAR PORTION
Calories	250
Glucides (g)	42
Fibres (g)	2
Protéines (g)	9
Gras (g)	6
Gras saturé (g)	3

VITAMINES ET MINÉRAUX	PAR PORTION	POURCENTAGE DES BESOINS D'UNE FEMME ENCEINTE (%)
Sodium (mg)	129	
Fer (mg)	3	11
Calcium (mg)	185	18,5
Magnésium (mg)	27	7,8
Zinc (mg)	2	18
Acide folique (µg)	21	3,5
Vitamine B12 (µg)	0	0
Vitamine C (mg)	8	9
Vitamine D (µg)	0	0

HOUMOUS À LA CORIANDRE ET AU CITRON VERT

(8 portions)

Le houmous est une source de bons gras, de fibres et de protéines. Cette recette est une version plus légère que les versions commerciales, qui sont souvent très riches et peuvent occasionner des nausées. Si vous souffrez de reflux gastriques, n'ajoutez pas l'ail ni la sauce piquante.

INGRÉDIENTS

540 ml (19 oz) de pois chiches, égouttés et rincés
500 ml (2 tasses) de coriandre fraîche, lavée
1 gousse d'ail
30 ml (2 c. à soupe) de yogourt nature
30 ml (2 c. à soupe) d'huile d'olive extra-vierge
30 ml (2 c. à soupe) de zeste d'un citron vert et son jus
Sel, poivre et sauce piquante (au goût)
125 ml (½ tasse) d'eau (si nécessaire)

PRÉPARATION

Placer tous les ingrédients dans la tasse du robot culinaire. Mélanger par pulsions successives jusqu'à l'obtention d'une purée légèrement grumeleuse (ajouter de l'eau si nécessaire). Vérifier l'assaisonnement.

Réfrigérer.

MACRONUTRIMENTS	PAR PORTION (⅛ DE LA RECETTE)
Calories	110
Glucides (g)	14
Fibres (g)	3
Protéines (g)	5
Gras (g)	5
Gras saturé (g)	1

VITAMINES ET MINÉRAUX	PAR PORTION	POURCENTAGE DES BESOINS D'UNE FEMME ENCEINTE (%)
Sodium (mg)	266	
Fer (mg)	2	7
Calcium (mg)	44	4
Magnésium (mg)	27	8
Zinc (mg)	1	9
Acide folique (µg)	88	15
Vitamine B12 (µg)	0	0
Vitamine C (mg)	9	11
Vitamine D (µg)	0	0

QUINOA AU CARI ET AUX FRUITS SÉCHÉS

(4 portions)

Facile à préparer à l'avance, cette recette végétarienne est aussi une bonne source de zinc, ainsi qu'une excellente source de magnésium et de fer.

INGRÉDIENTS

500 ml (2 tasses) d'eau
250 ml (1 tasse) de quinoa
1,25 ml (¼ c. à thé) de gingembre
1,25 ml (¼ c. à thé) de cumin
1,25 ml (¼ c. à thé) de cari
1,25 ml (¼ c. à thé) de cannelle
125 ml (½ tasse) de raisins secs
125 ml (½ tasse) de canneberges séchées
125 ml (½ tasse) de noix de Grenoble

PRÉPARATION

Dans une casserole, amener l'eau à ébullition.

Diminuer le feu, ajouter et mélanger le quinoa et les épices.

Couvrir et laisser mijoter pendant 15 minutes, ou jusqu'à ce que le quinoa gonfle.

Ajouter les raisins, les canneberges et les noix de Grenoble avant de servir.

MACRONUTRIMENTS	PAR PORTION (¼ DE LA RECETTE)
Calories	351
Glucides (g)	60
Fibres (g)	5
Protéines (g)	8
Gras (g)	11
Gras saturé (g)	1

VITAMINES ET MINÉRAUX	PAR PORTION	POURCENTAGE DES BESOINS D'UNE FEMME ENCEINTE (%)
Sodium (mg)	20	
Fer (mg)	5	19
Calcium (mg)	61	6
Magnésium (mg)	120	34
Zinc (mg)	2	18
Acide folique (µg)	34	6
Vitamine B12 (µg)	0	0
Vitamine C (mg)	1	1
Vitamine D (µg)	0	0

SAUMON EN PAPILLOTE

(2 portions)

Une excellente source d'oméga-3, de vitamine B12, de vitamine C et de vitamine D, ce repas est à ajouter à votre répertoire ! De plus, la cuisson en papillote diminue les odeurs. La papillote d'aluminium peut même cuire au barbecue.

INGRÉDIENTS

12 feuilles de basilic
360 g (12 oz) de saumon
500 ml (2 tasses) de courgettes, coupées en cubes
250 ml (1 tasse) de poivrons rouges, coupés en cubes
60 ml (¼ tasse) d'oignons verts tranchés
1,25 ml (¼ c. à thé) de sel
1,25 ml (¼ c. à thé) de poivre
½ citron (en tranches minces)
30 ml (2 c. à soupe) d'huile d'olive (facultatif)

PRÉPARATION

Préchauffer le four à 245 °C (475 °F).

Déposer une grande feuille de papier d'aluminium ou de papier parchemin sur une plaque de cuisson.

Former un « lit » avec les feuilles de basilic au milieu de la feuille et y déposer le saumon.

Disposer les cubes de courgettes et poivrons autour du saumon.

Parsemer les oignons verts, saler et poivrer.

Garnir de tranches de citron et verser un filet d'huile d'olive.

Fermer le paquet en laissant un peu d'espace pour laisser la vapeur s'échapper.

Cuire pendant 12 minutes, jusqu'à ce que la chair du saumon soit ferme.

MACRONUTRIMENTS	PAR PORTION (LA MOITIÉ DE LA RECETTE)
Calories	479
Glucides (g)	13
Fibres (g)	5
Protéines (g)	37
Gras (g)	32
Gras saturé (g)	6

VITAMINES ET MINÉRAUX	PAR PORTION	POURCENTAGE DES BESOINS D'UNE FEMME ENCEINTE (%)
Sodium (mg)	673	
Fer (mg)	3	11
Calcium (mg)	101	10
Magnésium (mg)	209	60
Zinc (mg)	1	9
Acide folique (µg)	111	19
Vitamine B12 (µg)	5	192
Vitamine C (mg)	198	233
Vitamine D (µg)	715	119

PÂTES AUX PALOURDES

(2 portions)

Une portion de cette recette vous procure 1423 % des besoins en vitamine B12 (oui, vous avez bien lu !), ainsi que 70 % des besoins en fer. Elle est aussi une excellente source de magnésium, de zinc, d'acide folique et de vitamine C ! Wow !

INGRÉDIENTS

30 ml (2 c. à soupe) d'huile végétale (huile d'olive)
2 gousses d'ail émincées
140 g (5 oz) de palourdes en conserve
   (égoutter la moitié du jus*)
125 ml (½ tasse) de vin blanc sans alcool
250 ml (1 tasse) de tomates fraîches ou en conserve,
   émincées
625 ml (2 ½ tasses) de persil frais haché
Poivre
120 g (4 oz) de pâtes de blé entier (spaghetti
   ou linguine)

PRÉPARATION

Dans une grande poêle, à feu moyen-vif, faire dorer légèrement l'ail dans l'huile.

Ajouter les palourdes et la moitié du jus.

Laisser réduire pendant 3 ou 4 minutes.

Ajouter le vin blanc, les tomates et le persil, et laisser réduire encore 4 ou 5 minutes.

Poivrer généreusement.

Mélanger aux pâtes cuites.

* Si vous utilisez les palourdes en saumure, n'ajoutez pas de sel. Vous pouvez aussi utiliser du bouillon de poulet.

MACRONUTRIMENTS	PAR PORTION (LA MOITIÉ DE LA RECETTE)
Calories	485
Glucides (g)	60
Fibres (g)	6
Protéines (g)	22
Gras (g)	16
Gras saturé (g)	2

VITAMINES ET MINÉRAUX	PAR PORTION	POURCENTAGE DES BESOINS D'UNE FEMME ENCEINTE (%)
Sodium (mg)	186	
Fer (mg)	19	70
Calcium (mg)	205	21
Magnésium (mg)	162	46
Zinc (mg)	4	36
Acide folique (µg)	201	34
Vitamine B12 (µg)	37	1423
Vitamine C (mg)	152	179
Vitamine D (µg)	39	7

RAGOÛT DE BŒUF RÉINVENTÉ

(8 portions)

Un repas complet dans une seule casserole ! Cette recette est une excellente source de fer, de calcium, de magnésium, de zinc, de vitamine B12 et de vitamine C.

INGRÉDIENTS

600 g (1,3 lb) de bœuf à ragoût, en cubes
2 oignons moyens coupés en dés
3 carottes coupées en cubes
2 patates douces moyennes coupées en cubes
375 ml (1 ½ tasse) de bouillon de bœuf
160 ml (⅔ tasse) de pâte de tomate
1 feuille de laurier
15 ml (1 c. à soupe) de sauce Worcestershire
750 ml (3 tasses) de bettes à carde
2,5 ml (½ c. à thé) de sel
2,5 ml (½ c. à thé) de poivre
500 ml (2 tasses) de champignons tranchés
30 ml (2 c. à soupe) de farine de grains entiers
   (si nécessaire)

PRÉPARATION

Dans une grande casserole, à feu élevé, saisir les cubes de bœuf jusqu'à ce qu'ils soient brunis.

Ajouter les oignons, les carottes, les patates douces. Cuire pendant 2 ou 3 minutes.

Ajouter le bouillon, la pâte de tomate, la feuille de laurier, la sauce Worcestershire et les bettes à carde. Cuire pendant 30 à 40 minutes, ou jusqu'à ce que les patates soient tendres.

Saler, poivrer et ajouter les champignons.

Si la sauce n'est pas assez épaisse, verser un peu d'eau dans un bol et incorporer la farine au fouet. Bien mélanger. Ajouter le tout au premier mélange.

Cuire encore 5 minutes jusqu'à ce que la sauce du ragoût épaississe un peu.

MACRONUTRIMENTS	PAR PORTION (⅛ DE LA RECETTE)
Calories	374
Glucides (g)	28
Fibres (g)	5
Protéines (g)	45
Gras (g)	9
Gras saturé (g)	3

VITAMINES ET MINÉRAUX	PAR PORTION	POURCENTAGE DES BESOINS D'UNE FEMME ENCEINTE (%)
Sodium (mg)	583	
Fer (mg)	7	26
Calcium (mg)	374	37
Magnésium (mg)	77	22
Zinc (mg)	12	109
Acide folique (µg)	45	8
Vitamine B12 (µg)	4	154
Vitamine C (mg)	35	41
Vitamine D (µg)	13	2

LIMONADE AU GINGEMBRE

(concentration : 8 % de glucides, environ 3 portions)

Avec un goût très rafraîchissant et le mordant du gingembre, cette limonade est délicieuse pendant l'entraînement si vous avez des nausées. Vous pouvez aussi en boire avant un entraînement et même tôt le matin, si les nausées vous empêchent de manger. Elle apaise aussi les maux de gorge, lorsque servie chaude.

INGRÉDIENTS

45 ml (3 c. à soupe) de miel
30 ml (2 c. à soupe) de gingembre frais râpé
80 ml (⅓ tasse) de jus de citron
1 pincée de sel
500 ml (2 tasses) d'eau bouillante
375 ml (1 ½ tasse) d'eau glacée

PRÉPARATION

Mélanger le miel, le gingembre, le jus de citron et le sel.

Ajouter l'eau bouillante et bien mélanger.

Ajouter l'eau glacée.

MACRONUTRIMENTS	PAR PORTION DE 250 ML (1 TASSE)	
Calories	71	
Glucides (g)	20	
Fibres (g)	0	
Protéines (g)	0	
Gras (g)	0	
Gras saturé (g)	0	
VITAMINES ET MINÉRAUX	PAR PORTION	POURCENTAGE DES BESOINS D'UNE FEMME ENCEINTE (%)
Sodium (mg)	170	
Fer (mg)	0	0
Calcium (mg)	12	1.2
Magnésium (mg)	5	1.4
Zinc (mg)	0	0
Acide folique (µg)	4	0.7
Vitamine B12 (µg)	0	0
Vitamine C (mg)	12	14
Vitamine D (µg)	0	0

BOISSON CHAUDE À LA CANNEBERGE

(concentration : 7 % de glucides, 4 portions)

Sur les sentiers enneigés ou par un matin très froid, nous aimons les boissons chaudes ! Bonne source de vitamine C, cette boisson est aussi une délicieuse option non alcoolisée pour les fêtes d'hiver.

INGRÉDIENTS

500 ml (2 tasses) d'eau
250 ml (1 tasse) de jus de pomme
250 ml (1 tasse) de jus de canneberge sans sucre
1 bâton de cannelle
1 clou de girofle

PRÉPARATION

Faire chauffer les ingrédients à feu doux jusqu'à ébullition.

Retirer le bâton de cannelle et le clou de girofle.

Verser le contenu dans une bouteille thermos.

MACRONUTRIMENTS	PAR PORTION DE 250 ML (1 TASSE)	
Calories	72	
Glucides (g)	18	
Fibres (g)	0	
Protéines (g)	0	
Gras (g)	0	
Gras saturé (g)	0	
VITAMINES ET MINÉRAUX	PAR PORTION	POURCENTAGE DES BESOINS D'UNE FEMME ENCEINTE (%)
Sodium (mg)	8	
Fer (mg)	0	0
Calcium (mg)	10	1
Magnésium (mg)	5	1,4
Zinc (mg)	0	0
Acide folique (µg)	0	0
Vitamine B12 (µg)	0	0
Vitamine C (mg)	23	27
Vitamine D (µg)	0	0

La liste d'épicerie payante et les menus types

Pour maximiser l'apport en nutriments, il est important de choisir des légumes et fruits de saison ou congelés, lesquels sont très pratiques et conservent leur valeur nutritive. Voici une liste améliorée des aliments à haute valeur nutritive présentés au chapitre 4 et intéressants pour leur aspect pratique pendant la grossesse, mais aussi pendant l'activité physique. Elle est disponible en pdf afin que vous puissiez l'apporter avec vous à l'épicerie : editions-homme.com/fichiers/liste-epicerie.pdf

LÉGUMES ET FRUITS	PRODUITS CÉRÉALIERS	PRODUITS LAITIERS ET SUBSTITUTS	VIANDES ET SUBSTITUTS	GRAS ET AUTRES
Bette à carde	Barres de céréales	Lait 2 %	Amandes	Beurre d'arachide ou d'amande
Épinard	Céréales riches en fibres	Boisson de soya enrichie	Bœuf	Huile d'olive extra-vierge
Gingembre frais	Craquelins de seigle, de riz	Dessert de soya	Graines de citrouille ou de sésame	Huile de canola (pour la cuisson)
Laitue	Crème de blé	Fromage cheddar ou autre à pâte dure	Haricots noirs	Huiles de noix variées
Tomate	Germe de blé	Yogourt nature de style grec	Lentilles	Pesto
Poivron rouge et d'autres couleurs	Graines de lin	Lait glacé	Œufs	
Pomme de terre	Quinoa	Yogourt à boire	Palourdes fraîches ou en conserve	
Herbes fraîches	Riz brun		Poisson permis (saumon, flétan, etc.)	
Banane	Pain de grains entiers		Tofu ferme	
Bleuet	Pâtes de grains entiers ou enrichies en fer		Tofu mou (pour les smoothies)	
Canneberge séchée	Biscuits au gingembre			
Citron	Gruau			
Figue				
Fraise				
Framboise				
Orange				
Pomme				
Pruneau frais ou séchés				

Boissons et petites douceurs : Miel, eau gazéifiée, jus d'orange, jus de canneberge, vin blanc sans alcool, chocolat noir à 70 %, confiture.

MENUS TYPES SELON LE FACTEUR D'ACTIVITÉ ET LE TYPE D'ACTIVITÉ (EXEMPLE DU 2ᵉ TRIMESTRE)

Ces tableaux vous aideront à modifier vos menus selon vos activités et les fluctuations de vos besoins énergétiques. Vous trouverez ci-après différents exemples de menus correspondant aux besoins énergétiques de Marie, 32 ans (165 cm, 63 kg), au deuxième trimestre de grossesse. Le menu type d'une journée sans activité physique, à gauche, a été modifié

MENU POUR UNE JOURNÉE DE REPOS	MENU POUR UNE JOURNÉE AVEC UN ENTRAÎNEMENT DE YOGA EN MATINÉE (intensité modérée à élevée)	MENU POUR UNE JOURNÉE AVEC UN ENTRAÎNEMENT DE COURSE À PIED EN MATINÉE (intensité modérée : 8,5 min/km)
Besoins énergétiques de Marie : 2150 kcal	Besoins énergétiques de Marie : 2400 kcal	Besoins énergétiques de Marie : 2600 kcal
AVANT L'ACTIVITÉ	7 h	7 h
	250 ml (1 tasse) de jus de pomme dilué dans 250 ml (1 tasse) d'eau	1 tranche de pain grillée à la cannelle et aux raisins 5 ml (1 c. a thé) de margarine ou de beurre
		125 ml (½ tasse) de compote de pommes
	7 h 30 : 60 minutes de yoga	9 h : 60 minutes de course à pied (8,5 min/km)
PETIT-DÉJEUNER		
175 ml (¾ tasse) de céréales muesli 250 ml (1 tasse) de lait 1 % partiellement écrémé	15 à 30 minutes après l'entraînement	15 à 30 minutes après l'entraînement
	250 ml (1 tasse) de céréales muesli 250 ml (1 tasse) de lait 1 % partiellement écrémé	375 ml (1 ½ tasse) de céréales muesli 250 ml (1 tasse) de lait 1 % partiellement écrémé
1 banane	1 banane	4 dattes ou pruneaux séchés
COLLATION DE L'AVANT-MIDI		
1 muffin à la citrouille et aux raisins (voir la recette à la page 207)	1 muffin à la citrouille et aux raisins (voir la recette à la page 207)	1 smoothie au beurre d'arachide et aux bananes (voir la recette à la page 209)
	100 ml de yogourt aux fruits (2 à 4 % m.g.)	
REPAS DU MIDI		
1 sandwich aux œufs : 2 tranches de pain de blé entier 30 ml (2 c. à soupe) de mayonnaise 2 œufs cuits dur ½ tomate en tranches	1 sandwich aux œufs : 2 tranches de pain de blé entier 30 ml (2 c. à soupe) de mayonnaise 2 œufs cuits dur ½ tomate en tranches	Salade : 1 poivron rouge coupé 500 ml (2 tasses) d'épinards bien lavés 30 g (1 oz) de fromage râpé (ex. : mozzarella) 15 ml (1 c. à soupe) d'huile d'olive 1 œuf cuit dur
1 tasse de concombre	1 tasse de concombre	1 pain pita grillé
180 ml (6 oz) de jus de légumes	180 ml (6 oz) de jus de légumes	250 ml (1 tasse) de fraises
1 pomme	1 pomme	

Suite à la page 222

à quatre reprises de façon à répondre aux besoins additionnels de Marie selon l'activité physique et le moment de la journée où elle prévoit la faire. Vous trouverez aussi un menu modifié spécialement pour une journée de repos où les nausées sont très présentes.

MENU ADAPTÉ POUR UNE RANDONNÉE DE VÉLO APRÈS LE TRAVAIL (intensité modérée, 150 watts)	MENU ADAPTÉ POUR UNE JOURNÉE DE RANDONNÉE PÉDESTRE (4 heures de marche en montagne)	MENU ADAPTÉ POUR UNE JOURNÉE DE REPOS AVEC DES NAUSÉES
Besoins énergétiques de Marie : 2600 kcal	Besoins énergétiques de Marie : 3900 kcal	Besoins énergétiques de Marie : 2150 kcal
AVANT L'ACTIVITÉ		
		10 craquelins de riz
PETIT-DÉJEUNER		
2 tranches de pain de blé entier grillées 15 ml (1 c. à soupe) de confiture	250 ml (1 tasse) de gruau préparé à cuisson rapide 60 ml (¼ tasse) de raisins secs 60 ml (¼ tasse) de canneberges séchées	1 smoothie au gingembre antinausées à boire lentement (voir la recette à la page 209)
30 g (1 oz) de fromage cheddar	250 ml (1 tasse) de lait 1 % partiellement écrémé	
250 ml (1 tasse) de lait 1 % partiellement écrémé	½ banane	
	Début de la randonnée	
COLLATION DE L'AVANT-MIDI		
1 poire	2 portions de barres de céréales maison (voir la recette à la page 205)	1 muffin à la citrouille et aux raisins (voir la recette à la page 207)
250 ml (1 tasse) de lait 1 % partiellement écrémé	1 litre (4 tasses) de boisson sportive maison	
REPAS DU MIDI		
1 portion de pâtes aux palourdes (voir la recette à la page 214)	1 sandwich au thon : 2 tortillas de blé entier 90 g (3 oz) de thon en conserve (aromatisé à l'huile et au citron) ½ tasse de concombre	90 g (3 oz) de poulet grillé aux herbes fraîches
10 pointes d'asperges à la vapeur		500 ml (2 tasses) de soupe aux légumes
1 biscuit à l'avoine	30 g (1 oz) de fromage	1 petit pain 10 ml (2 c. à thé) de margarine ou de beurre
	180 ml (6 oz) de jus de légumes	
	1 pomme	

Suite à la page 223

MENU POUR UNE JOURNÉE DE REPOS	MENU POUR UNE JOURNÉE AVEC UN ENTRAÎNEMENT DE YOGA EN MATINÉE (intensité modérée à élevée)	MENU POUR UNE JOURNÉE AVEC UN ENTRAÎNEMENT DE COURSE À PIED EN MATINÉE (intensité modérée : 8,5 min/km)
COLLATION DE L'APRÈS-MIDI		
30 ml (2 c. à soupe) d'amandes	30 ml (2 c. à soupe) d'amandes	250 ml (1 tasse) de crudités
30 ml (2 c. à soupe) de noix de Grenoble	30 ml (2 c. à soupe) de noix de Grenoble	45 ml (3 c. à soupe) de trempette maison
2 dattes ou pruneaux séchés	2 dattes ou pruneaux séchés	
REPAS DU SOIR		
1 portion de ragoût de bœuf réinventé (voir la recette à la page 215)	1 portion de saumon en papillote (voir la recette à la page 213)	1 portion de ragoût de bœuf réinventé (voir la recette à la page 215)
125 ml (½ tasse) de couscous	125 ml (½ tasse) de riz basmati	250 ml (1 tasse) de couscous
500 ml (2 tasses) de roquette 15 ml (1 c. à soupe) d'huile d'olive		250 ml (1 tasse) de lait 1 % partiellement écrémé
250 ml (1 tasse) de lait 1 % partiellement écrémé		
COLLATION EN SOIRÉE		
250 ml (1 tasse) de lait 1 % partiellement écrémé	250 ml (1 tasse) de lait 1 % partiellement écrémé	2 clémentines
1 biscuit à l'avoine		
RECOMMANDATIONS		
L'important est de bien répartir les repas et les collations durant la journée.	La collation avant le yoga permet d'avoir de l'énergie et d'être hydratée. Si vous tolérez plus d'aliments que Marie, consommez également la banane et prenez le petit-déjeuner après le yoga. Comme Marie ne veut pas manger avant son cours de yoga, pour avoir de l'énergie, nous recommandons qu'elle boive une boisson sportive faite avec du jus et de l'eau, lentement, avant ou pendant son cours.	Comme l'activité physique se fait en matinée, les collations et les repas sont plus copieux autour de l'activité pour favoriser la récupération. Pour éviter les reflux gastriques, prendre la collation (riche en glucides complexes) 45 minutes avant l'entraînement et choisir des aliments solides.

MENU ADAPTÉ POUR UNE RANDONNÉE DE VÉLO APRÈS LE TRAVAIL (intensité modérée, 150 watts)	MENU ADAPTÉ POUR UNE JOURNÉE DE RANDONNÉE PÉDESTRE (4 heures de marche en montagne)	MENU ADAPTÉ POUR UNE JOURNÉE DE REPOS AVEC DES NAUSÉES
COLLATION DE L'APRÈS-MIDI		
1 muffin à la citrouille et aux raisins (voir la recette à la page 207)	4 dattes ou pruneaux séchés	30 ml (2 c. à soupe) d'amandes
125 ml (½ tasse) de compote de pommes	4 figues séchées	1 tortilla avec houmous à la coriandre et au citron vert (voir la recette à la page 211)
	60 ml (¼ tasse) d'amandes	
	60 ml (¼ tasse) de noix de Grenoble	
60 minutes de vélo ou de spinning à intensité modérée (150 watts)	1000 ml (4 tasses) de boisson sportive maison (voir la recette à la page 34)	
15 à 30 minutes après l'entraînement		
250 ml (1 tasse) de lait au chocolat 2 % partiellement écrémé	90 g (3 oz) de poulet grillé aux herbes fraîches	
REPAS DU SOIR		
2 portions de boules d'énergie aux légumineuses (voir la recette à la page 206)	1 portion de quinoa au cari et aux fruits séchés (voir la recette à la page 212)	
1 pain pita grillé	125 ml (½ tasse) de brocoli cuit à la vapeur 15 ml (1 c. à soupe) d'huile d'olive	
500 ml (2 tasses) de salade de verdure 30 ml (2 c. à soupe) d'huile d'olive	250 ml (1 tasse) de lait 1 % partiellement écrémé	
COLLATION EN SOIRÉE		
250 ml (1 tasse) de lait 1 % partielle-ment écrémé	250 ml (1 tasse) de yogourt glacé	1 tranche de pain à la cannelle et aux raisins
		10 ml (2 c. à thé) de margarine ou de beurre
		250 ml (1 tasse) de lait au chocolat 2 % partiellement écrémé
		60 ml (¼ tasse) de lait en poudre ajouté au lait au chocolat
RECOMMANDATIONS		
	Un petit-déjeuner consistant sera nécessaire avant de partir et l'hydratation est importante tout au long de la randonnée. Comme les œufs et la mayonnaise ne sont pas sécuritaires sans réfrigération, il est plus prudent d'utiliser du thon ou du saumon en conserve préassaisonné (ex. : à saveur thaï épicé ou de citron). Les pains pitas et les tortillas sont faciles à transporter en randonnée.	Manger les craquelins au lit, avant de bouger, pour calmer l'estomac. Prendre un petit-déjeuner liquide et froid est habituellement plus facile en cas de nausées. Le gingembre peut aussi aider à calmer les nausées. La collation du soir est consistante mais peut être prise au moment où vous vous sentez le mieux. Le lait en poudre permet d'ajouter des calories et des protéines. Ne vous couchez pas tout de suite après avoir mangé.

Crédits

Consultants et spécialistes :

Dr Mireille Belzile (médecine sportive) ;

Dr Pascale Desautels (gynécologie et obstétrique) ;

Dr Denys Samson (médecine familiale, urgentologie et obstétrique) ;

Dr Vyta Senikas (gynécologie et obstétrique), de la SOGC ;

Mélanie Chevarie, sage-femme et professeur de yoga ;

Richard Chouinard, spécialiste en entraînement sportif ;

Marie-Josée Lord, physiothérapeute en rééducation pelvienne ;

Alexandre Morency, kinésiologue ;

Dominique Perras et Mathieu Toulouse, entraîneurs en cyclisme ;

Nicholas Perron, entraîneur-chef en natation à l'Université Laval ;

Guy Thibault, docteur en physiologie de l'exercice ;

Toute l'équipe de VIVAI, experts en nutrition.

Modèles :

Marie-France Bard ;

Annie Blanchet ;

Marie-Michèle Delisle ;

Claudine Després et bébé Émilie ;

Kim Dorval ;

Ariane Fontaine et bébé Juliette ;

Isabelle Gendron, Louis Paré et leurs filles Charlotte et Béatrice ;

Sandra Leduc-Thibault ;

Katy St-Laurent et bébé Jaylan ;

Véronique Tétreault-Ayotte et Mathieu Turcotte.

Groupe des mamans à la page 188

Annie Lépine

Amélie Vaillancourt

Sophie Larochelle

Phebee Richard

Jennifer Pelletier

Remerciements

L'écriture de ce livre n'aurait pas été possible sans l'apport inestimable de précieux collaborateurs. Nous remercions très sincèrement le Dr Mireille Belzile, le Dr Pascale Desautels, le Dr Denys Samson et le Dr Senikas, de la SOGC.

Un merci tout particulier à Guy Thibault, conseiller en recherche à la Direction du sport et de l'activité physique du ministère de l'Éducation, du Loisir et du Sport, et à Richard Chouinard, responsable de la formation pratique à la division de kinésiologie de la faculté de médecine de l'Université Laval depuis 1997 et spécialiste en entraînement sportif.

Nous tenons aussi à remercier Marie-Josée Lord et Karine Roberge, physiothérapeutes en rééducation pelvienne, Alexandre Morency, kinésiologue, Mélanie Chevarie, enseignante de yoga et sage-femme, Nicholas Perron, entraîneur de natation du Rouge et Or de l'Université Laval, Dominique Perras et Mathieu Toulouse, ex-cyclistes professionnels et entraîneurs cyclistes, pour leur contribution exceptionnelle, Kristin Kardel, physiologiste, Mélanie Mantha, entraîneur cardio-poussette et diététiste, Chantale Labonté et Sylvie Cadrin, SOGC.

Merci également à l'équipe de nutritionnistes dévoués de Vivai, et tout particulièrement à Kate Comeau, qui s'est impliquée du début à la fin de l'écriture, et à Josiane Tanguay et à Stéphanie Jamain. Merci aussi à Élodie Gelin pour les références européennes et à Julie Paquette.

Merci aussi aux mamans qui ont bien voulu partager leurs expériences et commentaires et qui ont inspiré l'écriture de ce livre : Cynthia Graton, Marie-Michèle Delisle, Catherine Berthiaume, Myriam Grenon, Aurelie Mathews, Isabelle Gendron, Michèle D'Amours, Katy St-Laurent, Annie Brongel, Jodi Bilek-Deville, Catherine Gauthier-Platz, Milaine Thériault, Gunn-Rita Dahle, Éveline Lapierre, Karine Lefebvre, Dr Annie-Claude Bergeron, Dr Isabelle Gosselin, Dr Annie Deshaies Marilou Lachance, Guylaine Carle, Sylvie Bernier, Sylvie Fréchette et Lynne Routhier.

Merci à KSL Sports pour les vêtements et la Boutique Le Coin des coureurs au Dix/30.

vivaï
experts en nutrition

4450 rue Saint-Denis,
bureau 405, 4e étage
Montréal (Québec)
H2J 2L1
514-287-7272
www.vivai.ca

Table des matières

CHAPITRE 6

Programmes d'activité physique pendant la grossesse